NORA ROBERTS est le plus grand auteur de littérature féminine contemporaine. Ses romans ont reçu de nombreuses récompenses et sont régulièrement classés parmi les meilleures ventes du *New York Times*. Des personnages forts, des intrigues originales, une plume vive et légère... Nora Roberts explore à merveille le champ des passions humaines et ravit le cœur de plus de quatre cents millions de lectrices à travers le monde. Du thriller psychologique à la romance, en passant par le roman fantastique, ses livres renouvellent chaque fois des histoires où, toujours, se mêlent suspense et émotions.

À l'heure
où les cœurs s'éveillent

Catalogage avant publication de Bibliothèque et Archives nationales du Québec et Bibliothèque et Archives Canada

Roberts, Nora

    [Shadow spell. Français]

    À l'heure où les cœurs s'éveillent

    (Les héritiers de Sorcha ; 2)

    Traduction de : Shadow spell.

    ISBN 978-2-89077-585-5

    I. Del Cotto, Sylvie. II. Titre. III. Titre : Shadow spell. Français.

    IV. Collection : Roberts, Nora. Héritiers de Sorcha ; 2.

    PS3568.O24865S5214 2015   813'.54   C2015-940831-8

COUVERTURE

Photo : Jane McIlroy/Shutterstock

Conception graphique : Antoine Fortin

INTÉRIEUR

Composition : Nord Compo

Titre original : Shadow Spell

Éditeur original : The Berkley Publishing Group,
une filiale de The Penguin Group (USA) LLC, New York

ISBN 978-2-89077-585-5

Dépôt légal BAnQ : 2e trimestre 2015

Imprimé au Canada

www.flammarion.qc.ca

NORA ROBERTS

Les héritiers de Sorcha – 2

À l'heure
où les cœurs s'éveillent

Traduit de l'anglais (États-Unis) par Sylvie Del Cotto

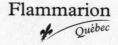

Flammarion
Québec

À mon cercle,
ma famille et mes amis.

L'événement à venir projette son ombre.

Thomas CAMPBELL

L'ornement d'une maison
ce sont les amis qui la fréquentent.

Ralph Waldo EMERSON

1

La brume s'élevait de la surface de l'eau en spirales vaporeuses tandis qu'Eamon ramait dans sa modeste barque. Le soleil pâle diffusait sa faible lumière au sortir du repos nocturne, réveillant les oiseaux qui pépiaient à l'unisson. Il entendit le coq chanter, arrogant et fier, et le mouton bêler pendant qu'il broutait les verts pâturages.

Des sonorités tout à fait familières, des bruits qui le saluaient chaque matin depuis cinq ans maintenant.

Néanmoins il n'était pas chez lui ici. Malgré l'hospitalité et la familiarité de cette terre, elle ne serait jamais la sienne.

Or, de sa terre il se languissait. Dès que ses pensées l'y renvoyaient, la nostalgie le submergeait jusqu'au tréfonds de son être et, tel un amoureux dédaigné, il sentait le manque lui déchirer le cœur.

Et sous le regret, le chagrin, la nostalgie, l'affliction, bouillonnait une rage vive qui lui remontait dans la gorge, lui asséchant le gosier aussi âprement que la soif.

Certaines nuits, il rêvait de sa terre d'origine, de leur chaumière nichée dans les grands bois dont il connaissait chaque arbre, chaque courbe de chaque sentier. Et certaines nuits, ses rêves se faisaient aussi réels que la vie éveillée à tel point qu'il sentait l'odeur du feu de tourbe, les doux effluves de lavande dont sa mère tissait des brins qu'elle glissait dans son lit pour lui assurer un sommeil paisible et de beaux rêves.

Il entendait sa voix, alors qu'elle fredonnait discrètement sous la soupente, là où elle concoctait ses potions et ses infusions.

La Ténébreuse, l'appelait-on respectueusement, en hommage à ses pouvoirs et à sa force. À sa gentillesse et à sa bonté, aussi. Ainsi, certaines nuits, quand il rêvait de son foyer, quand il entendait sa mère chanter sous le plancher du grenier, il se réveillait les joues baignées de larmes.

Il les essuyait à la hâte. C'était un homme désormais : dix ans révolus, chef de famille comme son père avant lui.

Les larmes étaient réservées aux femmes.

Il posa les rames pour laisser l'embarcation dériver au gré de l'eau pendant qu'il installait sa ligne, puis se rappela à l'ordre. Son rôle n'était-il pas de veiller sur ses sœurs ? Brannaugh était peut-être l'aînée, mais il était l'homme de la famille. Il avait prêté serment et juré de les protéger, elle et Teagan, et c'est ce qu'il continuerait à faire. Il avait hérité de l'épée de leur grand-père. Le moment venu, il n'hésiterait pas à la dégainer.

Assurément, ce moment viendrait.

Car il y avait d'autres rêves, des rêves porteurs de peur plutôt que de tristesse. Il rêvait de Cabhan, le sorcier maléfique. Ces rêves effrayants formaient dans son ventre des boules si glacées qu'elles figeaient même sa rage bouillonnante. Une peur qui donnait envie au petit garçon qu'il demeurait au fond de lui d'appeler sa mère au secours.

Mais il ne pouvait pas se permettre de céder à l'effroi. Sa mère n'était plus de ce monde, elle s'était sacrifiée pour les

14

sauver lui et ses sœurs, quelques heures après que Cabhan eut massacré leur père.

Il ne lui restait qu'un souvenir flou de son père, et trop souvent il devait faire appel au feu pour le revoir nettement – le grand et fier Daithi, le *cennfine*[1] à la chevelure claire, au rire facile. À l'inverse, il lui suffisait de fermer les yeux pour voir sa mère, aussi pâle que la mort qui l'avait enlevée, se tenant devant la chaumière, dans les bois, en ce matin brumeux, tandis qu'il s'éloignait à cheval avec ses sœurs, le cœur lourd, une force nouvelle et vive coulant dans ses veines.

Il n'était plus un petit garçon, depuis ce matin-là, mais l'un des trois enfants de la Ténébreuse, unis par le sang et le vœu de détruire ce que sa mère avait échoué à annihiler.

Une partie de lui ne désirait rien d'autre que de se mettre à l'œuvre, de tourner la page sur cette période de leur vie, sur Galway et la ferme de leur cousine où le coq saluait l'aube de son chant, où le mouton bêlait dans la prairie. L'homme et le magicien qui cohabitaient en lui souhaitaient ardemment que le temps passe plus vite, que lui vienne la force de manier l'épée de son grand-père sans que son poids fasse trembler son bras. Que vienne le jour où il pourrait pleinement embrasser ses pouvoirs et recourir à la magie, un don qui lui revenait de naissance et de droit. Le moment où il ferait couler le sang noir de Cabhan, brûlant à faire crépiter la terre.

Néanmoins, dans ses rêves, il n'était qu'un petit garçon, faible et inexpérimenté, poursuivi par un Cabhan changé en loup, un loup à la pierre rouge garante de son pouvoir maléfique flamboyant sur son poitrail. Et c'était son propre sang, le sang de ses sœurs, qui se répandait sur la terre en filets chauds et rouges.

---

1. Les termes en italique suivis d'un astérisque sont expliqués dans le glossaire en fin de volume.

15

Le matin, après avoir fait ces terribles rêves, il se rendait à la rivière, prenait la barque pour aller pêcher, pour être seul, même si la plupart du temps il recherchait la proximité de sa famille dans la maisonnette, les voix, les odeurs de cuisine.

Mais après ces rêves sanglants, il avait besoin de s'isoler – et personne ne lui reprochait de ne pas aider à traire, à charrier le fumier ou à nourrir les bêtes. Pas ces matins-là.

Alors il restait assis dans la barque, un garçon mince à la tignasse brune ébouriffée par le sommeil, avec les grands yeux bleus de son père, le pouvoir vibrant et animé de sa mère.

Comme le jour se levait autour de lui, il écoutait la nature s'éveiller. Il attendait patiemment que le poisson morde à l'hameçon et vienne happer la galette d'avoine chipée dans la cuisine de sa cousine.

Et là, il se retrouvait.

La rivière, le calme, le doux balancement de l'embarcation lui rappelaient les derniers jours véritablement heureux qu'il ait connus avec sa mère et ses sœurs.

Elle avait retrouvé sa bonne mine, se souvenait-il, alors que pendant ce long hiver glacial, il l'avait trouvée pâle et fatiguée. Ensemble, ils comptaient les jours les séparant de Beltaine et du retour de son père. Ce jour-là, Eamon avait imaginé qu'ils s'assiéraient autour du feu, grignoteraient des biscuits avec un thé sucré au miel tout en écoutant le récit des batailles et des parties de chasse de leur père.

Ils festoieraient, avait-il cru, et sa mère irait de nouveau bien.

C'est ce qu'il avait cru, ce jour-là sur la rivière, quand ils avaient pêché et ri, en songeant, tous ensemble, que leur père rentrerait bientôt à la maison.

Mais il n'était jamais revenu à cause de Cabhan qui avait eu recours à la magie noire pour assassiner Daithi le Brave. Puis Sorcha la Ténébreuse – bien qu'elle l'eût réduit en cendres. Après l'avoir tuée, il avait trouvé le moyen de survivre.

Eamon en tenait la certitude de ses rêves, des picotements le long de son échine. En percevait toute la vérité dans les yeux de ses sœurs.

Il gardait le souvenir de cette journée printanière lumineuse sur la rivière. Alors même qu'un poisson tirait sur sa ligne, son esprit demeura ancré dans le passé et il se revit à l'âge de cinq ans, sortant un poisson luisant des eaux sombres de la rivière.

En cet instant, il éprouva un sentiment de fierté identique.

— Ailish va être contente.

Sa mère lui sourit comme il faisait glisser le poisson dans le seau d'eau pour en préserver la fraîcheur.

Son manque profond l'avait rappelée à lui, le réconfortant. Il accrocha un nouvel appât à l'hameçon, réchauffé par le soleil qui commençait à dissiper l'épais brouillard.

— Il va nous en falloir plus d'un.

Elle avait dit ça, se souvint-il, en ce jour lointain.

— Alors tu en attraperas plusieurs.

— J'aimerais autant en attraper plus d'un dans ma rivière à moi.

— Un jour, oui. Un jour, *mo chroi**, tu rentreras chez toi. Un jour, ceux qui naîtront de toi pêcheront dans notre rivière, marcheront dans nos grands bois. Je t'en fais la promesse.

Les larmes menaçaient de couler, troublant cette vision d'elle, si bien qu'elle vacilla devant ses yeux. Il s'efforça de les chasser afin de la voir distinctement. Ses cheveux noirs lâchés qui lui battaient les reins, ses yeux sombres pleins d'amour. Cet immense pouvoir qui irradiait. Même à présent, alors qu'elle n'était qu'une vision, il sentait nettement sa force magique.

— Pourquoi ne l'as-tu pas détruit, maman ? Pourquoi n'as-tu pas survécu ?

— Ce n'était pas mon intention. Mon amour, mon fils, mon cœur, si j'avais pu vous épargner toi et tes sœurs, j'aurais donné ma vie et plus encore.

— Tu as donné plus que ta vie. Tu nous as légué ton pouvoir, presque entièrement. Si tu l'avais gardé...

— Mon heure avait sonné, et c'était ton droit d'aînesse. Cela me satisfait, je peux te le permettre aussi.

Dans la brume qui allait se dissipant, elle rayonnait, sa silhouette se parant de contours argentés.

— Je suis en toi pour toujours, Eamon le Loyal. Je suis dans ton sang, dans ton cœur, dans ton esprit. Tu n'es pas seul.

— Tu me manques.

Il sentit ses lèvres sur sa joue, sa chaleur, son parfum l'enveloppant tout entier. Et pendant ce bref instant, rien que cet instant, il pouvait de nouveau être un enfant.

— Je veux être courageux et fort. Je le serai, j'en fais la promesse. Je protégerai Brannaugh et Teagan.

— Vous vous protégerez les uns les autres. Vous êtes la trinité. Ensemble, vous êtes plus puissants que je ne l'ai jamais été.

— Vais-je le tuer ? (Car c'était son vœu le plus intime, le plus farouche.) Vais-je l'achever ?

— Je ne saurais le dire, mais il ne pourra jamais t'enlever ce que tu es. Ce que tu es, ce que tu as en toi ne peut qu'être transmis comme je te l'ai transmis. Il porte en lui ma malédiction et sa marque. Tous ceux qui descendront de lui la porteront aussi, de la même façon que tous ceux qui naîtront de toi porteront la clarté. Mon sang, Eamon. (Elle tourna la paume de sa main vers le ciel, montrant une fine ligne de sang.) Et le tien.

Sentant une douleur soudaine, il vit la blessure en travers de la paume de sa main. Il la joignit à celle de sa mère.

— Le sang des trois, issus de Sorcha, aura raison de lui, même si cela doit prendre mille ans. Aie confiance en ce que tu es. C'est suffisant.

Elle l'embrassa encore, sourit de nouveau.

— Tu en as plus d'un.

Les soubresauts de sa ligne chassèrent sa vision.

En effet, il avait attrapé un autre poisson.

Il allait se montrer courageux, se dit-il en tirant le poisson agité hors de la rivière. Il allait être fort. Et un jour, il serait assez fort.

Il examina sa main – il n'y avait plus de marque, mais il avait compris. Il avait son sang, et son don en lui. Et cela, un jour, il le transmettrait à ses fils, à ses filles. S'il n'était pas celui qui détruirait Cabhan, ce serait l'un des siens.

Mais il espérait, par tous les dieux, que cette tâche lui reviendrait.

Pour l'instant, il allait continuer à pêcher. C'était bon d'être un homme, se dit-il, de chasser et de pêcher, d'approvisionner le foyer en nourriture. De rembourser ses cousins qui lui offraient un toit et s'occupaient de lui.

Puisqu'il était devenu un homme, il avait appris la patience. Grâce à cela, il attrapa quatre poissons avant de ramener la barque vers le rivage. Il l'attacha et lia les poissons avec du fil de pêche.

Il resta là un moment, à regarder l'eau, ses reflets sous le plein soleil. Il songea à sa mère, aux échos de sa voix, à l'odeur de sa chevelure. Ses mots ne cesseraient jamais de l'accompagner.

Il décida de rentrer en passant par le petit bois. Pas aussi vaste que les grands bois qui entouraient son foyer, mais un bois néanmoins, se dit-il.

Après avoir rapporté le poisson à Ailish, il prendrait un thé au coin du feu. Ensuite, il aiderait à la dernière moisson.

Il entendit le cri perçant alors qu'il empruntait le chemin du retour en direction de la petite ferme. Souriant, il plongea la main dans sa besace et en sortit son gant de cuir. Il n'eut qu'à l'enfiler et à lever le bras pour que Roibeard surgisse d'entre les nuages, les ailes déployées, prêt à se poser.

— Bonjour à toi.

Eamon scruta ses yeux dorés, éprouva le lien intime qui l'unissait à son épervier, son guide, son ami. Il porta la main à l'amulette enchantée qu'il avait autour du cou, celle que sa mère avait fait apparaître par la magie du sang dans le but de le protéger. Elle arborait l'image du rapace.

— C'est une magnifique journée, tu ne trouves pas ? Lumineuse mais pas trop chaude. La moisson touche à sa fin, et nous donnerons bientôt une fête pour la célébrer, continua-t-il tout en marchant, l'oiseau sur le bras. Pour l'équinoxe, comme tu le sais, quand la nuit conquiert le jour comme Gronw Pebr a conquis Lleu Llaw Gyffes. Nous honorerons alors la naissance de Mabon, fils de Mordon, gardien de la terre. C'est sûr, il y aura des gâteaux au miel. Je ne manquerai pas de t'en garder une part.

L'épervier frotta sa tête contre la joue d'Eamon, aussi affectueux qu'un chaton.

— J'ai encore fait ce rêve, avec Cabhan. J'ai vu la maison, j'ai vu Ma après qu'elle nous eut donné presque tout le pouvoir qu'il lui restait et chassés pour nous mettre à l'abri loin d'elle. Je vois ce moment, Roibeard. Quand elle l'a empoisonné d'un baiser, quand elle s'est embrasée, se servant de toute son énergie pour le détruire. Il lui a pris la vie, et pourtant... je vois

20

l'effervescence dans ses cendres après qu'il a brûlé. L'agitation, diabolique, et le flamboiement rouge du pouvoir de Cabhan.

Eamon se tut un instant, convoqua son pouvoir, s'ouvrit à lui. Il sentit le cœur battant d'un lapin qui se précipitait dans les buissons, la faim d'un oisillon qui attendait sa mère et son petit déjeuner.

Il sentit ses sœurs, le mouton, les chevaux.

Et aucune menace.

— Il ne nous a pas retrouvés. Sinon, je le sentirais. Toi, tu le verrais, et tu me le dirais. Mais il cherche, et il chasse et il attend car je sens cela aussi.

Les yeux bleu vif du garçon s'assombrirent ; sa bouche tendre prit un pli déterminé plus viril.

— Je ne vais pas passer ma vie caché. Un jour, par le sang de Daithi et Sorcha, je partirai à sa poursuite.

Eamon leva la main, serra l'air dans son poing, le fit tournoyer et le jeta, doucement, vers un arbre. Les branches s'agitèrent, et les oiseaux posés là s'envolèrent.

— Après tout, je vais devenir de plus en plus fort, n'est-ce pas ? murmura-t-il en reprenant son chemin vers la maisonnette, avec les quatre poissons destinés à ravir Ailish.

Brannaugh accomplit ses tâches quotidiennes, comme tous les jours. Comme tous les jours depuis cinq ans, elle fit tout ce qu'on lui demandait. Elle cuisinait, nettoyait, s'occupait des plus petits tandis qu'Ailish avait en permanence un bébé au sein ou dans le ventre. Aux champs, elle aidait à semer et à récolter. Elle participait à la moisson.

Un travail sain et honnête, bien sûr, et satisfaisant à sa façon. Sa cousine Ailish et son mari étaient d'une gentillesse irréprochable. Des gens bons et fiables, des paysans qui avaient offert plus qu'un refuge à trois jeunes orphelins.

Ils leur avaient donné une famille, le plus précieux des cadeaux.

Leur mère ne l'avait-elle pas su ? Sans cette certitude, elle n'aurait jamais envoyé ses trois enfants auprès d'Ailish. Même dans ses heures les plus sombres, Sorcha n'aurait confié ses enfants chéris qu'à des âmes généreuses et aimantes.

Mais à douze ans, Brannaugh n'était plus une enfant. Et ce qui poussait en elle, se développait en elle, s'éveillait en elle – plus fort depuis qu'elle était devenue pubère, l'année précédente – la pressait ardemment.

Garder cela pour elle, détourner le regard de cette clarté perpétuelle la tourmentait un peu plus à mesure que le temps passait. Mais à Ailish elle devait le respect, et sa cousine craignait la magie et ses pouvoirs – même les siens.

Brannaugh avait agi selon la volonté de sa mère, ce terrible matin. Elle avait emmené son frère et sa sœur vers le sud, loin du comté de Mayo et de leur foyer. Elle était restée à couvert ; elle avait enfermé son chagrin dans son cœur, là où elle seule l'entendait gronder.

Son cœur nourrissait aussi le besoin de se venger, d'accepter pleinement le pouvoir qui sommeillait en elle et d'apprendre aussi, de s'instruire et se perfectionner dans le but de vaincre Cabhan une bonne fois pour toutes.

Mais Ailish ne demandait rien d'autre que son homme, ses enfants, sa ferme. Pourquoi pas ? Elle avait droit à son foyer, à sa vie et à sa terre, à cette existence paisible. N'avait-elle pas tout risqué en prenant les descendants de Sorcha sous son toit ? En accueillant ce que Cabhan convoitait ?

Elle méritait gratitude, loyauté et respect.

Mais ce qui vivait en Brannaugh réclamait la liberté. Des choix s'imposaient.

Elle avait vu son frère revenir de la rivière à pied, avec son poisson, son épervier. Elle avait senti qu'il testait son pouvoir à distance de la maisonnette – comme il en avait coutume. Comme Teagan, leur sœur, le faisait souvent. Ailish, occupée à parler des confitures qu'elle avait faites ce jour-là, n'avait rien senti. Sa cousine faisait barrage à son don – une source de perplexité pour Brannaugh –, ne s'autorisant que l'infime part qui lui permettait de sucrer les marmelades, ou d'amadouer les poules afin qu'elles pondent de plus gros œufs.

Brannaugh se disait que le sacrifice en valait la peine ; attendre d'en découvrir plus, d'en apprendre plus, d'être plus forte. Son frère et sa sœur étaient en sécurité ici – comme leur mère l'avait souhaité. Teagan, qui avait été submergée par le chagrin pendant des jours, des semaines, riait et jouait désormais. Elle se chargeait de ses tâches dans la joie, soignait les animaux, chevauchait comme une guerrière sur son grand Alastar gris.

Peut-être que certaines nuits, elle sanglotait dans son sommeil, mais dès que Brannaugh la prenait dans ses bras, ses pleurs se calmaient.

Hormis quand surgissaient les rêves de Cabhan. Ils venaient à Teagan, à Eamon, à elle-même. Plus fréquents à présent, plus clairs, et si nets que Brannaugh avait commencé à entendre sa voix résonner bien après son réveil.

Des choix s'imposaient. Cette attente, ce refuge, peut-être fallait-il y mettre un terme, d'une façon ou d'une autre.

Le soir, elle grattait les pommes de terre fraîchement récoltées. Elle remuait le ragoût qui mijotait dans l'âtre et tapait du pied au rythme de la musique que jouait l'époux de sa cousine sur sa petite harpe.

La maisonnette, chaude et douillette, était un endroit joyeux empli de bonnes odeurs, de gais éclats de voix, du rire d'Ailish quand elle dansait, son cadet calé sur la hanche.

La famille, se dit-elle une fois de plus. Bien nourrie, bien soignée dans une fermette chaude et douillette, avec des

23

herbes aromatiques qui séchaient dans la cuisine, des bébés aux joues roses.

Cela aurait dû la contenter – comme elle aurait aimé s'en réjouir !

Elle croisa le regard d'Eamon, qui avait les yeux bleu vif de leur père, sentit son pouvoir buter contre elle. Il en voyait trop, Eamon, se dit-elle. Bien trop dès lors qu'elle oubliait de se fermer à lui.

Elle lui renvoya un petit coup, comme pour le prévenir discrètement de se mêler de ses oignons. À la manière d'une sœur, elle sourit en le voyant grimacer.

Après le dîner, il fallait encore nettoyer les marmites, coucher les enfants. Mabh, l'aînée âgée de sept ans, se plaignit, comme toujours, qu'elle n'avait pas sommeil. Seamus se blottit aussitôt contre elle, son sourire rêveur annonçant qu'il était prêt. Les jumeaux qu'elle avait aidé à mettre au monde jacassaient comme des pies. La jeune Brigitt fourra son pouce dans sa bouche pour se rassurer, et le bébé s'endormit avant que sa mère ne le couche.

Brannaugh se demanda si Ailish savait qu'elle et son bébé au doux visage angélique ne seraient plus de ce monde sans la magie. La naissance, terriblement douloureuse, terriblement mal engagée, se serait terminée dans un bain de sang sans Brannaugh, son don de guérisseuse, ses visions, son habileté.

Bien qu'elles n'en parlent jamais, Ailish le savait sans doute.

Sa cousine se redressa, une main plaquée dans le bas du dos, l'autre sur son ventre, posée sur le bébé à naître.

— Une bonne nuit et de beaux rêves à vous tous. Brannaugh, aimerais-tu prendre une infusion avec moi ? Je ne dis pas non à une tasse de ta tisane calmante, car celui-là remue comme en pleine tempête ce soir.

24

— Avec plaisir, je vais t'en préparer. (*Et ajouter l'envoûtement pour t'assurer une bonne santé et un accouchement facile, comme à mon habitude.*) Il est en forme et en bonne santé, celui-là, et je le soupçonne de devenir aussi gros à lui seul que les jumeaux.

— C'est un garçon, sans aucun doute, dit Ailish en redescendant de la soupente où les enfants dormaient. Je le sens. Je ne me suis encore jamais trompée.

— Cette fois non plus. Du repos te ferait du bien, cousine.

— Une femme avec six enfants plus un autre en route ne prend guère de repos. Je vais bien.

Son regard s'attarda sur Brannaugh, attendant confirmation.

— Tu vas bien, assurément, mais ça ne t'empêche pas de te reposer un peu plus.

— Tu m'es d'un grand secours et d'un grand réconfort, Brannaugh.

— Je l'espère.

Il se passe quelque chose, se dit-elle tout en s'affairant à la préparation de la tisane. Elle sentait sa cousine agitée, et sa nervosité était contagieuse.

— Maintenant que nous avons rentré la récolte, tu pourrais te réserver pour tes travaux de couture. Tes ouvrages sont nécessaires et te permettent de t'accorder un peu de repos. Je peux me charger de la cuisine. Teagan et Mabh m'aideront, et à dire vrai, Mabh est déjà fine cuisinière.

— Oui, c'est certain, elle est douée. Je suis fière d'elle.

— Si les filles s'occupent de la cuisine, Eamon et moi pouvons aider notre cousin à chasser. Je sais que tu préfères ne pas me voir manier l'arc, mais n'est-ce pas plus sage que chacun fasse ce pour quoi il est fait ?

Ailish détourna brièvement le regard.

Oui, se dit Brannaugh, *elle sait et, pis encore, elle peine à nous demander de ne pas être ce que nous sommes.*

25

— J'aimais ta mère.

— Oh, et elle t'aimait en retour.

— Nous ne nous sommes que rarement vues au cours des dernières années. Néanmoins, elle m'envoyait des messages, à sa façon. La nuit où Mabh est née, la petite couverture que ma fille tient toujours contre elle quand elle dort était là, juste là, sur le berceau que Bardan a fabriqué pour elle.

— Quand elle parlait de toi, c'était toujours avec amour.

— Elle vous a envoyés vivre auprès de moi. Toi, Eamon, Teagan. Elle est venue me voir, dans un rêve, et m'a demandé de vous offrir un foyer.

— Tu ne m'en as jamais rien dit, murmura Brannaugh en portant l'infusion à sa cousine, avant de s'asseoir auprès d'elle devant le feu de tourbe.

— Deux jours avant votre arrivée, elle m'a fait cette demande.

Les mains serrées sur ses genoux recouverts de jupons aussi gris que ses yeux, Brannaugh fixait le feu.

— Il nous a fallu huit jours de voyage pour arriver ici. C'est par l'esprit qu'elle est venue te visiter. J'aimerais tant la revoir, mais je ne la retrouve que dans mes rêves.

— Elle est avec toi. Je la vois en toi. En Eamon, en Teagan, mais surtout en toi. Sa force et sa beauté. Son amour à toute épreuve pour sa famille. Tu es en âge désormais, Brannaugh. L'âge où tu dois envisager de fonder une famille.

— J'ai une famille.

— Ta propre famille, comme ta propre mère l'a fait. Un foyer, ma chérie, avec un homme qui travaillera la terre pour toi, et des bébés nés de toi.

Elle sirota son infusion à petites gorgées tandis que Brannaugh restait silencieuse.

— Fial est un homme comme il faut, il a bon cœur. Il était bon envers sa femme du temps où elle était encore en vie, je peux te l'assurer. Il a besoin d'une épouse, d'une mère pour ses enfants. Il possède une belle maison, bien plus grande que la nôtre. Il t'en ferait cadeau et en ouvrirait les portes à Eamon et à Teagan.

— Comment pourrais-je épouser Fial ? Il est...

Vieux, lui vint d'emblée à l'esprit mais, comprenant qu'il était environ du même âge que son Bardan, elle laissa sa phrase en suspens.

— Tu aurais une bonne vie à ses côtés, et il offrirait une bonne vie à ton frère, à ta sœur.

Ailish s'empara de son ouvrage de couture pour s'occuper les mains.

— Je ne t'en parlerais pas si je ne le croyais pas capable de te traiter avec gentillesse, jusqu'à la fin. Il est bel homme, Brannaugh, et il a de bonnes manières. Accepterais-tu d'aller te promener avec lui ?

— Je... Cousine, je ne vois pas Fial de cette manière.

— Peut-être que si tu passais un moment avec lui, tu changerais d'avis.

Ailish sourit, comme si elle avait un secret.

— Une femme a besoin d'un homme qui subvienne à ses besoins, qui la protège, qui lui donne des enfants. Un homme plaisant avec une belle maison, une figure agréable...

— As-tu épousé Bardan pour sa gentillesse ?

— Je ne l'aurais pas épousé s'il n'avait pas été gentil. Penses-y. Nous lui dirons que nous attendons que l'équinoxe soit passé pour t'en parler. Réfléchis. Veux-tu bien m'accorder cela ?

— Je vais réfléchir.

Brannaugh se leva.

— Sait-il ce que je suis ?

27

Ailish baissa ses yeux marqués par la fatigue.

— Tu es l'aînée de ma cousine.

— Sait-il ce que je suis, Ailish ?

Ça remuait en elle désormais, tout ce qu'elle retenait enfermé. La fierté agitait tout. Et la lumière qui jouait sur son visage ne provenait pas seulement du vacillement des flammes.

— Je suis la fille aînée de la Ténébreuse du comté de Mayo. Et avant de sacrifier sa vie, elle a sacrifié son pouvoir, en me le transmettant, à moi, et également à Eamon, à Teagan. Nous formons la trinité. Les trois enfants de la Ténébreuse, des magiciens.

— Tu es une enfant...

— Une enfant quand il est question de magie, de pouvoir. Mais une femme quand il s'agit de convoler avec Fial.

La vérité de ses propos embrasa les joues d'Ailish.

— Brannaugh, ma très chère petite, n'as-tu pas été heureuse ici, ces dernières années ?

— Si. Et je t'en suis très reconnaissante.

— Quand on est du même sang, on se donne tout sans quérir la gratitude.

— Oui. De sang à sang.

Posant son ouvrage, Ailish prit les mains de Brannaugh.

— Tu serais en sécurité, fille de ma cousine. Et tu serais heureuse. Tu serais aimée, aussi, je le crois. Que peut-on vouloir de plus ?

— Je suis plus que ça, dit Brannaugh calmement, avant de monter au grenier pour se coucher.

Mais le sommeil s'obstina à la fuir. Elle resta étendue auprès de Teagan, attendant que les chuchotements d'Ailish et de Bardan se tarissent. Ils parlaient de cette union, de cette bonne union raisonnable. Ils allaient finir par se convaincre que sa réticence n'était due qu'à la nervosité de la jeune fille qu'elle était.

C'était au cours d'une discussion comme celle-ci qu'ils s'étaient convaincus qu'elle, Eamon et Teagan étaient des enfants comme tous les autres.

Elle se leva sans faire de bruit, glissa ses pieds dans ses bottillons souples et drapa son châle sur ses épaules. Prendre l'air, voilà de quoi elle avait besoin. De l'air frais, de la nuit, de la lune.

Avec précaution, elle descendit de la soupente, ouvrit la porte.

Kathel, son chien de chasse, qui dormait devant la cheminée, s'étira et, sans hésitation, sortit à sa suite.

Désormais, elle pouvait respirer, l'air frais lui caressant les joues, le silence apaisant le chaos qui régnait en elle à la façon d'une caresse. Là, pour aussi longtemps qu'elle saurait retenir cette sensation, elle fit l'expérience de la liberté.

Accompagnée de son fidèle chien, elle se faufila entre les arbres, l'un et l'autre aussi discrets que des ombres. Elle entendit l'effervescence de la rivière, le soupir du vent dans les feuillages, sentit la terre, et l'odeur lointaine de la fumée du feu de tourbe s'échappant de la cheminée du cottage.

Elle pouvait projeter le cercle, essayer d'invoquer l'esprit de sa mère. Elle avait besoin de sa mère, ce soir. En cinq ans, elle n'avait pas pleuré, ne s'était autorisée à verser aucune larme. Mais à présent, elle ressentait le désir de s'asseoir par terre, de reposer sa tête contre la poitrine de sa mère et de sangloter.

Elle effleura l'amulette qu'elle portait autour du cou – l'image du chien que sa mère avait fait apparaître avec amour, par la magie, par le sang.

Était-elle restée fidèle à son sang, à ce qui vivait en elle ? Avait-elle tenu compte de ses propres besoins, de ses désirs, de ses passions ? Ou avait-elle tout rejeté comme un jouet avec lequel elle n'était plus en âge de jouer, et fait l'impossible pour assurer à son frère et à sa sœur la sécurité et un avenir digne de ce nom ?

— Maman, murmura-t-elle, que dois-je faire ? Que voudrais-tu que je fasse ? Tu nous as donné ta vie. Puis-je faire moins ?

Elle sentit que l'appel touchait son but, et leurs pouvoirs s'unirent tels des doigts entrelacés. Tournoyant, elle scruta les ténèbres. Le cœur battant, elle songea : *Ma.*

Mais c'est Eamon qui s'avança sous le clair de lune, serrant la main de Teagan dans la sienne.

Une vive pointe de déception perça dans sa voix qui se fit tranchante.

— Vous devriez être au lit. Où avez-vous la tête, à vous promener dans les bois, la nuit ?

— Tu fais la même chose, rétorqua Eamon.

— Je suis l'aînée.

— Je suis le chef de famille.

— L'appareil dérisoire qui pendouille entre tes jambes ne fait pas de toi le chef de notre famille.

Teagan gloussa, puis s'élança pour jeter les bras autour de sa sœur.

— Ne te mets pas en colère. Tu avais besoin de nous. Tu étais dans mon rêve. Tu pleurais.

— Je ne pleure pas.

— Juste là, dit Teagan en posant la main sur le cœur de Brannaugh.

Ses yeux d'un noir profond – identiques à ceux de leur mère – scrutèrent le visage de sa sœur.

— Pourquoi es-tu triste ?

30

— Je ne suis pas triste. Je suis simplement sortie pour être seule et réfléchir.

— Tu penses trop fort, marmotta Eamon, toujours sous le coup de l'allusion à son « appareil dérisoire ».

— Et si tu avais de bonnes manières, tu n'écouterais pas les pensées des autres.

— Comment l'éviter alors que tu les *cries* ?

— Assez. Ne nous disputons pas.

Teagan était peut-être la cadette de la fratrie, mais elle ne manquait pas de volonté.

— Ne nous disputons pas, répéta-t-elle. Brannaugh est triste, Eamon est comme un homme sur des charbons ardents, et je... je me sens comme si j'avais mangé trop de pudding.

— Es-tu malade ? demanda Brannaugh, sa colère envolée d'un coup.

Elle plongea les yeux dans ceux de Teagan.

— Pas de cette façon. Quelque chose... est déséquilibré. Je le sens. Je crois que toi aussi, tu le sens. Alors ne nous disputons pas. Nous sommes une famille.

Sans lâcher la main de Brannaugh, Teagan saisit celle d'Eamon.

— Dis-nous, ma sœur, pourquoi tu es triste.

— Je... j'aimerais tracer un cercle. Je souhaite ressentir la lumière en moi. Je veux tracer un cercle et m'asseoir dans sa clarté avec vous. Avec vous deux.

— Cela ne nous arrive presque jamais, dit Teagan. Parce que Ailish ne veut pas qu'on le fasse.

— Et elle nous a accueillis chez elle. Nous lui devons le respect entre ses murs. Mais en ce moment, nous ne sommes pas sous son toit, et elle n'a pas besoin de le savoir. Il me faut de la lumière. Je dois parler avec vous à l'intérieur de notre cercle, là où personne ne peut nous entendre.

31

— Je vais l'évoquer. Je m'entraîne, lui dit Teagan. Quand Alastar et moi partons en promenade, je m'exerce.

Dans un soupir, Brannaugh passa la main dans la chevelure claire de sa sœur.

— C'est bien que tu le fasses. Trace un cercle, *deirfiúr bheag**.

2

Brannaugh observa Teagan à l'œuvre, de quelle façon sa sœur appelait la lumière, faisait jaillir du feu, remerciait la déesse alors qu'elle forgeait l'anneau. Un anneau assez large, se dit Brannaugh, avec amusement et reconnaissance, pour inclure Kathel.

— Tu as bien œuvré. J'aurais dû t'en apprendre plus, mais je…

— Tu as respecté Ailish.

— Et tu craignais, intervint Eamon, qu'en abusant de notre pouvoir, trop fort, il sache. Qu'il vienne.

— Oui. (Brannaugh s'assit par terre, passa le bras autour de Kathel.) Elle voulait nous mettre à l'abri. Elle a tout abandonné pour nous. Son pouvoir, sa vie. Elle croyait nous protéger en le réduisant à néant. Elle ne pouvait pas savoir que les forces obscures avec lesquelles il a passé un marché lui permettaient de renaître de ses cendres.

— Affaibli.

Elle regarda Eamon, hocha la tête.

— Oui, affaibli. Après. Il… se nourrit de pouvoir, je crois. Il en trouvera d'autres, le leur prendra, en sortira plus grand. Elle tenait à ce que nous soyons en sécurité. (Brannaugh prit une inspiration.) Fial souhaite m'épouser.

33

Interloqué, Eamon resta bouche bée.

— Fial ? Mais il est vieux.

— Pas plus vieux que Bardan.

— Vieux !

Brannaugh rit, sentant s'estomper l'anxiété qui l'oppressait depuis un moment.

— Les hommes préfèrent épouser des jeunes femmes, semble-t-il. Pour qu'elles leur donnent de nombreux enfants, tout en continuant à partager leur couche et à leur faire la cuisine.

— Tu ne vas pas épouser Fial, affirma Teagan avec détermination.

— Il est aimable, et pas laid. Il possède une maison et une ferme plus grandes que celles d'Ailish et de Bardan. Il vous accueillerait tous les deux sous son toit.

— Tu n'épouseras pas Fial, répéta Teagan. Tu ne l'aimes pas.

— Je ne recherche pas l'amour car je n'en manque pas.

— Tu devrais, mais même si tu fermes les yeux, il finira par te trouver. Oublies-tu l'amour que partageaient notre mère et notre père ?

— Je n'oublie pas. Je ne pense pas trouver de sentiment similaire pour moi-même. Toi, peut-être, un jour. Tu es si jolie, et très intelligente.

— Oh, oui, je trouverai, confirma Teagan en hochant sagement la tête. Comme tu le trouveras, et comme Eamon le trouvera. Et nous transmettrons ce que nous sommes, ce que nous avons, à ceux qui naîtront de nous. C'est ce que notre mère souhaitait. Elle voulait que nous vivions.

— Nous vivrions, et même bien si j'épouse Fial. Je suis l'aînée, leur rappela Brannaugh. Cette décision m'incombe.

— Elle m'a chargé de vous protéger. (Eamon croisa les bras sur sa poitrine.) Je te l'interdis.

— Ne nous disputons pas.

Teagan prit leurs mains d'un geste vif et les serra avec force. Une flamme chatoya entre leurs doigts entrelacés.

— Et je n'ai pas besoin que l'on s'occupe de moi. Je ne suis pas un bébé, Brannaugh, j'ai l'âge que tu avais lorsque nous sommes partis de la maison. Tu ne te marieras pas dans le seul but de me donner un foyer. Tu ne nieras pas ce que tu es, tu n'ignoreras pas ton pouvoir. Tu n'es pas Ailish, tu es Brannaugh, fille de Sorcha et de Daithi. Tu es une magicienne, fille de la Ténébreuse, et tu le resteras.

— Un jour, nous le détruirons, promit Eamon. Un jour, nous vengerons notre père, notre mère et nous anéantirons jusqu'à ses cendres. Notre mère m'a dit qu'il en serait ainsi, et que ce sont peut-être ceux qui naîtront de nous qui accompliront notre dessein, même si cela doit prendre mille ans.

— Elle te l'a dit ?

— Ce matin. Elle est venue me voir alors que je voguais sur la rivière, dans la brume et le silence. Je la retrouve là chaque fois que j'ai besoin d'elle.

— Elle ne vient à moi que dans mes rêves.

Les larmes que Brannaugh refusait de verser lui bloquaient la gorge.

— Tu retiens si fort ce que tu es.

Pour l'apaiser, Teagan caressa les cheveux de sa sœur.

— Dans le but de satisfaire Ailish, dans le but de nous protéger. Peut-être que tu ne la laisses venir qu'en rêve.

— Elle vient te visiter ? murmura Brannaugh. Pas seulement en rêve ?

— Parfois, alors que je chevauche Alastar, quand nous nous enfonçons dans les bois et que je m'efforce d'être calme, paisible, elle vient. Elle chante pour moi comme elle le faisait souvent quand j'étais petite. Et c'est notre mère qui m'a dit que nous trouverions l'amour, que nous aurions des enfants. Et que, au nom de notre sang, nous vaincrions Cabhan.

— Dans ce cas, je dois épouser Fial, porter l'enfant, celui de notre sang, qui le détruira ?

— Non ! (De minuscules flammes vacillèrent au bout des doigts de Teagan, lui rappelant de garder son sang-froid.) Il n'y a pas d'amour entre vous. D'abord l'amour se présente, et l'enfant vient ensuite. C'est le cours normal des choses.

— Ce n'est pas le seul.

— C'est le nôtre. (Eamon reprit la main de Brannaugh.) Il en sera ainsi pour nous. Nous serons ce que nous devons être, nous ferons ce que nous devons faire. Si nous n'essayons pas, leur sacrifice aura été vain. Ils seront morts pour rien. Est-ce là ton souhait ?

— Non. Non, je veux le tuer. Je veux faire couler son sang, je désire sa mort. (Confuse, Brannaugh enfouit son visage dans le cou de Kathel, trouva de l'apaisement dans sa chaleur.) Je crois qu'une partie de moi mourrait si je niais ce que je suis. Mais je sais que c'est mon être entier qui périrait si mes choix vous causaient du tort.

— Nous choisissons, tous ensemble, dit Eamon. Un par trois. Nous avions besoin de ce moment. Notre mère nous a envoyés ici afin que nous partagions cet instant. Nous ne sommes plus des enfants. Je crois que nous avons cessé d'être des enfants ce matin-là, lorsque nous nous sommes éloignés de la maison à cheval en sachant que nous ne la reverrions jamais.

— Nous avions le pouvoir. (Brannaugh inspira profondément, se redressa. Bien qu'il fût plus jeune, et le garçon du groupe, son frère disait vrai.) Elle nous a donné plus. Je vous ai demandé de garder cela endormi en vous.

36

— Tu avais raison de nous demander cela – même si nous l'avons réveillé de temps à autre, ajouta Eamon dans un sourire. Nous avions besoin de ce moment, ici, mais ce moment touche à sa fin. Je le sens.

— Tout comme moi, murmura Brannaugh. Ainsi, je me suis demandé si j'étais destinée à Fial. Mais non, tu as raison, vous avez tous deux raison. Je ne suis pas faite pour la ferme. Pas plus que pour les tours de passe-passe de ménagère et les amusements. Nous allons regarder, là à l'intérieur du cercle. Nous allons regarder, et voir. Et nous saurons.

— Ensemble ? demanda Teagan, le visage illuminé par la joie, et Brannaugh comprit qu'elle s'était contenue, tout comme sa sœur et son frère, pendant trop longtemps.

— Ensemble.

Brannaugh plaça ses mains en coupe, laissant le pouvoir l'envahir, puis quitter son corps. Elle laissa enfin retomber ses mains comme de l'eau en cascade et fit naître le feu.

Et, une fois ce premier savoir-faire maîtrisé, la pureté de son art la parcourut de part en part. Elle eut l'impression d'avoir respiré à pleins poumons pour la première fois en cinq ans.

— Tu as plus, désormais, déclara Teagan.

— Oui. Il a attendu. J'ai attendu. Nous avons attendu. Nous n'attendrons plus. Par la flamme et la fumée, nous irons à sa recherche, le traquerons jusqu'au lieu où il se tapit. Tu vois plus loin que nous, dit-elle à Eamon, mais prends garde. S'il sait que nous le cherchons, il nous surveillera.

— Je sais ce que j'ai à faire. Nous pouvons traverser le feu, voler par-delà les nuées, au-dessus de l'eau et de la terre, jusqu'à l'endroit où il se trouve. (Il posa la main sur la petite épée fixée à son côté.) Nous pouvons le tuer.

37

— Pour cela, il nous faudrait plus que ton épée. Malgré son vaste pouvoir, notre mère a échoué à le détruire. Il faudra davantage, et nous trouverons davantage. En temps voulu. Pour l'instant, nous regardons seulement.

— Nous pouvons voler. Alastar et moi. Nous… (Devant le regard autoritaire de Brannaugh, Teagan n'osa pas terminer sa phrase.) C'est juste… arrivé un jour.

— Nous sommes ce que nous sommes. (Brannaugh secoua la tête.) Je n'aurais pas dû l'oublier. Maintenant, nous regardons. Dans le feu, dans la fumée, en protégeant nos yeux pendant l'invocation. Pour chercher, pour trouver, ses yeux nous aveuglons, les yeux de celui qui a répandu notre sang. Désormais notre pouvoir gronde tel un torrent. Nous sommes les Trois. Ainsi nous agirons, qu'il en soit ainsi.

Ils joignirent leurs mains, unirent leur lumière.

Les flammes vacillèrent ; la fumée se dissipa.

Là-bas, buvant du vin d'une coupe en argent, se trouvait Cabhan. Ses cheveux noirs retombant sur ses épaules brillaient à la lueur des chandelles.

Brannaugh vit des murs de pierre, recouverts de tapisseries richement ornées, un lit et des rideaux de velours bleu nuit.

À son aise, se dit-elle. *Il a trouvé le confort, l'opulence.* Cette nouvelle ne la surprit pas. Il devait user de son pouvoir pour attirer à lui profits, plaisir, mort. Pour satisfaire toutes ses aspirations.

Une femme entra dans la chambre. Elle était vêtue d'une robe d'apparat luxueuse, ses cheveux aussi noirs que la nuit. *Ensorcelée*, se dit Brannaugh, *à en croire son regard vide.*

Et pourtant… il y avait de l'énergie, une certaine puissance, remarqua Brannaugh. En lutte pour rompre les liens qui la contrôlaient sans appel.

Muet, Cabhan indiqua le lit d'un léger mouvement de la main. La femme se dirigea vers la couche, se dévêtit, resta immobile un instant, sa peau blanche comme un clair de lune luisant sous la lumière.

Derrière ses yeux aveugles, Brannaugh vit qu'une guerre faisait rage, un combat amer pour reconquérir la liberté. Pour voler de ses propres ailes.

Le temps d'un instant, la concentration d'Eamon vacilla. Il n'avait jamais vu de femme entièrement nue, et encore moins d'être doté d'une aussi forte poitrine. Comme ses sœurs, il sentait la puissance du piège dans lequel il était tombé – un oiseau blanc coincé dans une boîte noire. Sa peau nue, ses seins ronds et généreux, le triangle fascinant entre ses cuisses…

Serait-ce comme toucher ses cheveux ? Il avait désespérément envie de poser la main, juste là, pour savoir.

Cabhan releva la tête, tel un loup humant l'air. Il se leva si brusquement que la coupe d'argent se renversa, répandant un vin rouge sang.

Brannaugh tordit douloureusement les doigts d'Eamon. Malgré ses glapissements involontaires, les joues en feu, il retrouva toute sa concentration.

Néanmoins, pendant un bref instant, un moment terrifiant, Cabhan sembla le regarder droit dans les yeux.

Puis il alla vers la femme. Il saisit ses seins, les pinça, les tordit. La douleur s'afficha sur son visage, mais elle ne cria pas.

Elle ne pouvait pas crier.

Il pinça ses mamelons, les tordit jusqu'à faire couler des larmes sur ses joues, jusqu'à ce que des bleus gâtent sa peau blanche. Il la frappa, la faisant tomber à la renverse sur le lit. Un filet de sang s'échappa de la commissure de ses lèvres, pourtant elle garda les yeux rivés droit devant elle.

En un léger mouvement du poignet, il se retrouva nu, son sexe érigé. Il semblait étinceler, mais pas d'une lumière blanche. D'une lueur noire. Eamon la perçut comme de la glace – froide, piquante et horrible. Et cela, il l'enfonça dans la femme comme un pic alors que ses joues étaient baignées de larmes et que le sang s'écoulait de sa bouche.

Sous le coup de l'indignation, Eamon sentit quelque chose éclater en lui – une fureur brutale et innée à la vue d'une femme ouvertement maltraitée. Alors qu'il était sur le point de s'immiscer dans ce feu, dans cette fumée, Brannaugh serra sa main à la broyer.

Et pendant qu'il la violait – car il s'agissait bien de cela –, Eamon perça les pensées de Cabhan. Il pensait à Sorcha, au terrible désir qu'elle provoquait en lui et qu'il n'avait jamais assouvi. Il pensait à… Brannaugh. À Brannaugh et à la façon dont il lui ferait ça, et pis encore. Comment il la ferait souffrir avant de la vider de sa force. Comment il la priverait de sa puissance avant de lui prendre la vie.

Brannaugh étouffa précipitamment les flammes pour chasser la vision.

Et tout aussi vite, elle saisit Eamon par les deux bras.

— J'ai dit que nous n'étions pas prêts. Tu crois que je ne t'ai pas senti sur le point d'intervenir ?

— Il lui faisait mal. Il s'est approprié sa volonté, son corps, contre son gré.

— Il t'a presque trouvé – il a senti ton intrusion.

— Je pourrais le tuer rien que pour ses pensées. Jamais il ne te touchera comme il l'a touchée, elle.

— Il voulait lui faire du mal. (La voix de Teagan était celle d'une enfant.) Mais c'est à notre mère qu'il pensait, pas à elle. Ensuite il a pensé à toi.

— Ses pensées ne peuvent pas me blesser.

40

Toutefois, elles l'avaient bouleversée, au plus profond d'elle-même.

— Il ne me fera jamais à moi, pas plus qu'à toi, ce qu'il a fait subir à cette pauvre femme.

— Aurions-nous pu l'aider ?

— Ah, Teagan, je ne sais pas…

— Nous n'avons même pas essayé, riposta Eamon. Tu m'as retenu ici.

— Pour ta vie, pour la nôtre, pour servir notre but. Penses-tu que je ne ressente pas ce que tu ressens ? (*Même ta peur secrète qui se noie dans un élan de rage glacial.*) Que ne pas agir fait l'effet de cent coups de poignard ? Il a du pouvoir. Pas comme avant, différent. Pas plus, peut-être moins, mais néanmoins autre. J'ignore comment le combattre. Pour l'instant. Nous ne savons pas, Eamon, et nous devons savoir.

— Il approche. Pas cette nuit, pas demain, mais il viendra. Il sait que tu…

Quand les joues d'Eamon s'empourprèrent, il détourna le regard.

— Il sait que je peux désormais porter un enfant, termina Brannaugh à sa place. Il pense avoir un fils de moi. Mais il ne l'aura jamais. Il viendra, c'est vrai. Je le sens aussi.

— Alors nous devons partir. (Teagan inclina la tête vers le flanc de Kathel.) Il ne faut surtout pas l'attirer en ce lieu.

— Nous devons partir, confirma Brannaugh. Nous devons être ce que nous sommes.

— Où irons-nous ?

— Vers le sud.

Brannaugh chercha confirmation dans le regard d'Eamon.

— Oui, vers le sud, puisqu'il est encore au nord. Il est resté dans le comté de Mayo.

41

— Nous trouverons un endroit où nous installer. Et là, nous apprendrons plus, nous trouverons plus. Et un jour, nous rentrerons chez nous.

Elle se leva, reprit leurs mains, laissa la force étinceler entre chacun des trois.

— Je fais vœu par notre sang, déclara Eamon, que nous ou ceux qui naîtront de nous détruiront jusqu'à son souvenir.

— Je fais vœu par notre sang, reprit Teagan, que nous sommes la trinité et le resterons toujours.

— À présent, nous fermons le cercle mais plus jamais nous ne nous fermerons à ce que nous sommes, à ce que nous possédons, à notre don.

Brannaugh lâcha leurs mains.

— Nous partirons dès demain.

Les larmes aux yeux, Ailish regardait Brannaugh ranger son châle dans son bagage.

— Je t'en supplie, reste. Songe à Teagan. Ce n'est qu'une enfant !

— Elle a l'âge que j'avais quand nous avons frappé à ta porte.

— Tu étais une enfant, insista-t-elle.

— Pas seulement. Nous sommes plus que cela, et devons vivre selon ce que nous sommes.

— Je t'ai effrayée en te parlant de Fial. Ne va pas croire que nous te forcerions à l'épouser.

— Non. Oh, non ! (Brannaugh se tourna vers sa cousine et lui prit la main.) Tu ne ferais jamais une chose pareille, je le sais. Ce n'est pas à cause de Fial que nous partons, cousine.

Faisant volte-face, Brannaugh emballa ses dernières affaires.

— Ta mère n'apprécierait pas de vous voir partir ainsi.

— Ma mère souhaitait nous voir grandir chez nous, heureux, à l'abri auprès d'elle et de notre père. Mais la vie en a voulu autrement. Ma mère nous a donné sa vie, elle nous a fait don de son pouvoir. Et à présent, son dessein nous revient. Nous devons vivre notre vie, être à la hauteur de notre pouvoir et atteindre son but.

— Où irez-vous ?

— Dans le comté de Clare, je pense. Dans un premier temps. Nous reviendrons. Et nous rentrerons chez nous. Je le sens aussi sûrement que la vie bat en moi. Il ne viendra pas ici.

Faisant face à sa cousine, elle la regarda dans les yeux, ses yeux pareils à la fumée.

— Il ne viendra pas ici et ne fera de mal ni à toi ni aux tiens. Cela, je peux te le jurer sur le sang de ma mère.

— Comment peux-tu le savoir avec certitude ?

— Je suis l'une des Trois. Je suis une Ténébreuse du comté de Mayo, première fille de Sorcha. Il ne viendra pas ici et ne s'en prendra ni à toi ni aux tiens. Tu es protégée pour ta vie entière. Je m'en suis assurée. Je ne te laisserais pas sans te savoir protégée.

— Brannaugh…

— Tu t'inquiètes. (Brannaugh recouvrit les mains de sa cousine qui étaient posées sur son ventre arrondi.) Ne t'ai-je pas dit que ton fils était en bonne santé ? Sa naissance sera facile, et rapide également. Cela aussi je peux te le promettre, ce que je fais. Mais…

— Qu'y a-t-il ? Tu dois me le dire.

— Malgré tout l'amour que tu me portes, tu crains ce que je possède. Cependant, tu dois croire ce que je vais te dire. Ton fils, l'enfant à naître, doit être le dernier. Il sera en bonne santé et l'accouchement se passera bien. Mais pas le suivant. S'il devait y avoir un autre enfant, tu ne survivrais pas.

43

— Je… tu ne peux pas le savoir. Je ne peux pas refuser le lit conjugal à mon époux. Ni moi-même.

— Tu ne peux pas priver tes enfants de leur mère. C'est un terrible chagrin, Ailish.

— Dieu en décidera.

— Dieu t'aurait donné sept enfants, mais le prix pour un enfant de plus serait ta vie, et celle du bébé. Je t'aime, tiens compte de mes paroles.

Elle sortit une fiole de sa poche.

— J'ai préparé cela pour toi. Pour toi seule. Tu dois la ranger à l'écart. Chaque mois, le premier jour de ton cycle, tu en boiras – une gorgée seulement. Tu ne concevras plus, même après avoir pris la dernière gorgée, car les dés seront jetés. Mais tu vivras. Tes enfants auront leur mère auprès d'eux. Et tu vivras assez longtemps pour bercer leurs enfants.

Ailish posa les mains sur l'arrondi de son ventre.

— Je serai stérile.

— Tu chanteras pour tes enfants et leurs enfants. Tu partageras ta couche avec ton homme dans le plaisir. Tu te réjouiras des vies précieuses que tu as mises au monde. Le choix te revient, Ailish.

Elle ferma les yeux un instant. Quand elle les rouvrit, ils avaient viré au noir.

— Tu l'appelleras Lughaidh. Il aura le teint et les cheveux clairs, et les yeux bleus. Un garçon fort au sourire facile, et une voix d'ange. Un jour, il partira en voyage, vagabondera par monts et par vaux et subviendra à ses besoins grâce à sa voix. Il tombera amoureux de la fille d'un fermier, puis ils reviendront ensemble vivre auprès de toi pour travailler la terre. Et tu entendras sa voix à travers les champs, car il sera toujours d'humeur joyeuse.

Elle laissa la vision disparaître.

— J'ai vu ce qui peut arriver. Tu dois choisir.

— C'est le nom que j'ai choisi pour lui, murmura Ailish. Je ne te l'ai jamais dit ni à personne d'ailleurs. (Elle saisit la fiole.) Je me fie à tes paroles.

Pinçant les lèvres, Ailish glissa les doigts dans sa poche et en sortit une petite bourse qu'elle fourra dans la main de Brannaugh.

— Prends ceci.

— Je ne peux pas accepter ton argent.

— Prends-le. (Ses larmes coulaient à présent, inondant ses joues comme une violente averse.) Crois-tu que j'ignore que tu m'as sauvée, moi, mais aussi Conall, lors de l'accouchement ? Et que, même en cet instant, tu penses à moi et aux miens ? Tu m'as apporté de la joie. Tu m'as apporté Sorcha chaque fois qu'elle me manquait, car je l'ai vue en toi jour après jour. Accepte cet argent et fais-moi la promesse de ne pas commettre d'imprudence et de revenir. Vous tous, puisque vous êtes miens autant que je suis vôtre.

Acquiesçant, Brannaugh rangea la bourse dans la poche de ses jupons, puis embrassa Ailish sur les deux joues.

— Je t'en fais la promesse.

Dehors, Eamon faisait tout son possible pour amuser ses cousins. Ils l'imploraient de ne pas s'en aller, bien sûr, et lui demandaient pourquoi il devait partir, proposaient de passer un marché avec lui. Alors il improvisait des histoires, relatant les fabuleuses aventures qui l'attendaient, terrassant des dragons et attrapant des grenouilles magiques. Il vit Teagan s'avancer avec Mabh qui, secouée de sanglots, lui offrit une poupée de chiffon faite de ses mains.

Si seulement Brannaugh se hâtait, car les adieux étaient déchirants. Alastar était paré. Eamon – il était le chef de famille, après tout – avait décidé que ses sœurs chevaucheraient, tandis qu'il marcherait.

Il ne souffrirait aucune discussion.

Bardan surgit de la petite étable en menant Slaine – devenue « la Vieille Slaine », la jument poulinière n'étant plus de la première jeunesse, mais toujours d'un tempérament aussi doux.

— Ses jours de reproductrice sont derrière elle, dit Bardan avec sa délicatesse habituelle. Mais c'est une bonne fille et elle te sera d'un grand secours.

— Oh, mais je ne peux pas te la prendre. Tu as besoin…

— Un homme a besoin d'un cheval. (Bardan posa sa main calleuse sur l'épaule d'Eamon.) Tu as abattu le travail d'un homme à la ferme, alors prends-la. Je te donnerais Moon pour Brannaugh si je pouvais me passer de lui, mais tu vas prendre la Vieille Slaine.

— Je te suis plus que reconnaissant, pour Slaine et tout le reste. Je te promets de la traiter comme une reine.

L'espace d'un instant, Eamon se laissa aller à réagir comme un petit garçon, jetant les bras autour de son cousin, qui lui avait servi de père durant la moitié de sa vie.

— Nous reviendrons un jour.

— Veille-y.

Quand tout fut terminé, tous les adieux, les « bon voyage », les larmes, il se hissa en souplesse sur la jument, l'épée de son grand-père et son fourreau fermement attachés à sa selle. Brannaugh grimpa derrière Teagan, se baissa pour embrasser Ailish une dernière fois.

Ils s'éloignèrent de la ferme, de l'endroit qui avait été leur foyer pendant cinq ans, de leur famille, et se dirigèrent vers le sud et l'inconnu.

Eamon se retourna, répondit à leurs gestes de la main, se surprit à être plus ému de partir qu'il ne l'avait imaginé. Puis il entendit Roibeard l'appeler dans le ciel, voler en cercles avant de s'élancer vers le sud.

C'est le destin, se résigna-t-il. *Le bon moment.*

Il ralentit légèrement l'allure, pencha la tête vers Teagan.

— Alors, comment notre Slaine ressent-elle tout cela ?

Teagan baissa les yeux vers la jument, inclinant la tête à son tour.

— Oh, c'est une grande aventure pour elle, tu peux en être certain, et elle ne pensait plus en connaître de nouvelles. Elle est fière et reconnaissante. Elle sera loyale jusqu'à la fin de ses jours et fera de son mieux pour te servir.

— Et je ferai aussi de mon mieux pour elle. Nous allons poursuivre jusqu'à midi, puis nous nous arrêterons pour laisser les chevaux se reposer et manger quelques-unes des galettes d'avoine qu'Ailish a préparées pour nous.

— Est-ce ce que nous allons faire ? dit Brannaugh.

Il redressa le menton d'un geste sec.

— Tu es l'aînée, mais je possède l'appareil, si dérisoire crois-tu qu'il soit – ce qu'il n'est d'ailleurs pas du tout. Roibeard montre le chemin, et nous suivons.

Brannaugh leva les yeux, observa le vol de l'épervier. Elle baissa le nez vers Kathel qui caracolait à côté d'Alastar comme s'il pouvait marcher toute la journée et toute la nuit sans faiblir.

— Ton guide, le mien et celui de Teagan. Oui, nous suivons. Ailish m'a donné quelques pièces mais nous ne les dépenserons pas à moins d'y être obligés. Nous allons gagner notre propre argent.

— Et de quelle façon ?

— En étant ce que nous sommes.

Elle leva la main, la paume tournée vers le ciel, et fit naître une petite boule de feu en son centre. Elle la fit disparaître.

— Notre mère a honoré son art, s'est occupée de nous, de sa chaumière. Assurément, nous pouvons servir notre don,

47

nous occuper de nous-mêmes et trouver un endroit où faire les deux.

— Le comté de Clare est un endroit sauvage, à ce que j'en sais, avança Teagan.

— Et quoi de mieux qu'un endroit sauvage pour des gens comme nous ?

Toute la joie de la liberté résonnait à chaque pas.

— Grâce au livre de notre mère, nous étudierons, nous apprendrons. Nous concocterons des potions et guérirons des maux. Un guérisseur est partout le bienvenu, m'a-t-elle dit.

— Quand il viendra, les pouvoirs de guérison et les potions ne suffiront pas.

— Alors il nous faudra plus, dit Brannaugh à son frère. Alors nous apprendrons. Nous avons vécu en sécurité pendant cinq ans à la ferme. Si nos guides nous conduisent dans le comté de Clare, comme cela semble être le cas, il est possible que nous y passions les cinq prochaines années. Suffisamment de temps pour apprendre, pour échafauder un plan. Quand nous rentrerons à la maison, nous serons plus forts qu'il ne saurait le croire.

Ils chevauchèrent jusqu'à la mi-journée, sous la pluie. Légère et régulière, elle tombait d'un ciel profondément troublé. Ils mirent pied à terre, abreuvèrent leurs montures, partagèrent leurs galettes d'avoine avec elles et Kathel.

À la pluie s'ajouta le vent lorsqu'ils poursuivirent leur route, dépassèrent une petite ferme et sa cabane dont la cheminée crachait de la fumée, dispersant l'odeur du feu de tourbe. À l'intérieur, ils auraient pu être bien accueillis, avec une tasse de thé près du feu. À l'intérieur, au chaud et au sec.

Mais Kathel continua à caracoler, Roibeard à voler en cercles et Alastar ne ralentit pas le pas.

Même lorsque la lumière morose commença à faiblir, le jour cédant la place à la nuit.

— Slaine est fatiguée, murmura Teagan. Elle ne demandera pas à s'arrêter mais elle s'épuise. Ses os la font souffrir. Pourrions-nous la laisser se reposer un instant, trouver un endroit au sec et...

— Là ! s'écria Eamon en montrant un point droit devant lui.

Près du sentier boueux se dressait ce qui avait dû être un ancien lieu de culte. Mis à sac, incendié et réduit à des éclats de pierre roussie par des hommes qui détruisaient impitoyablement ce que les vaincus avaient bâti.

Roibeard décrivit des cercles au-dessus du lieu, poussant des cris, et Kathel bondit en avant.

— Nous allons nous arrêter là pour la nuit. Faire un feu, accorder du repos aux animaux autant qu'à nous-mêmes.

Brannaugh hocha la tête à l'intention de son frère.

— Les murs sont encore debout – pour l'essentiel. Ils devraient nous protéger du vent, assez pour que nous puissions dormir. Le jour touche à sa fin. Nous devons rendre grâce à Mordan et Mabon qui sont venus d'elle.

L'un des murs était éboulé, découvrirent-ils, mais les autres étaient encore là. Quelques marches aussi, qu'Eamon s'empressa de tester en montant vers les vestiges de l'étage. Le bois de construction, pourtant très résistant, avait été réduit en cendres par l'incendie, elles-mêmes dispersées aux quatre vents. Mais cet abri de fortune était le bon endroit, Brannaugh le sentait.

Ce serait le refuge de leur première nuit, l'équinoxe, alors que le jour et la nuit s'équilibraient.

— Je vais m'occuper des chevaux. (Teagan prit les rênes des deux montures.) Les chevaux sont miens, après tout. Je les soigne, si tu veux bien nous installer un coin sec et un bon feu.

— Je vais y veiller. Nous rendrons nos grâces, puis prendrons une infusion et un peu de chevreuil séché avant de…

Elle s'interrompit alors que Roibeard piquait en flèche et se perchait sur un étroit rebord de pierre.

Un lièvre dodu tomba de son bec aux pieds d'Eamon.

— Eh bien, c'est un vrai festin qui nous attend. Je vais le préparer pendant que Teagan soigne les chevaux et que Brannaugh prépare le feu.

Un coin sec, se dit-elle, et, rabattant la capuche de sa cape, elle l'imagina. Elle concentra puis libéra ce qu'elle était, songeant à la chaleur et au sec – et fit jaillir une touffeur si vive et brûlante qu'elle faillit les enflammer tous avant de la maîtriser.

— Je suis désolée. Je n'avais jamais rien fait de tel auparavant.

— C'est comme extraire le bouchon du goulot d'une bouteille, fit remarquer Eamon. Il a sauté trop vite.

— Oui.

Elle baissa les flammes avec soin et délicatesse. L'humidité ne la dérangeait pas personnellement, mais Teagan avait raison. La vieille jument était courbatue jusqu'aux os, même elle le sentait.

Elle atténua lentement l'humidité. Elle vibra de la tête aux pieds, traversée par la joie qu'elle tirait de son art. Elle accepta son allégresse désormais, la libérant tout à fait. Puis le feu. Magique, ce soir. D'autres nuits, comme leur mère le leur avait appris, on rassemblait le bois puis on se mettait à l'œuvre. Mais ce soir, la flambée serait la sienne.

Elle fit jaillir les flammes, en garda le contrôle.

— Un peu du gâteau d'avoine, et du vin, dit-elle à son frère et à sa sœur. Des grâces à rendre aux dieux pour les remercier d'équilibrer le jour et la nuit, pour le cycle du renouveau. Et pour ce lieu de repos.

» Dans le feu, leur dit-elle. Le gâteau et ensuite le vin. Par ces petites choses que nous partageons avec vous, nous, vos trois serviteurs, vous remercions.

— À cette heure où le jour côtoie la nuit, nous embrassons l'obscurité et la clarté, continua Eamon, sans savoir d'où lui venaient ces mots.

— Nous apprendrons à résister et à lutter, à faire usage de nos dons pour défendre le bien et la justice, ajouta Teagan.

— En ce lieu, en cette heure, nous nous ouvrons au pouvoir qui nous a été donné. Dès cet instant et pour toujours il sera libre. Comme nous le serons, qu'il en soit ainsi.

Le feu s'éleva vers le ciel telle une tour rouge, orange, dorée avec un cœur de flammes bleues. En son centre murmurèrent mille voix, et la terre trembla. Puis le monde sembla respirer.

Le feu ne fut plus qu'un feu, un cercle net sur le sol caillouteux.

— Ceci est ce que nous sommes, entonna Brannaugh, étincelant toujours de l'afflux d'énergie. Ceci est ce que nous avons. Les nuits s'allongent à présent. L'obscurité vainc la lumière. Mais il ne nous vaincra pas.

Elle sourit, le cœur rassasié pour la première fois depuis qu'ils avaient quitté leur foyer.

— Nous devons creuser un trou pour le lièvre. Ce soir, nous allons festoyer, notre première bombance. Puis nous dormirons au chaud et au sec avant de poursuivre notre route.

Eamon se pelotonna près du feu. L'estomac plein. Le corps chaud et sec. Et voyagea.

Il laissa son corps se soulever, sortir et voler. Vers le nord. La maison.

Comme Roibeard, il s'éleva au-dessus des collines, des rivières, des champs où le bétail mugissait, où les moutons broutaient.

La verdure succédait à la verdure tandis qu'il filait vers la maison, le soleil filtrant paisiblement à travers les nuées.

Son cœur, si léger. En route vers la maison.

Mais pas chez lui. Pas vraiment chez lui, s'aperçut-il quand il se retrouva de nouveau sur le sol. Les bois, si familiers – mais pas vraiment. Une certaine dissemblance était palpable. Même l'air était différent, tout en restant le même.

Tout cela lui fit tourner la tête et l'affaiblit.

Il se mit en marche, siffla pour appeler son épervier. Son guide. La lumière changea, se fit sourde. La nuit tombait-elle aussi vite ?

Mais ce n'était pas la nuit qui l'enveloppait. C'était le brouillard.

Et avec lui, le loup, qui était en réalité Cabhan.

Quand il l'entendit grogner, il porta la main à l'épée de son grand-père. Mais elle n'était pas sur sa hanche. Lui était un jeune garçon, enfoncé dans la brume jusqu'aux chevilles, privé d'arme, quand le loup dont la gemme rouge étincelait à son cou surgit du brouillard. Et se changea en homme.

— Bienvenue, jeune Eamon. J'ai attendu ton retour.

— Tu as tué mon père, ma mère. Je suis venu les venger.

Cabhan éclata d'un rire joyeux qui fit courir une onde glacée le long du dos d'Eamon.

— De courage tu ne manques pas, je t'en félicite. Allez, viens donc les venger, le père mort, la sorcière morte qui t'a mis au monde. Je prendrai ce que tu es, et ensuite tes sœurs deviendront miennes.

— Jamais tu ne toucheras à ce qui m'appartient !

Eamon tournait en rond, s'efforçant de réfléchir.

Le brouillard s'élevait sans cesse, troublant tout, les bois, le sentier, son esprit. Il saisit une poignée d'air dans sa main, serra les doigts, la lança avec violence. Le jet creusa un chemin irrégulier et étroit. Cabhan rit de nouveau.

— Plus près. Viens plus près. Sens ce que je suis.

Il la sentait, la douleur qui émanait de lui, et son pouvoir aussi. Et la peur. Il tenta d'invoquer le feu, mais celui-ci s'étouffa aussitôt et retomba en cendres grises. Lorsque Cabhan tendit les mains vers lui, il brandit les poings, prêt à se battre.

Roibeard descendit en flèche et déchira les mains tendues de ses serres et de son bec. Du sang noir en jaillit quand l'homme poussa un hurlement, tout en reprenant la forme du loup.

Un autre homme apparut dans le brouillard. Grand, ses cheveux châtains trempés de brume, ses yeux d'un vert intense, débordants de pouvoir et de fureur.

— Cours, dit-il à Eamon.

— Je ne m'enfuirai pas devant un être tel que lui. Je ne peux pas.

Le loup frappait le sol de ses pattes, montrait les crocs dans un lugubre sourire.

— Prends ma main.

L'homme saisit la main d'Eamon. La lumière explosa comme mille soleils, le pouvoir s'éleva comme mille ailes battant l'air. Aveugle et sourd, Eamon poussa un cri. Seul le pouvoir demeurait, le couvrant, l'emplissant, jaillissant de lui. Puis, dans un terrible vrombissement, le brouillard disparut, le loup s'évanouit, et ne resta plus que l'homme lui serrant la main.

L'homme tomba à genoux, respirant péniblement, le visage pâle, les yeux pétillants de magie.

— Qui es-tu ? demanda-t-il.

— Je suis Eamon, fils de Daithi, fils de Sorcha. Je suis l'un des Trois. Je suis le Ténébreux du comté de Mayo.

— Moi aussi. Eamon. (Dans un rire tremblant, l'homme toucha les cheveux d'Eamon, son visage.) Je descends de toi. Tu n'es pas dans ton temps, mon gars, mais dans le mien. Je suis Connor, du clan O'Dwyer. Je descends de Sorcha, de toi. L'un des Trois.

— Comment puis-je savoir si tu dis vrai ?

— Je suis ton sang, tu es le mien. Tu le sais.

Connor dégagea l'amulette de sous sa chemise, posa la main sur celle, identique, que portait Eamon.

Et l'homme leva le bras. Roibeard atterrit sur son gant de cuir.

Ce n'était pas son Roibeard, s'aperçut Eamon, et pourtant…

— Mon épervier. Pas le tien, mais il porte son nom. Demande-lui ce que tu veux. Il est autant à toi qu'à moi.

— Ici… ce n'est pas chez moi.

— C'est chez toi, tu n'es pas dans ton époque mais tu es au bon endroit. Ce sera toujours chez toi.

Les larmes piquèrent les yeux d'Eamon, et son ventre fut pris d'une crampe plus vive que la faim.

— Sommes-nous rentrés chez nous ?

— Oui, vous êtes revenus.

— Allons-nous réussir à le vaincre, à venger nos parents ?

— Nous le vaincrons. Nous n'abandonnerons pas avant de l'avoir vaincu. Je t'en donne ma parole.

— Je souhaite… je vais rentrer. Je le sens. Brannaugh, elle m'intime de revenir. Tu m'as sauvé des griffes de Cabhan.

— Te sauver me sauve, à mon avis.

— Connor, du clan O'Dwyer. Je ne l'oublierai pas.

Et il s'envola, repartit au-dessus des collines jusqu'au petit jour et se retrouva assis au coin du feu allumé par Brannaugh, secoué par ses deux sœurs.

— Arrêtez, maintenant ! Ma tête tourne autour de mon corps.

— Il est terriblement pâle, dit Teagan. Allons, allons, je vais te préparer une infusion.

— Une infusion me ferait du bien. Je reviens de voyage. Je ne sais pas comment, mais je suis rentré à la maison, sauf que ce n'était pas notre maison. J'ai besoin d'élucider tout ça. Mais j'ai appris quelque chose que je n'ai pas fait. Quelque chose que nous n'avons pas fait.

Il but l'eau que Brannaugh lui tendit, puis repoussa la gourde.

— Il ne peut pas quitter ces lieux. Cabhan. Il ne peut pas partir, ou pas loin. Plus il s'éloigne de l'endroit où il a échangé ses anciens pouvoirs contre ses nouveaux, moins il en a. Il risque la mort en s'éloignant. Il ne peut pas nous suivre.

— Comment sais-tu cela ? demanda Brannaugh.

— Je… l'ai vu dans son esprit. Je ne sais pas comment. Je l'ai vue, cette faiblesse. J'ai rencontré un homme, l'un des nôtres. Je…

Eamon prit une longue inspiration, ferma les yeux un instant.

— Laissez-moi le temps de boire une tisane, voulez-vous ? Quelques gorgées, et ensuite je vous raconterai une histoire. Nous allons rester ici un moment, tout de même, mais je vous raconterai tout. Ensuite, oui, oui, le Sud nous attend, pour apprendre, grandir et échafauder un plan. Car il ne peut pas nous atteindre. Jamais il ne pourra nous nuire.

S'il était resté un enfant au fond de lui, désormais c'était un homme. Et le pouvoir bouillait toujours dans ses veines.

3

Automne 2013

En se réveillant, trop tôt à son goût, Connor ne s'était pas attendu à rencontrer un ancêtre ni le grand ennemi de sa lignée. Il n'avait certainement pas prévu de commencer sa journée par un feu d'artifice magique qui l'avait presque fait tomber à la renverse.

Mais, tout compte fait, il n'avait rien contre les surprises.

Comme l'aube pointait à peine, il n'avait eu aucun espoir de trouver sa sœur aux fourneaux. De plus, il tenait trop à sa peau pour tenter de la réveiller en lui suggérant de préparer un copieux petit déjeuner.

Bizarrement, il n'avait pas eu faim alors qu'il se réveillait toujours prêt à rompre le jeûne nocturne. Au lieu de cela, il avait été poussé par une étrange énergie, un vif besoin de sortir, de se mettre en marche.

Alors il avait sifflé son épervier et, avec Roibeard pour compagnon, s'était enfoncé dans la brume et entre les arbres.

Et le calme.

Il n'était pas homme à apprécier particulièrement le silence. Il préférait, la plupart du temps, le bruit, les conversations animées dans une ambiance effervescente.

Mais la douceur du matin, l'appel de son oiseau de proie, les grattements des lapins dans les fourrés et le souffle de la brise matinale lui avaient suffi.

Il s'était dit qu'il allait marcher jusqu'au château d'Ashford, laisser Roibeard monter librement en flèche dans le ciel, au-dessus des bois – et que cela fascinerait tout résident de l'hôtel qui se serait levé de bonne heure.

Le magnétisme des oiseaux en liberté faisait marcher les affaires, et il devait faire en sorte que l'école de fauconnerie fonctionne bien.

C'est précisément ce qu'il avait eu en tête, jusqu'à le sentir – l'émoi du pouvoir, en lui et autour de lui. Sa propre rébellion, la salissure noire incarnée par Cabhan, maculant la douceur des pins humides.

Et quelque chose de plus, quelque chose d'autre.

Il aurait dû convoquer son cercle – sa sœur, sa cousine, ses amis –, mais quelque chose le poussait à poursuivre, à descendre le chemin, à traverser les bois, jusqu'au mur de vigne vierge et à l'arbre déraciné au-delà desquels se trouvaient les ruines de la chaumière qui avait appartenu à Sorcha. Au-delà, à l'endroit précis où son cercle avait combattu Cabhan la nuit du solstice d'été.

Puis le brouillard s'était propagé, le pouvoir avait vrombi, le noir s'opposant à la clarté. Il avait distingué le garçon et pensé d'emblée, de façon obsessionnelle, à le protéger. Il ne permettrait pas, n'autoriserait personne à s'en prendre à un innocent.

Mais le garçon, tout innocent qu'il était, avait quelque chose en plus.

À présent, alors que le brouillard s'était dissipé, emportant Cabhan avec lui, le garçon avait regagné son époque, sa place. Connor restait dans la même position – à genoux sur le sol humide, s'appliquant à faire entrer l'air dans ses poumons.

Ses oreilles bourdonnaient encore d'une sorte d'explosion de plusieurs mondes. Ses yeux brûlaient encore d'une lumière plus vive que dix soleils.

Et le pouvoir fusionné entre ses mains jointes chantait en lui.

Il se releva lentement, un homme grand et élancé doté d'une masse épaisse de boucles châtaines, le visage blême, des yeux d'un vert aussi intense que la mousse exprimant encore les bouleversements qui se jouaient au plus profond de lui.

Mieux vaut rentrer à la maison, se dit-il. Rentrer. Car ce qui avait jailli du solstice, et resterait tapi jusqu'au solstice, rôderait jusqu'à l'équinoxe.

Les jambes un peu flageolantes, remarqua-t-il, mi-amusé, mi-ennuyé. Son rapace descendit en piqué, se posa sur une branche dans un battement d'ailes. Assis, l'œil vif, il attendit.

— Nous y allons, dit-il. Je crois que nous avons fait ce que nous avions à faire ce matin. Et maintenant, bon sang, je meurs de faim.

Le pouvoir, pensa-t-il en se remettant en marche. Sa force pure l'avait sérieusement affaibli. Rebroussant chemin, il sentit Kathel approcher avant même de voir le chien de sa sœur accourir.

— Tu l'as senti toi aussi, pas vrai ? (Il caressa la grosse tête noire de Kathel, tout en poursuivant son chemin.) Ça m'étonnerait que quelqu'un n'ait pas ressenti la secousse dans le comté de Mayo. J'en ai encore la chair de poule comme si mon squelette était recouvert d'abeilles.

Rassuré par la compagnie de l'épervier et du chien, il quitta les bois sombres pour déboucher dans la matinée nacrée. Roibeard décrivait des cercles au-dessus de lui pendant qu'il cheminait avec Kathel jusqu'au cottage. Un second épervier poussa un cri, et Connor repéra Merlin, le rapace de son ami Fin.

Soudain, l'écho des sabots foulant le sol brisa le silence, et il s'immobilisa, en attente. Il sentit l'émotion l'envahir lorsqu'il aperçut sa cousine Iona, son ami Boyle montant le grand et gris Alastar. Et Fin aussi, galopant avec eux sur son Baru d'un noir lustré.

— Nous avons besoin d'œufs, cria-t-il, le sourire aux lèvres. Et d'une tranche ou deux de bacon supplémentaires.

— Que s'est-il passé ? s'enquit Iona, ses cheveux courts ébouriffés par le sommeil, avant de se pencher pour toucher sa joue. Je savais que tu n'étais pas en danger, sinon nous serions venus encore plus vite.

— Vous avez quasiment volé jusqu'à moi – et aucun de vous trois n'a pris le temps de seller son cheval. Je vous le dirai une fois à l'intérieur. Je pourrais dévorer trois cochons et faire passer le tout avec une vache.

— Cabhan.

Fin, ses cheveux aussi noirs que la robe de sa monture, ses yeux d'un vert aussi sombre que ceux de Connor quand le pouvoir les envahissait, se tourna vers les bois qu'il scruta du regard.

— Lui, mais pas seulement. Cela dit, Iona a tout à fait raison. Je vais pour le mieux, sauf que je suis affamé, alors ne restons pas figés sur la route. Vous l'avez senti, ajouta-t-il tout en se remettant en marche.

— Senti ? (Boyle baissa les yeux vers Connor.) Ça m'a réveillé alors que je dormais à poings fermés, et je n'ai pas ce que vous avez tous les trois. Je n'ai pas de pouvoir magique, et pourtant, les vibrations m'ont transpercé aussi sûrement qu'une flèche. (Il indiqua le cottage d'un mouvement de tête.) Et on dirait que c'est pareil pour Meara.

Suivant son regard, Connor vit Meara Quinn, une amie d'enfance, la meilleure amie de sa sœur, approcher à grands pas – élancée et aussi voluptueuse qu'une déesse dans son bas de pyjama en flanelle et sa veste usée, se dit-il, et ses longs cheveux châtains emmêlés.

Ça mérite une photo, songea-t-il, mais en même temps il la trouvait saisissante en toutes circonstances.

— Elle a dormi à la maison cette nuit, dit-il aux autres. Elle a pris ta chambre, Iona, puisque tu as dormi chez Boyle, cousine. Bonjour, Meara !

— Bonjour, tu parles ! Que diable s'est-il passé ?

— Je vais tout vous raconter. (Il la prit par la taille.) Mais d'abord, j'ai besoin de manger.

— C'est ce qu'a dit Branna, elle est déjà à l'œuvre. Elle a eu un choc même si elle fait comme si tout allait bien. Ça m'a secouée comme un tremblement de terre – mais à l'intérieur de moi. Quelle fichue façon de se réveiller !

— Je m'occupe des chevaux. (Boyle mit pied à terre.) Rentre, va te remplir l'estomac.

— Je te remercie.

Souriant, Connor tendit les bras pour accueillir Iona qui se laissa glisser du dos d'Alastar. Elle passa les bras autour de lui.

— Quelle trouille j'ai eue, murmura-t-elle.

— Tu n'es pas la seule.

Il déposa un baiser sur le sommet de sa tête, sa jolie cousine d'Amérique, la dernière de la trinité, et, sa main toujours dans la sienne, entra dans le cottage.

L'odeur du bacon, du café, du pain chaud le frappa au ventre aussi durement qu'un coup de poing. En cet instant, la gourmandise l'emportait sur l'instinct de survie, même s'il avait besoin de manger pour vivre.

Kathel les précéda jusqu'à la cuisine où Branna était déjà aux fourneaux. Elle avait ramené ses cheveux noirs en queue-de-cheval, portait encore son bas de pyjama fleuri et le tee-shirt trop large dans lequel elle dormait. Cette seule image exprimait tout son amour, songea-t-il. Sans cela, sachant qu'il y avait un invité – et plus particulièrement Finbar Burke –, elle aurait pris le temps de se changer, de s'arranger un peu.

Sans dire un mot, elle se détourna du réchaud, lui tendit une assiette comportant un œuf au plat sur un toast.

— Que le Ciel te bénisse, trésor.

— Ça devrait t'aider à patienter. La suite arrive. Tu as froid, dit-elle avec calme.

— Je ne l'avais pas remarqué, mais c'est vrai. Un peu froid.

Lui coupant l'herbe sous le pied, Fin s'empressa d'agiter la main au-dessus du foyer ; le petit feu s'anima.

— Tu trembles. Assieds-toi, bon sang ! Et mange, déclara-t-elle sèchement.

Elle le poussa presque sur une chaise.

— Je ne me plains pas qu'on soit aux petits soins pour moi, et pour tout te dire, je pourrais tuer pour un café.

— Je t'en sers une tasse.

Iona se rua vers la cafetière.

— Ah, quel homme se plaindrait d'avoir trois belles femmes pour le dorloter. Merci, *mo chroi*, ajouta-t-il quand Iona lui servit un café.

— On ne va pas te dorloter trop longtemps, je t'assure. Asseyez-vous, tous ! ordonna Branna. C'est presque cuit. Quand son ventre sera assez plein pour qu'il puisse se détendre, il a intérêt à expliquer pourquoi il ne m'a pas appelée.

— C'était trop rapide. Sinon je t'aurais appelée, je vous aurais tous contactés, même. À mon avis, je n'étais pas directement en danger. Ce matin, ce n'est pas pour moi qu'il est venu.

— Pour qui donc ? Nous dormions tous dans nos lits.

Branna s'apprêta à porter un énorme plateau de nourriture jusqu'à la table, mais Fin le lui prit des mains.

— Allez, asseyez-vous, et écoutez. Assis, répéta-t-il avant qu'elle ne le taraude. Tu es aussi secouée que lui.

Le plateau à peine posé sur la table, Connor se servit copieusement des œufs, une saucisse, du bacon, du pain grillé et des pommes de terre qu'il empila dans son assiette.

— Je me suis réveillé tôt, et assez agité, commença-t-il, les entraînant dans son récit qu'il ponctua de bouchées enthousiastes.

— Eamon ? demanda Branna. Le fils de Sorcha ? Ici et maintenant ? Tu en es sûr ?

— Aussi sûr que je connais ma sœur. Au début, je l'ai pris pour un garçon quelconque, qui aurait croisé le chemin de Cabhan, mais quand j'ai pris sa main… je n'avais jamais rien senti de tel, jamais. Même pas avec toi, Branna, ni même avec toi et Iona réunies. Même le jour du solstice, quand le pouvoir a retenti comme un cri, ce n'était pas aussi fort, aussi vif, aussi dense. Je n'arrivais pas à le contenir ni à le contrôler. Ça m'a traversé comme une comète. Et le garçon aussi, mais il s'est accroché à moi, au pouvoir. Il est unique.

— Et Cabhan, alors ? demanda Iona.

— Ça l'a transpercé telle une déchirure, répondit Fin. Je l'ai senti. (Inconsciemment, il toucha son épaule, à l'endroit où l'empreinte de son sang, du sang de Cabhan, marquait sa chair. Son cœur.) Ça l'a abasourdi, et je te promets qu'il était aussi chamboulé que toi.

— Ensuite il a décampé ? (Boyle plongea sa fourchette dans les œufs.) Comme le serpent qu'il est.

— Il s'est bel et bien enfui, confirma Connor. Il est parti d'un coup, le brouillard a disparu en même temps que lui, et il n'y avait plus que moi et le garçon. Et après, moi tout seul. Mais… Il était moi, et j'étais lui – comme deux moitiés d'un seul être. Ça, je l'ai su dès que nous avons joint nos mains. Plus fort qu'un lien du sang. Pas vraiment la même chose, mais… plus unis que par le sang. Le temps d'une seconde, j'ai même vu en lui… comme dans un miroir.

— Qu'as-tu vu ? demanda Meara.

— De l'amour, du chagrin et du courage. La peur, mais le cœur de l'affronter, pour ses sœurs, pour ses parents. Pour nous, au bout du compte. Rien qu'un petit gars, pas plus de dix ans, je dirais. Mais en cet instant, il irradiait d'un pouvoir qu'il n'a pas encore appris à maîtriser en douceur.

— C'est comme quand je rends visite à Nan ? demanda Iona en pensant à sa grand-mère américaine. Par une sorte de projection astrale ? Mais pas exactement ? Ça y ressemble, mais avec le décalage temporel en plus. Comme le voyage dans le temps qui survient aux abords de la chaumière de Sorcha. Tu n'étais pas à proximité de la maisonnette de la Ténébreuse, par hasard, Connor ?

— Non, je suis resté à l'entrée de la clairière. Pas si loin que ça de la chaumière, tout compte fait, estima ce dernier. Assez près pour provoquer un décalage temporel, j'imagine. Tout cela est nouveau. Mais je suis certain que Cabhan ne s'y attendait pas.

— Peut-être parce qu'il y a amené le garçon, Eamon, suggéra Meara. Il l'a poussé hors de son époque pour le projeter dans la tienne, dans le but de le séparer de ses sœurs, et de s'en prendre à un petit garçon seul plutôt qu'à un homme. Ce n'est qu'un lâche, au fond. D'après ce que tu décris, Connor, si tu n'étais pas passé par là, il aurait pu tuer le garçon, ou au moins lui faire du mal.

— C'est juste. Eamon était prêt à tout, je le jure. Il n'a pas froid aux yeux. Et il a refusé de s'enfuir même quand je lui ai dit de filer ! Mais malgré tout, il m'a paru confus, effrayé, pas encore capable de rassembler ses forces pour lutter seul.

64

— Alors tu t'es réveillé et tu es sorti, reprit Branna, toi qui, le matin, ne mets jamais le pied dehors le ventre vide, et tu as appelé ton épervier. Le jour était à peine levé ? (Elle secoua la tête.) Un appel a été lancé de quelque part. Du lien qui t'unit à Eamon, ou de Sorcha elle-même. D'une mère qui protège toujours son enfant.

— J'ai rêvé de Teagan, leur rappela Iona. Elle chevauchait Alastar jusqu'à la chaumière, jusqu'à la tombe de sa mère, et affrontait Cabhan là-bas – versant son sang. Elle est mienne, de la même façon qu'Eamon est à Connor.

Branna hocha la tête quand Iona la regarda.

— Et Brannaugh à Branna, oui. Je rêve souvent d'elle. Mais rien de semblable. C'est utile, nécessairement. Nous allons trouver un moyen de tirer parti de cet événement, d'en tirer des leçons. Il reste tapi depuis le solstice.

— Nous l'avons estropié, rappela Boyle, examinant les autres de ses yeux de fauve. Cette nuit-là, il a saigné et brûlé autant que nous. Même plus, je pense.

— Il lui a fallu le restant de l'été pour se rétablir, reprendre des forces. Et ce matin, il a tenté sa chance avec le garçon, pour s'emparer de ce pouvoir et…

— Pour t'achever, termina Fin à la place de Branna. S'il tue le garçon, Connor n'existe pas ? C'est tout à fait possible. Changer le présent en modifiant le passé.

— Eh bien, il a échoué en beauté. (Connor engloutit ses derniers morceaux de bacon et soupira.) Non seulement je me sens de nouveau humain, mais je suis en pleine forme. C'est dommage qu'on ne puisse pas se mesurer à lui sur-le-champ.

— Il te faudra plus qu'un petit déjeuner complet pour te mesurer à lui.

Se levant, Meara empila les assiettes sales.

— Comme nous tous. Nous l'avons diminué le jour du solstice, c'est plutôt réjouissant ; mais nous ne l'avons pas achevé. Qu'avons-nous raté ? Que faire de plus, de différent ?

— En voilà une qui pense pratique !

— Il faut bien que l'un de nous ait l'esprit pratique, rétorqua Meara.

— Elle a raison. J'ai décortiqué le livre de Sorcha. (Branna secoua la tête.) Vu ce que nous avons fait, ce que nous avions, la façon dont nous l'avons prévu, ça aurait dû marcher.

— Il a changé de territoire, précisa Boyle. Transposé le lieu du combat dans une époque passée.

— Non, je ne vois pas ce qu'on pourrait ajouter. (Branna lança un regard discret vers Fin, qui répondit d'un vague non de la tête.) Donc on continue à chercher.

— Reste assis. (Iona rassembla les dernières assiettes sales sans laisser le temps à Connor de s'en charger.) Avec tout ce que tu as déjà accompli depuis l'aube, tu es exempté de vaisselle. Peut-être que l'été dernier, j'étais encore trop vulnérable ou pas assez expérimentée.

— Tu as besoin qu'on te rappelle le coup du tourbillon ? demanda Boyle.

— C'était plus de l'instinct que de l'expérience, mais c'est vrai, je progresse.

D'un regard, elle chercha confirmation auprès de Branna.

— Tu apprends, oui, et très bien même. Tu n'es pas le maillon faible si c'est ce que tu crois, et tu ne l'as jamais été. Ses connaissances sont supérieures aux nôtres, c'est le problème. Il vit, en un sens, depuis des centaines d'années.

— Ça fait de lui un être vieux, fit remarquer Meara, mais pas forcément rusé.

— Nous avons les livres, les légendes et tout le savoir qui nous a été transmis de génération en génération. Mais lui a tout vécu, alors même s'il n'est pas plus rusé, il en sait plus long que nous. Et son savoir est profond et noir. Son pouvoir n'obéit à aucune règle, contrairement au nôtre. Il nuit à qui il veut, autant qu'il veut. Ça, nous ne pouvons pas le faire en étant qui nous sommes.

— La source de son pouvoir, c'est la pierre qu'il porte autour du cou, loup ou homme. Si on la brise, on le détruit par la même occasion. Je le sais, déclara Fin en serrant le poing sur la table. J'en suis convaincu, sauf que je ne sais pas comment procéder. Pas encore.

— Nous trouverons le moyen de la détruire. C'est impératif, affirma Connor.

Quand Connor tendit le bras au-dessus de la table pour prendre la main de Branna, Fin alla rejoindre les autres dans les tintements de vaisselle, le ruissellement de l'eau dans l'évier.

— Ça n'avance à rien de t'inquiéter pour moi, ce n'est pas nécessaire. Je n'ai pas besoin de regarder pour voir, ajouta-t-il.

— Et s'il vous avait fait du mal à toi et au garçon, ç'aurait pu être terrible !

— Bah, il ne l'a pas fait, si ? Et à nous deux, on lui a bien botté le train. Je suis là, Branna, comme avant. Nous sommes nés pour accomplir ce projet, je suis là.

— La moitié du temps, tu me fais plutôt l'effet d'un caillou dans ma chaussure. (Sa main se retourna sous la sienne puis leurs doigts s'entrelacèrent.) Je suis habituée à toi, que veux-tu. Promets-moi d'être prudent, Connor.

— Évidemment. Pareil pour toi.

— Pareil pour chacun de nous.

Alors qu'il quittait la maison pour se rendre à l'école de fauconnerie, Connor fut amusé et touché de voir Meara le rattraper.

— Tu ne prends pas ta camionnette ?

— J'ai envie de marcher pour digérer le petit déjeuner. Et puis j'ai mon garde du corps.

Il passa le bras autour de ses épaules et la serra contre lui, hanche contre hanche.

Elle portait une tenue résistante adaptée au travail des écuries, composée d'un pantalon et d'une veste, de bottes robustes. Elle avait tressé sa chevelure pour mieux la coincer dans la boucle à l'arrière de sa casquette râpée.

Et malgré tout, elle était belle, se dit-il, sa Meara aux yeux noirs, animée par le sang gitan qui coulait dans ses veines.

— Tu peux te protéger tout seul. (Elle leva les yeux vers les éperviers qui volaient en cercles dans le ciel chargé de lourds nuages.) Surtout que tu les as, eux, pour veiller sur toi.

— Ça ne m'empêche pas d'apprécier ta compagnie. Et c'est le bon moment pour me confier ce qui te perturbe.

— Je crois qu'un sorcier fou résolu à nous détruire suffit pour l'instant.

— Quelque chose d'autre t'a conduite vers Branna hier soir, puisque tu as dormi à la maison. Un homme te fait des misères ? Tu veux que j'aille l'assommer ?

Il brandit le poing vers le ciel et l'agita férocement pour la faire rire.

Elle renifla.

— Comme si je n'étais pas capable d'assommer qui je veux.

Il éclata de rire avec un bien-être évident et lui donna un coup de hanche.

— Ça, je n'en doute pas. Alors, que se passe-t-il, ma douce ? J'entends vibrer dans ta tête, on dirait une ruche d'abeilles en colère.

— Tu n'as qu'à te boucher les oreilles.

Mais elle s'adoucit, suffisamment pour s'abandonner contre lui un instant, assez longtemps pour qu'il sente l'odeur de son savon à lui sur sa peau à elle. Un mélange étrangement plaisant.

— C'est juste ma mère qui me rend à moitié dingue. Rien d'inhabituel, somme toute. Donal s'est dégoté une fille.

— C'est ce que j'ai entendu dire, dit-il en pensant à son frère cadet. Sharon, je crois, elle s'est installée à Cong le printemps dernier ? Une fille sympa, d'après ce que j'ai vu. Mignonne, souriante. Elle ne te plaît pas, c'est ça ?

— Je la trouve très bien, et surtout Donal est fou amoureux d'elle. C'est adorable, vraiment, de le voir aussi amoureux, et heureux de l'être, elle autant que lui.

— Alors quoi ?

— Il envisage de quitter la maison pour se mettre en ménage avec elle.

Connor réfléchit tout en cheminant avec elle vers une activité qu'ils aimaient autant l'un que l'autre.

— Il a quoi, vingt-quatre ans ?

— Vingt-cinq. Et oui, il est grand temps qu'il quitte la maison de sa mère. Mais ma mère et ma sœur Maureen ont réfléchi et sont arrivées à la conclusion que je devrais retourner vivre avec Ma.

— Oh, ça ne marchera pas. Je ne vous donne pas une heure.

— Non, ça ne marchera pas. (Elle poussa un soupir de soulagement alors qu'il comprenait la vérité dans toute sa nudité.) Mais elles préparent fermement le terrain. Elles me culpabilisent, me mettent la pression, avec leur fichue logique. Maureen en est maintenant à dire que notre mère ne peut pas vivre seule, et que comme je suis la dernière à ne pas être casée, pour ainsi dire, c'est à moi de redresser la barre. Et Ma en rajoute en disant qu'elle me prépare la chambre, que j'économiserai un loyer et qu'elle serait très triste sans enfant autour d'elle.

Elle enfonça ses mains dans ses poches.

— Merde.

— Tu veux mon avis ou juste mes condoléances ?

Elle le regarda de côté, ses yeux sombres à la fois méfiants et interrogateurs.

— Je préfère avoir ton opinion, même si je risque de te la renvoyer en pleine face.

— Alors écoute-moi. Reste chez toi, trésor. Pour commencer, tu n'étais pas heureuse, pas vraiment, avant de quitter le foyer familial.

— C'est ce que je veux, et je sais que c'est la solution pour éviter de devenir folle mais…

— Si ta mère craint de se sentir seule, et que Maureen s'inquiète pour ta mère, qui est aussi la sienne, et redoute qu'elle soit livrée à elle-même, autant que ta mère aille vivre chez Maureen. Ça n'aiderait pas Maureen d'avoir sa mère à la maison, avec les enfants et tout ça ?

— Comment n'ai-je pas eu cette idée ? (Meara s'écarta suffisamment pour donner un coup de poing dans l'épaule de Connor en esquissant quelques pas de danse.) Pourquoi n'y ai-je pas pensé tout de suite ?

— Parce que tu n'as pas dépassé le stade de la culpabilité.

D'un geste familier, il tira sur son épaisse tresse.

— Maureen n'a pas le droit de t'obliger à quitter ton appartement, à bouleverser ta vie juste parce que ton frère change la sienne.

— Je le sais, mais je sais aussi que Ma ne peut pas vivre seule. C'est comme ça depuis que notre père n'est plus là. Elle a fait de son mieux pour affronter une situation terrible mais

70

elle passerait ses journées à errer et ses nuits à s'inquiéter si on la laissait seule.

— Tu as deux frères et deux sœurs, lui rappela-t-il. Vous êtes cinq pour vous occuper d'elle.

— Les plus malins sont partis loin. Ici, il ne reste que Donal et moi. Mais je peux suggérer à Ma qu'elle serait mieux chez Maureen. Au pire, cette perspective fera tellement peur à Maureen que ça lui clouera le bec un petit moment.

— Eh bien voilà !

Il bifurqua en même temps qu'elle vers le centre équestre. Meara s'arrêta.

— Où vas-tu ?

— Je t'accompagne jusqu'aux écuries.

— Je n'ai pas besoin d'un garde du corps, merci. Vas-y. (Elle planta l'index sur son torse, le poussant gentiment.) Tu as du travail, toi aussi.

Il n'y avait aucune menace dans l'air – il pressentait une journée calme. Et après les événements du petit matin, Connor sentait que Cabhan était tapi dans sa grotte sombre, le temps de récupérer.

— Nous avons déjà des réservations pour cinq balades aujourd'hui, et d'autres tomberont sûrement en cours de journée. On se croisera peut-être sur les chemins.

— Peut-être.

— Si tu m'envoies un texto quand tu as terminé ta journée, je te retrouverai ici et on rentrera ensemble.

— On verra comment se passe la journée. Fais attention à toi, Connor.

— Promis.

Comme elle fronçait les sourcils, il lui embrassa le front avant de reprendre sa route. Il avait davantage l'allure d'un homme libre de tout souci que celle d'un homme qui portait le poids du monde sur ses épaules.

Indécrottable optimiste, se dit-elle avec une pointe d'envie.

Tout en empruntant le chemin des écuries, elle sortit son téléphone de sa poche.

— Bonjour, Ma.

Avec un sourire en coin, elle se prépara à donner un bon coup de pied aux fesses à sa casse-pieds de sœur.

4

Connor franchit la grille de l'entrée de service de l'école de fauconnerie. Comme toujours, il éprouva un léger tressaillement, pareil à des battements d'ailes, dans son cœur, sur sa peau. Les oiseaux de proie avaient toujours été sa passion. Ce lien spécial, tout comme son pouvoir, était inscrit dans ses gènes.

Il aurait préféré avoir un peu de temps devant lui, pour faire le tour des annexes et des volières, saluer les rapaces, le gros hibou qu'ils appelaient Brutus, juste pour voir – et entendre – comment ils se portaient.

Mais vu comme la journée avait commencé, il avait déjà quelques minutes de retard. Il aperçut l'un de ses employés, Brian – maigre comme un coucou, âgé d'à peine dix-huit ans –, qui remplissait les mangeoires et les abreuvoirs.

Alors il se contenta de survoler les lieux du regard afin de s'assurer que tout allait bien, tout en se dirigeant vers les bureaux, dépassant l'espace délimité par une clôture où son assistante, Kyra, enfermait son adorable épagneul.

— Salut, toi, comment vas-tu aujourd'hui, Roméo ?

En réponse, le chien fit frétiller tout son corps, saisit une balle en mousse bleue dans sa gueule et l'apporta devant la grille avec espoir.

— Tu vas devoir attendre un peu pour jouer.

Il entra dans le bureau et y trouva Kyra, ses cheveux courts d'un bleu saphir, ses doigts frappant le clavier.

— Tu es en retard.

Malgré son mètre cinquante-deux, Kyra avait une voix qui résonnait comme une corne de brume.

— Heureusement que je suis le patron !

— C'est Fin, le patron.

— Et heureusement que j'ai pris le petit déjeuner avec lui, comme ça, il sait ce qu'il en est.

Connor tapota la tête de Kyra de son poing tout en se rapprochant du bureau encombré de formulaires, de blocs-notes, de papiers, de brochures, d'un gant, d'une longe, d'un bol de pierres multicolores et de tout un bazar.

— Nous avons reçu une autre réservation ce matin. Pour deux. Un père et son fils – et le garçon n'a que seize ans. Je t'ai mis sur le coup, puisque tu sais mieux y faire avec les adolescents que Brian ou Pauline. Ils sont prévus à dix heures, ce matin. Des Amerloques.

Elle se tut, tourna son visage rond constellé de taches de son vers Connor et lui lança un regard désapprobateur.

— Seize ans… pourquoi n'est-il pas à l'école, j'aimerais bien le savoir.

— Quelle rigidité, Kyra ! C'est de l'éducation, non, voyager à l'étranger, découvrir le monde des oiseaux de proie ?

— Ce n'est pas comme ça qu'on apprend à additionner deux plus deux. Sean ne vient pas avant midi, au cas où tu l'aurais oublié. Il accompagne sa femme chez le médecin, pour sa visite de contrôle.

Il releva le nez de ses papiers, réalisant qu'il avait effectivement oublié.

— Tout va bien, je crois, pour elle et le bébé ?

— Ils se portent à merveille. Elle veut juste qu'il soit là parce qu'ils vont peut-être apprendre si c'est une fille ou un garçon. Brian sera à neuf heures avec la femme de Donegal, toi à dix, et Pauline à dix heures trente avec le couple de Dublin en lune de miel.

Elle pianota sur son clavier pour remplir le planning de la matinée. Malgré sa tendance autoritaire et brusque, Kyra était magique quand il était question de faire dix choses à la fois.

Et – malheureusement pour Connor – elle comptait sur les autres pour faire de même.

— Je t'ai programmé une autre visite à deux heures, ajouta-t-elle. Encore des Amerloques, un couple de Boston cette fois. Ils ont d'abord séjourné à Dromoland, dans le comté de Clare, et passent trois jours à Ashford avant de poursuivre leur voyage. Trois semaines de vacances pour fêter leur vingt-cinquième anniversaire de mariage.

— Dix et quatorze heures, très bien.

— Quand ils se sont mariés, je n'étais même pas née. Ça donne à réfléchir.

N'écoutant que d'une oreille, il s'assit pour se pencher sur la paperasse qu'il n'avait pas réussi à lui refiler.

— Tes parents sont mariés depuis encore plus longtemps que ça, étant donné que tu es la benjamine.

— Les parents, c'est autre chose, répondit-elle d'un ton sans appel, même s'il ne voyait pas en quoi c'était différent. Oh, et Brian affirme qu'il y a eu un tremblement de terre, ce matin, qui a même failli le faire tomber du lit.

Connor leva les yeux, l'air calme.

— Un tremblement de terre, tu dis ?

Elle eut un petit sourire narquois, sans cesser de taper sur le clavier de ses doigts aux ongles peints en rose pailleté.

— Il jure que toute la maison a été secouée.

75

Elle leva les yeux au ciel, lança l'impression du document et pivota dans sa chaise pour prendre une écritoire.

— Il est convaincu que c'est une conspiration, puisque personne n'en a pipé mot à la télé. Quelques allusions, à ce qu'il dit, sur Internet. Il est passé d'un tremblement de terre à des essais nucléaires effectués par des forces étrangères en un claquement de doigts. Il va te rebattre les oreilles avec ça comme il l'a fait avec moi.

— Et toi, ton lit n'a pas tremblé ?

Elle lui décocha un grand sourire.

— Pas à cause d'un tremblement de terre.

Il rit et reporta son attention sur la paperasse en cours.

— Comment va Liam ?

— Très bien, merci. J'envisage de l'épouser.

— C'est comme ça que ça marche ?

— Probable. Il faut bien commencer à accumuler les anniversaires de mariage, à un moment ou à un autre. Je le tiendrai au courant dès que j'aurai pris ma décision.

Quand le téléphone sonna, il la laissa répondre et entreprit de ranger sa moitié du bureau.

Certains en ressentaient le besoin, d'autres pas, se dit-il. Certains étaient plus ouverts que d'autres. Et certains aussi fermés et tendus que la peau d'un tambour.

Il connaissait Kyra depuis qu'elle était petite, se dit-il avec amusement, et elle le connaissait aussi – obligatoirement. Mais elle n'en parlait jamais. Elle était, malgré ses cheveux teints en bleu et le petit anneau qui perçait son sourcil gauche, particulièrement fermée.

Il traita les affaires courantes jusqu'à l'arrivée de Brian qui, comme prévu, ne parla que du tremblement de terre, ou plus probablement des essais nucléaires effectués par des agences gouvernementales secrètes, à moins que ce ne soit un signe annonciateur de l'apocalypse.

Il laissa Brian et Kyra en débattre et alla choisir le rapace qui accompagnerait la première balade.

Comme personne ne le regardait, il opta pour la manière rapide et simple. Il ouvrit la volière, regarda l'oiseau de son choix dans les yeux et leva son bras ganté.

L'épervier traversa vivement l'espace, se posa, aussi obéissant qu'un chien bien dressé.

— Te voilà, Thor. Tu as envie de travailler, on dirait ? Sois bon avec Brian ce matin. Je t'emmènerai dehors plus tard, si je peux, pour une vraie partie de chasse au vol. Qu'en penses-tu ?

Après avoir sécurisé l'épervier, il retourna au bureau, le transférant sur le perchoir auquel il l'attacha.

Patient, Thor replia ses ailes, l'œil vigilant.

— Il va peut-être pleuvoir, dit-il à Brian, mais pas très fort, je pense.

— À cause du réchauffement climatique, la météo mondiale est capricieuse. C'était peut-être un tremblement de terre.

— Rien à voir avec la météo, alors, déclara Kyra.

— Tout est lié, dit Brian, l'air sombre.

— Je pense qu'il ne tombera qu'une petite averse, ce matin. Si jamais il y a un tremblement de terre ou une éruption volcanique, n'oublie pas de ramener Thor dans sa volière. (Connor donna une tape sur l'épaule de Brian.) Tes clients sont là, au portail. Vas-y, fais-les entrer et visiter les lieux. Je vais prendre Roibeard et William pour la promenade de dix heures, informa-t-il Kyra comme Brian se hâtait d'aller accueillir ses visiteurs. Ce qui laisse Moose pour Pauline.

— Je vais arranger ça.

— Nous aurons Rex pour Sean. Il respecte Sean, mais il n'éprouve pas encore le même respect pour Brian. Il vaut mieux ne pas l'envoyer en balade avec Bri pour l'instant, pas tous les deux. Je prendrai Merlin pour le rendez-vous de quatorze heures, comme ça fait quelques jours qu'il n'a pas eu droit à sa sortie.

— L'épervier de Fin n'est pas là.

— Il est dans les parages, dit simplement Connor. Et Pauline pourra reprendre Thor cet après-midi. Brian ou Sean, celui que tu mets sur la dernière balade, pourra prendre Rex.

— Et Nester ?

— Il n'est pas d'humeur, aujourd'hui. Il est en congé pour la journée.

Elle se contenta de hausser son sourcil percé d'un anneau.

— Si tu le dis…

— J'en suis sûr.

Son sourire céda la place à l'inquiétude.

— Il a besoin de soins particuliers ?

— Non, il n'est pas malade. Il n'est pas dans son assiette, c'est tout. Je l'emmènerai faire un tour plus tard. Voler le mettra de meilleure humeur.

Il avait vu juste quant à l'averse, et la pluie tomba aussi soudainement qu'elle cessa, comme souvent. Une petite averse, un fin rayon de soleil à travers une poche de nuages.

Quand ses deux clients arrivèrent, l'ondée était passée. Il en restait de l'humidité ambiante et une légère brume. En vérité, se dit-il en faisant faire le tour des lieux au père et au fils, ça créait une atmosphère propice pour les Amerloques.

— Comment faites-vous pour les différencier ?

Le fils, Taylor, dégingandé avec de grandes oreilles et des articulations noueuses, prit un air vaguement ennuyé.

— Elles se ressemblent, toutes les buses de Harris, mais elles ont chacune leur personnalité, leur propre comportement. Tu vois, lui c'est Moose, un gros oiseau, c'est pour ça qu'il s'appelle comme ça. Et Rex, à côté de lui ? Il a un air royal.

— Pourquoi ils ne s'envolent pas quand vous les libérez ?

— Pourquoi s'en iraient-ils ? Ils ont une bonne vie ici, une vie confortable. Et aussi un bon travail, respectable. Certains sont nés là, c'est leur maison.

— Vous les entraînez ici ? demanda le père.

— Oui, et on commence l'entraînement quand ils ne sont encore que des oisillons. Ils sont faits pour voler et chasser. En les dressant correctement, en distribuant des récompenses, de la gentillesse, de la tendresse, on peut leur apprendre à faire ce pour quoi ils sont doués et à revenir au gant.

— Pourquoi la buse de Harris est-elle préférable pour les balades ?

— C'est un animal social. Et surtout, son agilité en fait l'oiseau idéal pour voler dans ces régions. Les faucons pèlerins – vous voyez, là ? (il les entraîna vers un grand oiseau gris, avec des taches noires et jaunes) – sont magnifiques et il n'y a pas d'animal plus rapide au monde quand ils descendent en piqué. Ils montent jusqu'à des hauteurs élevées et plongent vers leur proie.

— J'aurais cru les guépards plus rapides, dit Taylor.

— Apollo, ici.

Entendant son nom, par ce subtil appel de Connor, le faucon déploya ses ailes – et impressionna le garçon qui sursauta légèrement avant de hausser les épaules.

— Il peut battre le félin et atteindre une vitesse de trois cent vingt kilomètres à l'heure. Ça fait deux cents miles à l'heure, pour vous, ajouta Connor en souriant.

— Mais pour autant qu'il soit rapide et beau, le pèlerin a besoin d'espace alors que les Harris peuvent danser entre les arbres. Vous les voyez, là-bas ?

Il les guida un peu plus loin.

— Le printemps dernier, je les ai vus éclore. Nous les avons entraînés ici, à l'école, jusqu'à ce qu'ils soient aptes au vol libre. L'un de leurs frères, William, va nous accompagner aujourd'hui, monsieur Leary.

— Si jeune ? Il a quoi, cinq à six mois ?

— Né pour voler, répéta Connor.

Il sentit qu'il allait perdre l'attention de l'adolescent s'ils ne partaient pas rapidement en promenade.

— Si vous voulez bien me suivre à l'intérieur, vos buses vous attendent.

— C'est une expérience, Taylor.

Le père, un bon mètre quatre-vingt-dix, posa la main sur l'épaule de son fils.

— Si tu le dis. Il va sûrement se remettre à pleuvoir.

— Oh, je pense que ça ne tombera pas avant le coucher du soleil. Monsieur Leary, on m'a dit que vous aviez de la famille dans le comté de Mayo ?

— Appelez-moi Tom. Des ancêtres, apparemment, mais pas de famille en vie à ma connaissance.

— Vous êtes seulement venu avec votre fils, alors ?

— Non, ma femme et ma fille sont allées faire du shopping à Cong. (Il leva les yeux en souriant.) Ça pourrait m'attirer des ennuis.

— Ma sœur a une boutique à Cong. La Ténébreuse. Elles y passeront peut-être.

— Si elles passent devant et qu'il y a quelque chose à acheter, c'est sûr qu'elles s'y arrêteront. Nous avons envie de faire une balade à cheval demain.

— Je vous le conseille. C'est un endroit formidable pour faire du cheval. Dites-leur que vous venez de la part de Connor.

Entrant, il se tourna vers les perchoirs.

— Et voici Roibeard et William. Roibeard est à moi, et pour toi aujourd'hui, Taylor. Je l'ai eu alors que ce n'était encore qu'un oisillon. Tom, vous voulez signer les formulaires que Kyra vous a préparés pendant que je vais présenter Taylor à Roibeard ?

— Il a un drôle de nom, fit Taylor.

Il se dit qu'il n'a pas envie d'être ici, songea Connor. *Qu'il préférerait être chez lui avec ses copains et ses jeux vidéo.*

— C'est le sien, un très vieux nom. Il vient des aigles qui chassent dans ces bois depuis des siècles. Prends ton gant. Sans ça, même s'il est intelligent et bien dressé, ses serres pourraient te transpercer le bras. Tu dois lever ton bras de cette façon, compris ?

Connor lui fit une démonstration, levant le bras gauche à angle droit.

— Et garde-le dans cette position en marchant. Il suffit de le lever plus haut pour lui donner l'ordre de s'envoler. Au début, je vais l'attacher, le temps qu'on s'éloigne un peu.

Il sentit le jeune homme tressaillir – par nervosité, sous le coup d'une excitation qu'il cherchait à cacher – au moment où Connor signifiait à Roibeard de se poser sur le bras ganté.

— Le Harris est agile et rapide, comme je l'ai dit, et c'est un chasseur acharné, même si avec ces morceaux de poulet que nous allons prendre avec nous (il tapota sa pochette remplie d'appâts) ils abandonneront toute idée de poursuivre d'autres oiseaux ou des lapins.

» Et vous, Tom, prenez le jeune William. C'est un bel oiseau, il sait se tenir. Il n'aime rien de plus qu'une chance de traverser les bois en volant et d'avoir du poulet en récompense de son travail.

— Il est beau. Ils sont tous beaux. (Tom émit un petit rire.) Je me sens nerveux.

— Partons à l'aventure. Comment se passe votre séjour au château ? demanda Connor tout en les guidant au-dehors.

— Fabuleux. Annie et moi pensions que ce serait le seul voyage en Irlande de notre vie, mais nous envisageons déjà de revenir.

— C'est impossible de ne venir qu'une fois en Irlande.

Il les mena d'un pas tranquille, bavardant de choses et d'autres, tout en gardant ses pensées et son cœur tournés vers les rapaces. Plutôt ravis, dans de bonnes dispositions.

Il les guida loin de l'école, le long d'un chemin en pente menant à une route pavée puis à une clairière bordée de grands arbres.

Là, il lâcha les longes.

— Si vous voulez bien lever le bras. En douceur, pour les faire glisser, et ils s'envoleront.

Toute la beauté du geste, l'ascension vers le ciel, le déploiement des ailes, dans un silence presque total. Presque. Un léger cri de surprise du garçon, tentant toujours de se raccrocher à l'ennui alors que les deux rapaces allaient se percher sur une branche, repliaient leurs ailes et les fixaient d'en haut comme des dieux en or.

— Voulez-vous me confier votre appareil photo, Tom ?

— Avec plaisir. J'avais envie de prendre quelques photos de Tom avec le faucon. Avec… Roibeard ?

— Je vais le faire. Taylor, tourne-toi, dos à eux, et regarde par-dessus ton épaule gauche.

Même si Roibeard n'avait pas besoin de ça pour répondre, Connor déposa un morceau de poulet sur le gant.

— Dégueu…

— Pas pour l'oiseau.

Connor fit la mise au point.

— Lève le bras, comme tout à l'heure. Ne le bouge surtout pas.

— Si vous voulez, marmonna Taylor qui obéit néanmoins.

Alors le rapace, d'une grâce farouche dès qu'il volait, tomba en piqué, les ailes déployées, l'œil brillant et atterrit sur le bras du jeune homme.

Il engloutit le morceau de poulet puis, immobile, il regarda Taylor droit dans les yeux.

Habitué à ce genre de moment, Connor captura l'émerveillement stupéfait, la joie absolue du jeune homme.

— Waouh ! Waouh ! Papa, papa, tu as vu ça ?

— Oui. Il ne va pas… (Tom consulta Connor du regard.) Ce bec…

— Pas de quoi s'inquiéter, je vous le promets. Reste immobile une minute, Taylor.

Il prit une autre photo qui, imaginait-il, trouverait sa place sur le manteau d'une cheminée ou sur un bureau dès leur retour aux États-Unis, le garçon et la buse se regardant fixement.

— C'est votre tour, Tom.

Il répéta l'opération, saisit l'instant à l'aide de l'appareil photo, écouta ses clients se parler avec étonnement.

— Vous n'avez encore rien vu, promit Connor. Enfonçons-nous dans les bois. Vous n'allez pas en croire vos yeux.

Pour lui, ça ne perdait jamais de sa fraîcheur, ne tombait jamais dans l'ordinaire. Le vol du rapace après sa montée en flèche, ses descentes en piqué entre les arbres, ne cessait de l'émerveiller. Aujourd'hui, les frissons d'excitation du jeune homme et de son père étaient la cerise sur le gâteau.

L'humidité ambiante, aussi dense qu'une éponge gorgée d'eau, les frémissements de la lumière qui filtrait à travers les arbres, les tourbillons de l'automne qui approchait contribuaient à faire de cette journée, de l'avis de Connor, le jour idéal pour se défouler dans les bois en suivant les rapaces.

— Je pourrai revenir ?

Au retour, Taylor atteignit les portails de l'école, Roibeard sur le bras.

— Enfin, juste pour les voir. Ils sont super-sympas, surtout Roibeard.

— Bien sûr, tu pourras revenir. Ils sont toujours contents d'avoir de la visite.

— Nous referons une balade avec les rapaces avant de partir, promit son père.

— Je préférerais ça à une promenade à cheval.

— Oh, ça aussi, ça te plairait, je suis prêt à le parier. (Connor les fit entrer d'un pas tranquille.) C'est très agréable de se balader dans les bois sur le dos d'un bon cheval, ça donne un autre point de vue sur la nature. Et aux écuries, ils ont d'excellents guides.

— Vous faites du cheval ? demanda Tom.

— Oui, je monte. Même si ça ne m'arrive pas aussi souvent que j'aimerais. Ce que je préfère, bien évidemment, c'est la chasse au faucon à cheval.

— Oh là là ! Je peux essayer ?

— Ce n'est pas dans la brochure, Taylor.

— C'est vrai, admit Connor tout en transférant délicatement Roibeard sur un perchoir. Ce n'est pas dans le menu classique, si je peux dire. Mais je vais arranger ça avec ton père, si tu veux aller voir les rapaces avant de partir.

— Oui, d'accord.

Il observa un moment Roibeard, les yeux débordants d'amour.

— Merci. Merci, Connor. C'était génial.

— Mais il n'y a pas de quoi. (Il transféra William pendant que Taylor sortait en courant.) Je ne voulais pas le dire devant votre fils, mais je peux peut-être m'arranger pour qu'il participe à ce que nous appellerons une sortie cheval-rapace. Il faut d'abord que je vérifie si Meara peut vous accompagner. Elle chasse au faucon et travaille comme guide aux écuries. Si cela vous intéresse, bien sûr.

— Je n'avais pas vu Taylor s'enthousiasmer pour autre chose que les jeux vidéo et la musique depuis des mois. Si c'est possible de votre côté, ce serait formidable.

— Je vais voir ce que je peux faire. Donnez-moi une minute ou deux.

Il cala sa hanche contre le bureau quand Tom quitta la pièce et prit son téléphone.

— Ah, Meara, ma chérie, j'ai une faveur à te demander…

C'était merveilleux de donner à quelqu'un l'occasion de vivre des sensations fortes qu'il n'oublierait pas de sitôt. Connor fit de son mieux pour offrir un instant d'émerveillement similaire à son dernier client de la journée – mais rien ne pouvait rivaliser avec les sommets atteints avec Taylor et son père.

Entre deux réservations, il emmena les faucons pèlerins, dont Apollo, s'entraîner et chasser au vol au-delà des bois, à travers l'espace dégagé. Là, à coup sûr, il admirait leurs percées en piqué. Là, il ressentait au plus profond de son être les frissons provoqués par la vitesse de ces plongeons aériens.

D'un tempérament aussi social que les buses de Harris, il appréciait les balades avec les rapaces, mais ces moments de solitude – alors qu'il regardait les oiseaux voler en liberté – étaient ses préférés de la journée.

Apollo saisit une corneille en pleine descente – un coup parfait. On pouvait les nourrir, se dit Connor en s'asseyant sur un muret de pierre, avec un sachet de chips et une pomme. On pouvait les entraîner et les soigner. Mais ils restaient sauvages, et par nature ils avaient besoin de ces instants de liberté.

Alors il s'installa, savoura cette parenthèse, le spectacle des oiseaux qui s'élevaient dans le ciel, plongeaient, chassaient, et profita pleinement de l'après-midi humide et paisible.

Pas de brouillard ni de ténèbres dans ce coin, songea-t-il. Pas encore. Pas tant que lui et son cercle parvenaient à préserver la clarté.

Où es-tu, Cabhan ? Pas ici, pas maintenant, se dit-il en scrutant les collines ondulées, plus verdoyantes dans le lointain. Rien de particulier dans l'immédiat, si ce n'était l'annonce certaine d'averses qui continueraient à tomber par intermittence.

Il observa Apollo qui reprit de l'altitude dans le ciel, pour le simple plaisir du geste, et sentit son cœur bondir vers lui. Et dans ce moment de solitude, il sut qu'un jour il affronterait les ténèbres et remporterait la bataille.

Se levant, il appela les oiseaux à revenir vers lui, un par un.

Une fois toutes ses tâches accomplies, il fit un dernier tour des volières, vérifia tout, puis fourra son gant dans sa poche arrière et verrouilla le portail.

Il partit d'un pas tranquille en direction des écuries.

C'est Roibeard qu'il sentit en premier. Il enfila son gant, et même lorsqu'il tendit le bras, il sentit Meara.

L'épervier en vol dessina un cercle, par pur plaisir, avant de fondre en piqué pour atterrir sur le bras ganté de Connor.

— Tu as profité de l'aventure ? Je suis sûr que grâce à toi, ce jeune Amerloque n'est pas près d'oublier sa journée.

Posté là, il attendit que Meara surgisse au détour du virage, à grandes enjambées, d'un pas assuré – quel homme n'admire pas les longues jambes d'une femme qui marche d'un pas aussi ferme et déterminé ? Sans la lâcher du regard, il lui sourit de toutes ses dents.

— La voilà ! Comment ça s'est passé avec le jeune homme ?

— Il est fou amoureux de Roibeard et il déborde de tendresse pour Spud qui lui a offert une bonne balade. J'ai dû faire un arrêt pour que sa sœur ait droit à son tour, tellement je craignais qu'une bagarre brutale n'éclate entre la sœur et le frère. Ça lui a beaucoup plu, à elle aussi, mais pas autant qu'au garçon. Et nous ne lui facturons pas les petites minutes où elle a pu monter.

— Non, c'est offert. (Il lui prit la main, et tout en marchant, la balança pour la porter à ses lèvres et baiser délicatement ses phalanges avant de la lâcher.) Merci.

— Tu peux aussi me remercier pour le billet de cent que le monsieur m'a donné en supplément.

— Cent ? En plus ?

— Tout à fait. Il a estimé que j'étais plutôt honnête et m'a demandé de partager avec toi. Je lui ai dit que ce n'était pas la peine, mais il a insisté. Naturellement, comme je n'ai pas voulu me montrer impolie, j'ai fini par accepter.

— Naturellement, dit Connor en souriant, avant d'agiter les doigts sous le nez de Meara.

Elle sortit le généreux pourboire de sa poche et compta les billets.

— Alors, qu'allons-nous faire de cette petite rentrée d'argent inattendue ? Ça te dit d'aller prendre une bière ?

— J'en dis qu'il t'arrive d'avoir d'excellentes idées. On invite les autres à nous rejoindre ? proposa-t-elle.

— Pourquoi pas ? Tu envoies un texto à Branna, et moi à Boyle. On verra si ça les intéresse. Ça ferait du bien à Branna de sortir ce soir.

— Je sais. Pourquoi tu ne la contactes pas, toi ?

— C'est plus facile de dire non à son frère qu'à une amie.

Il croisa le regard de Roibeard, marcha un moment sans rien dire. Soudain, l'épervier se souleva, s'éleva et s'éloigna en battant des ailes.

Comme Connor, elle profita du plaisir de contempler l'oiseau.

— Mais où va-t-il ?

— À la maison. J'aime autant qu'il ne s'éloigne pas. Il va voler jusqu'à la maison et y passer la nuit.

— Je vous envie ça, dit Meara en sortant son téléphone de sa poche. Ta façon de parler aux rapaces, la façon dont Iona parle aux chevaux et Branna aux chiens – et Fin aux trois dès qu'il en a envie. Si je pouvais choisir un pouvoir magique, je pense que c'est celui que je prendrais.

— Tu l'as en toi. Je t'ai vue avec les chevaux, les rapaces, les chiens.

— C'est du dressage et de l'affinité. Mais ce n'est pas comme toi.

Elle envoya son texte, rangea son téléphone.

— Mais je le réserverais aux animaux. Je deviendrais folle à force de voir clair dans les êtres humains, d'entendre leurs pensées et de sentir ce qu'ils ressentent, comme tu le fais. Je passerais tout mon temps à écouter, et probablement à m'emporter contre tout ce que j'aurais capté.

— Mieux vaut résister à la tentation d'espionner.

Elle lui donna un coup de coude, un air entendu faisant pétiller ses yeux noirs.

— Je sais très bien que tu tends l'oreille chaque fois que tu te demandes si une femme a envie que tu lui offres un verre ou que tu la raccompagnes chez elle.

— C'était peut-être le cas avant que j'atteigne l'âge de la maturité.

Elle éclata de son merveilleux rire.

— Tu es loin d'avoir atteint la maturité, pour autant que je le sache.

— Pas tant que ça. Tiens, voilà déjà la réponse de Boyle. Iona s'exerce avec Branna au cottage. Il va traîner Fin avec lui. Il part bientôt de chez lui, dès qu'il aura demandé à Iona de transmettre l'invitation à Branna.

— J'aime bien quand on est tous réunis. Comme une famille.

Percevant sa mélancolie, il passa le bras autour de ses épaules.

— Nous formons une famille, approuva-t-il. Une vraie famille de cœur.

— Tes parents te manquent depuis qu'ils sont partis vivre dans le Kerry ?

— Parfois, mais ils sont tellement heureux là-bas, au bord du lac, à tenir leur maison d'hôtes, avec les sœurs de maman qui papotent gaiement en permanence. Et ils sont accros à la visioconférence. Qui aurait pu l'imaginer ? Au moins, ça nous permet de les voir et de savoir ce qu'ils font.

Il massa son épaule tandis qu'ils longeaient la route sinueuse menant à Cong.

— Pour tout te dire, je suis content qu'ils soient loin, à l'abri dans le Sud, en ce moment.

— Et moi, je serais plus que ravie que ma mère soit loin, n'importe où, et pour des raisons moins altruistes que les tiennes.

— Ça va passer. Ce n'est qu'une nouvelle phase.

— Une nouvelle phase qui dure depuis quinze ans. Mais tu as raison.

Elle fit rouler ses épaules comme pour les délester d'un poids.

— Tu as raison, j'ai essayé de lui mettre la puce à l'oreille aujourd'hui en avançant que ça lui ferait du bien de passer du temps chez ma sœur, avec ses petits-enfants. Par la même occasion, j'espère que Maureen va se mettre cette idée-là où je pense, c'est tout ce qu'elle mérite. Si ça ne marche pas, j'ai l'intention de refiler ma mère à mon frère, qui la renverra à ma sœur puis à mon autre frère, jusqu'à ce qu'elle atterrisse dans un endroit qui lui convienne. Je ne lâcherai pas mon appartement.

— Tu perdrais la boule si tu retournais vivre chez ta mère, et ça vous apporterait quoi de bon, à toi comme à elle ? La présence de Donal lui a fait du bien, c'est indiscutable, mais toi aussi. Tu lui consacres du temps, tu l'écoutes, tu l'aides à tout gérer. Tu paies son loyer.

Quand elle s'écarta d'un bond, l'air suspicieux, il se contenta de hausser les sourcils.

— Réfléchis, Meara. C'est Fin qui lui loue son logement, alors je suis forcément au courant. Je cherche juste à te faire comprendre que tu es une bonne fille et que tu n'as aucune raison de te trouver égoïste.

— Vouloir l'envoyer ailleurs me paraît égoïste, mais c'est plus fort que moi. Et Fin pourrait demander deux fois plus cher pour cette maison.

— C'est ça, la famille, dit-il dans un soupir.

— Combien de fois peux-tu avoir raison en un seul trajet jusqu'au pub ? (Elle fourra les mains dans les poches de sa veste.) Bon, j'ai assez râlé et critiqué pour l'instant. Je suis en train de gâcher cette bonne journée de travail et les cinquante euros de bonus que j'ai dans la poche.

Ils dépassèrent la vieille abbaye où quelques touristes s'attardaient encore, prenant des photos.

— Les gens te racontent tout. Comment ça se fait ?

— Peut-être parce que j'aime les écouter.

Elle rejeta sa réponse d'un mouvement de tête.

— Non, c'est parce que tu sais écouter, même quand tu n'as pas envie d'entendre ce qu'ils ont à dire. Moi, je fais trop la sourde oreille.

Il plongea la main dans la poche de Meara pour serrer la sienne.

— À nous deux, on forme une moyenne dans les statistiques sur la nature humaine.

Non, se dit-elle. *Certainement pas*. Connor O'Dwyer ne se situait en aucun cas dans la moyenne.

Puis, laissant ses soucis et ses interrogations de côté, elle entra avec lui dans la chaleur et le brouhaha du pub.

Ceux qui les connaissaient tous les deux, c'est-à-dire la plupart des clients présents, saluaient toujours Connor en premier. On criait joyeusement son nom, on lui adressait des sourires enjôleurs, des saluts rapides. Toujours accueilli à bras ouverts, à son aise en toute occasion.

Ces qualités, cette capacité à se réjouir d'un rien, encore des caractéristiques qu'elle lui enviait.

— Tu vas nous trouver une table, lui dit-il, pendant que je me charge de la première tournée.

Elle se fraya un chemin jusqu'à une table assez grande pour six personnes. Tout en s'installant, elle consulta son téléphone – Connor allait mettre un certain temps à revenir, puisqu'il discuterait en chemin.

Elle commença par envoyer un message à Branna.

« Laisse tomber ton chignon. On est déjà au pub. »

Ensuite elle vérifia son planning du lendemain. Un cours sur piste le matin, trois balades guidées – sans parler des tâches quotidiennes, nettoyer, nourrir les animaux, les brosser, et tracasser Boyle jusqu'à ce qu'il s'acquitte de ses tâches administratives. Ensuite, les commissions qu'elle négligeait depuis un certain temps – pour elle et pour sa mère. La lessive qui s'entassait à force de la repousser de jour en jour.

Elle pourrait faire tourner quelques machines dans la soirée, si elle quittait le pub à une heure raisonnable.

Elle survola son calendrier, prit note de l'anniversaire de son frère aîné et créa un événement : lui trouver un cadeau.

Et Iona avait besoin d'un cours de combat à l'épée. Elle commençait à bien se défendre, se dit Meara, mais maintenant que Cabhan avait refait surface, il serait sage qu'elles s'entraînent plus régulièrement.

— Range ça tout de suite et arrête de bosser.

Connor posa leurs pintes sur la table.

— La journée de boulot est terminée.

— Je regardais juste ce qui m'attend demain.

— C'est ton fardeau, ma chère Meara, toujours à la recherche de ce qu'il y a à faire après.

— Et toi, tu es toujours à la recherche du prochain moment de détente.

Il leva son verre en souriant.

— La vie est une partie de plaisir, tant qu'on la prend du bon côté.

Il hocha la tête dès qu'il remarqua Boyle et Iona.

— La famille arrive.

Meara jeta un coup d'œil dans leur direction et rangea son téléphone.

5

Une bonne journée de travail, une pinte entre amis. Pour Connor, il n'y avait rien de mieux au monde, à l'exception d'un repas chaud et d'une femme bien disposée.

Même si la jolie blonde, prénommée Alice, qui lui lançait des coups d'œil occasionnels semblait plutôt l'apprécier, il se contenta de sa pinte et de ses amis.

— Maintenant que Fin nous a rejoints, dit-il, tu as peut-être envie de combiner les rapaces et les chevaux comme Meara et moi l'avons fait aujourd'hui avec les Amerloques. Tu pourrais proposer cette option de façon régulière.

Boyle fronça les sourcils.

— Il nous faudrait un fauconnier expérimenté comme guide, et nous n'avons que Meara qui sache faire ça.

— J'en suis capable moi aussi, protesta Iona.

— Tu n'es sortie en promenade avec les faucons qu'à deux ou trois reprises, fit remarquer Boyle. Et jamais seule.

— J'ai adoré ! Tu m'as même dit que j'étais faite pour ça, rappela-t-elle à Connor.

— Tu es très habile, mais il te faudrait quelques essais à cheval. Ou même à vélo, comme lorsque nous exerçons les oiseaux en hiver.

— Je vais m'entraîner.

— Tu as besoin de pratiquer l'épée, lui dit Meara.

— Tu me mets une raclée à chaque fois.

— C'est vrai, confirma Meara en souriant, le regard rivé sur sa pinte. C'est très juste.

— Notre amie apprend vite, commenta Fin. Et l'idée est intéressante.

— Si on la creuse un peu… (Boyle but une gorgée de bière en réfléchissant.) Les clients intéressés par ce genre de sortie doivent être des cavaliers confirmés. Autant éviter qu'un novice panique quand le faucon se posera sur son bras, effrayant le cheval.

— D'accord avec toi.

— Les chevaux ne paniqueront pas si je leur dis de rester calmes. (Iona inclina la tête, tout sourire.) Voici Branna.

Elle avait coiffé ses cheveux avec soin, comme de bien entendu, et portait une écharpe rouge sur une veste bleu nuit. À en juger par ses bottines à talons plats, elle était venue à pied de chez elle.

Elle fit glisser sa main sur l'épaule de Meara, puis s'assit lourdement sur la chaise voisine de la sienne.

— On fête quoi ?

— Meara et moi partageons un généreux pourboire offert par un Amerloque.

— Félicitations. Tu offres une pinte à ta sœur ? Je prendrais volontiers une Harp.

— C'est ma tournée, lança Meara en se levant.

— Elle se tracasse pour sa mère, leur apprit Connor dès qu'elle se fut suffisamment éloignée. Elle a besoin de se changer les idées. Dînons tous ensemble, si vous êtes d'accord, pour lui redonner le moral. Je pencherais pour un *fish and chips*.

— Ce ne serait pas plutôt pour le bien-être de ton estomac ? demanda Branna.

— Un peu pour mon estomac, et pour son moral. (Il leva son verre pour trinquer.) Et pour le plaisir d'être en bonne compagnie.

C'était bon d'être avec eux tous. Au départ, elle avait prévu de ne prendre qu'une seule pinte, de s'attarder un petit moment, puis de rentrer chez elle, lancer une machine et réunir tous les restes pour dîner sur le pouce. Mais voilà qu'elle entamait sa deuxième pinte et une tourte au poulet.

Tout compte fait, sa camionnette pouvait rester là où elle était, chez Branna. Elle rentrerait chez elle à pied. Chargerait le lave-linge, dresserait la liste des courses – une pour elle et une pour sa mère. Couchée tôt, et si elle réussissait à se lever de bonne heure, elle pourrait mettre une autre machine en route et apercevoir le fond de sa panière.

Elle ferait les courses pendant sa pause déjeuner, passerait chez sa mère après le travail – au secours ! – et son devoir serait accompli. Au passage, elle continuerait à faire germer l'idée d'un long séjour chez Maureen.

Connor lui décocha un coup de coude dans les côtes.

— Tu penses trop. Essaie de te concentrer sur l'instant présent. Tu verras, c'est formidable.

— Une tourte au poulet dans un pub, c'est formidable ?

— C'est bon, non ?

Elle prit une nouvelle bouchée.

— C'est bon. Et que vas-tu faire d'Alice ?

— Hein ?

— Alice Keenan, qui manifeste son désir ardent depuis l'autre bout de la salle avec la discrétion d'un porte-drapeau.

Elle agita les bras en guise de démonstration.

95

— Jolie, c'est clair. Mais pas mon genre.

Meara prit un air stupéfait qu'elle afficha à l'intention de toute l'assemblée.

— Vous avez entendu ? Connor O'Dwyer dit qu'une jolie fille, ce n'est pas son genre.

— Avec une bague au doigt, ce serait plus ton genre ? demanda Fin, amusé.

— Tout à fait, et comme je n'ai rien à lui offrir, je ne jouerai pas avec elle. Mais elle a un beau visage.

Il se pencha vers Meara.

— Si tu voulais bien te blottir contre moi, m'embrasser, elle se dirait, bon, tant pis, il est pris, et elle arrêterait de fantasmer sur moi.

— Elle n'arrêterait pas, les femmes ridicules sont comme ça. (Elle prit une autre bouchée de tourte.) J'ai la bouche pleine, désolée.

— Tu as posé tes lèvres sur les miennes une fois.

— C'est vrai ? (Iona repoussa son assiette sur le côté et se pencha vers lui.) Raconte-nous tout.

— J'avais à peine douze ans.

— Presque treize.

— Presque treize, c'est douze. (Elle fit semblant de l'attaquer avec sa fourchette.) Et j'étais curieuse.

— C'était agréable.

— Comment le saurais-je ? se défendit Meara. C'était mon premier baiser.

— Oh, soupira Iona. On n'oublie jamais son premier baiser.

— Ça ne l'était pas pour lui.

Connor rit et tira sur la tresse de Meara.

— Ce n'était pas mon premier baiser, c'est vrai, mais je ne l'ai pas oublié, tu vois ?

— Moi, j'avais onze ans. Précoce, déclara Iona. Il s'appelait Jessie Lattimer. C'était tendre. J'avais décrété qu'on se marierait un jour, qu'on aurait une ferme et que je passerais mes journées à faire du cheval.

— Et qu'est-il arrivé à Jessie Lattimer ? voulut savoir Boyle.

— Il a embrassé une autre fille et m'a brisé le cœur. Ensuite, sa famille est partie vivre à Tucson, ou à Toledo. Une ville qui commence par la lettre T. Et maintenant, je vais épouser un Irlandais. (Elle se pencha pour embrasser Boyle.) Et passer mes journées à faire du cheval.

Ses yeux pétillèrent quand Boyle entrecroisa leurs doigts.

— Qui était ton premier, Branna ?

Dès qu'elle formula sa question, son regard se teinta de regret. Elle connaissait la réponse. Bien sûr, elle le savait avant même que Branna consulte Fin à la dérobée.

— J'avais douze ans moi aussi. Je n'allais pas me laisser doubler par ma meilleure amie, quand même. Et comme Connor pour Meara, j'avais Fin sous le coude.

— Ça, c'est sûr ! approuva joyeusement Connor. Il te suivait partout du matin au soir.

— Pas tout le temps, vu que ce n'était pas son premier baiser.

— Je m'étais un peu entraîné. (Fin s'adossa dans sa chaise, sa pinte à la main.) Mais c'était pour que ton premier baiser soit mémorable. Cachés dans les bois, murmura-t-il, par une douce journée d'été. Ça sentait la pluie et la rivière. Et ton parfum.

Elle évita son regard, et de son côté, il ne leva pas les yeux vers elle.

— Puis la foudre a éclaté, un éclair a jailli du ciel et frappé le sol.

Elle s'en souvenait. Comment aurait-elle pu l'oublier ?

— Il y a eu des vibrations dans l'air, et le tonnerre a grondé. On aurait dû s'en douter.

— Nous n'étions que des enfants.

— Plus pour longtemps.

— Tu es triste à cause de moi, dit Iona. Je suis désolée.

— Pas triste, fit Branna en secouant la tête. Un peu nostalgique, quand je repense à l'innocence qui disparaît plus vite qu'un flocon de neige en plein soleil. Nous ne pouvons plus nous permettre d'être innocents maintenant, après tout ce qui nous est arrivé. Et avec tout ce qui nous attend. Alors… versons quelques gouttes de whisky dans notre thé et apprécions l'instant – comme mon frère aime le répéter. Jouons un peu de musique, qu'en dis-tu, Meara ? Une chanson ou deux, ce soir, puisque seuls les dieux savent de quoi demain sera fait.

— Je vais aller chercher le violon au comptoir.

Connor se leva, caressa les cheveux de sa sœur et s'éloigna de la table. Sans avoir besoin de parler, il lui offrit le réconfort dont elle avait besoin.

Meara resta plus longtemps que prévu, jusqu'à une heure où il n'était plus raisonnable de penser, de faire la lessive ou une liste de commissions. Malgré son refus, Connor insista pour la raccompagner chez elle.

— Arrête, ce n'est qu'à cinq minutes de marche.

— Justement, ça ne me prendra que peu de temps. C'était gentil à toi de rester juste parce que Branna en avait besoin.

— Elle ferait la même chose pour moi. Et ça m'a remonté le moral à moi aussi, même si ça n'a pas lavé mon linge sale.

Ils avancèrent dans la rue silencieuse, grimpèrent la pente. Si les pubs étaient encore animés, les magasins étaient fermés depuis un moment et il ne passait pas la moindre voiture.

Le vent s'était levé, dispersant le parfum des héliotropes plantés dans une jardinière. Elle vit les pointes lumineuses des étoiles à travers des volutes de nuages.

— Il t'arrive d'avoir envie d'aller ailleurs ? demanda-t-elle. De partir vivre ailleurs ? Si tu n'avais pas un objectif qui te retienne ici ?

— Non, jamais. C'est ici chez moi. C'est la vie que je veux vivre et c'est ici que je veux la vivre. Et toi ?

— Non. J'ai des amis qui sont partis s'installer à Dublin, à Galway, à Cork et même en Amérique. J'imagine que je pourrais tenter le coup moi aussi. Envoyer de l'argent à ma mère et m'en aller d'ici, partir à l'aventure. Mais c'est toujours le désir de rester qui prend le dessus.

— Combattre un sorcier vieux de plusieurs siècles et animé par le mal n'est pas une petite aventure.

— Rien à voir avec l'agitation d'une rue marchande de Dublin !

Ils rirent et bifurquèrent vers son appartement.

— Une partie de moi n'aurait jamais cru cela possible. Ce qui est arrivé dans la clairière la nuit du solstice. Mais c'est arrivé, c'était déchaîné, rapide et périlleux, et il n'y avait pas de place pour la raison.

— Tu étais magnifique.

Elle rit encore, secoua la tête.

— Je me souviens mal de ce que j'ai fait. Je me rappelle la clarté, le feu et le vent. Tes cheveux au vent. Toute cette lumière. Autour de toi, en toi. Je ne t'avais jamais vu comme ça. Ton pouvoir magique aussi vif que le soleil, absolument aveuglant.

— C'est parce que nous étions tous ensemble. Nous ne l'aurions pas repoussé si nous n'avions pas été réunis.

— Je le sais. Je l'ai senti.

Pendant quelques instants, son regard se perdit dans la nuit, dans le village qui était le sien depuis toujours.

— Pourtant, il est toujours en vie.

— Il ne l'emportera pas.

Il l'accompagna en haut des marches, jusqu'à sa porte.

— Tu ne peux pas en être sûr, Connor.

— J'ai besoin d'y croire. Si nous laissons les ténèbres prendre le dessus, que sommes-nous ? Quel sens donner à tout cela si nous laissons le mal nous dominer ? Non, nous l'en empêcherons.

Elle resta un instant immobile à côté d'un panier dont jaillissaient des pétunias violets et rouges.

— J'aurais préféré que Fin te raccompagne en voiture.

— J'ai besoin de marcher pour digérer le *fish and chips* – et les pintes.

— Tu as des responsabilités, Connor. Nous ne pouvons pas gagner sans toi. Même sans parler de ça, tu fais partie de ma vie, comme une vieille habitude.

— Alors je vais assumer mes responsabilités.

Il tendit la main, sembla hésiter, puis tira sur sa tresse comme de coutume.

— Toi aussi, tu en as. Dors bien, Meara.

— Bonne nuit.

Il attendit qu'elle soit entrée, qu'elle ait refermé sa porte et l'ait verrouillée.

Alors, il prit conscience qu'il avait failli l'embrasser et se demanda si ce baiser aurait été si… fraternel que ça. Il aurait mieux valu éviter le whisky dans le thé, conclut-il, puisqu'il en venait à manquer de commettre des impairs.

Elle était son amie, la meilleure des amies. Pour rien au monde il ne mettrait l'équilibre de leur relation en péril.

Pourtant, à présent, il était crispé et frustré. Peut-être qu'après tout il aurait dû donner sa chance à Alice.

Avec tout ce qui se passait, tout ce qu'il y avait en jeu, comment laisser Branna seule ce soir – même si Iona passait la nuit au cottage ? Et il lui semblait délicat d'inviter une femme à la maison, surtout dans ces circonstances.

Tout bien considéré, se dit-il en empruntant une route sinueuse à la sortie du village, *ce n'était pas pratique.* Raison de plus, s'il en fallait une autre, pour envoyer Cabhan hurler dans les flammes de l'enfer.

Certes, il appréciait la compagnie des dames. Discuter avec elles, flirter avec elles. Il aimait bien danser, se balader, rire. Et coucher avec elles, c'était peu dire.

Leur douceur et leur chaleur, leurs parfums et leurs soupirs.

Mais par manque de commodité, tous ces plaisirs étaient momentanément suspendus.

Pour combien de temps encore ? s'interrogea-t-il, alors que Cabhan avait encore frappé.

Pendant que ces pensées lui traversaient l'esprit, Connor s'arrêta net. Il se tint immobile, silencieux – physiquement et mentalement – sur la chaussée plongée dans l'obscurité qu'il connaissait comme sa poche. Et il tendit l'oreille, aux aguets.

Il est là, il est là. Pas loin, pas assez loin – pas assez près pour qu'on le trouve, mais pas assez loin pour que Connor se sente à l'abri de tout danger.

Il porta la main à l'amulette qui reposait sous son pull, palpa ses contours, absorba sa chaleur. Puis il écarta les bras en croix, de plus en plus largement.

L'air se mit à murmurer autour de lui, telle une chanson silencieuse dansant entre ses cheveux, embrassant sa peau sur toute la longueur de son corps à mesure que son pouvoir s'éveillait. Tandis que sa perception visuelle se déployait.

Ainsi, il parvenait à distinguer les arbres, les ondulations de leurs ramures, à entendre le chuchotement de l'air entre les feuilles, les battements du cœur des créatures de la nuit qui s'emballaient, le pouls accéléré des proies effrayées. Il perçut aussi l'odeur, le bruit de l'eau.

Un voile de saleté la recouvrait – une ombre accrochée aux ténèbres. Mêlée à elles de sorte qu'il était impossible de les distinguer.

— La rivière. Par-delà la rivière, oui. La traverser est source de souffrance pour toi. L'eau, franchir un cours d'eau te déconcerte. Je te sens, je te perçois comme un suintement de boue froide. Un jour je trouverai ton gîte. Un jour...

Le choc lui fit l'effet d'une brûlure superficielle. À peine plus douloureuse qu'une brusque décharge d'électricité statique. Connor rassembla son énergie, renferma la magie en lui. Et sourit.

— Tu es encore faible. Oh oui, nous t'avons estropié, le garçon et moi. Nous te ferons pire que ça, espèce de salopard, je le jure sur mon sang, nous ferons pire avant d'en avoir fini avec toi.

Un peu moins agité que quelques instants plus tôt, un peu moins frustré aussi, il poursuivit sa route en sifflotant.

La pluie se mit à tomber et persista le temps de tout tremper. Les résidents du château d'Ashford – qui représentaient l'essentiel de leur clientèle – voulaient néanmoins leurs balades de découverte des rapaces.

La pluie ne dérangeait pas Connor, et comme toujours les tenues des voyageurs qui superposaient d'innombrables épaisseurs de vêtements le firent sourire. Ça l'amusait de les voir déambuler dans des bottes en caoutchouc colorées, enveloppés dans toutes sortes d'imperméables chics, combinant écharpes, bonnets et gants pour se protéger d'une petite averse modérée de septembre.

Malgré ces sujets de divertissement, il scrutait les volutes de brume qui tourbillonnaient et rampaient – sans rien déceler d'autre que de l'humidité. Pour l'instant.

Un soir, après le travail, il s'assit sur le perron du cottage, un thé corsé à la main, et regarda Meara entraîner Iona. Leurs épées s'entrechoquaient, tranchantes, bien que Branna les eût ensorcelées pour les rendre aussi flasques que des nouilles, même en heurtant la chair.

Sa cousine faisait des progrès certains, constata-t-il, même s'il était improbable qu'elle égale un jour le style et la férocité de Meara Quinn.

À sa façon de manier l'épée, on aurait pu la croire née avec une arme blanche à la main. Dès qu'elle brandissait une lame, elle ressemblait à une déesse, avec sa haute silhouette aux courbes voluptueuses et son épaisse tresse châtain qui lui battait les reins.

Ses bottes, aussi élimées que les siennes, plantées dans le sol détrempé, semblèrent danser quand elle repoussa Iona, sans se soucier de ménager son élève.

Et ses yeux noirs – hérités comme sa peau mate de ses origines gitanes – pétillaient de férocité au moment où elle bloqua une attaque.

Il n'aurait aucun mal à passer la journée à la regarder croiser le fer. Toutefois, tandis qu'elle repoussait sa petite-cousine toujours plus loin, avec une ténacité inébranlable, il grimaça par compassion.

Branna apparut, une tasse de tisane faite maison à la main, et s'assit à côté de lui.

— Elle fait des progrès.

— Hein ? Oh, Iona, oui. C'est ce que je me disais.

Placide, Branna but quelques gorgées d'infusion.

— Vraiment ?

— Oui, je la trouve encore plus forte qu'à son arrivée, alors qu'elle n'avait déjà rien d'une mauviette. C'est vrai, elle a gagné en force, en assurance aussi. Elle croit plus fermement en son don. C'est en partie grâce à nous, en partie grâce à Boyle et aux effets de l'amour sur le corps et l'âme, mais pour l'essentiel, c'était en elle depuis toujours, et ça n'attendait que de s'épanouir.

Il tapota le genou de Branna.

— Nous avons de la chance, toi et moi.

— Cette idée m'est déjà passée par la tête, une fois ou deux.

— De la chance d'avoir des parents comme les nôtres. Nous avons grandi en nous sachant aimés et estimés. Et notre particularité, celle qui nous définit, était véritablement perçue comme un don et pas comme quelque chose à enterrer ou à cacher. Ces deux-là qui s'affrontent à l'arme blanche sous la pluie ? Elles ont eu moins de chance que nous. Iona a eu et a toujours sa grand-mère, et ça, c'est un trésor précieux. Mais à part ça, pour elles, leur famille est… bah, merdique, comme Meara se plaît à le dire.

— Nous sommes leur famille.

— Je le sais, et elles aussi. Mais c'est une blessure qui ne guérit jamais totalement, tu ne crois pas, de ne pas avoir l'amour inconditionnel de ceux qui nous ont engendrés ? L'indifférence des parents d'Iona, la famille chaotique de Meara…

— Qu'est-ce qui est pire, à ton avis ? Cette indifférence, qui dépasse mon entendement, ou le chaos ? Le père de Meara qui s'est enfui en emportant le peu d'argent qui restait à la famille après qu'il eut dilapidé tous leurs biens ? Abandonner sa femme et ses cinq enfants, ou alors se désintéresser de leur sort ?

— Je pense que c'est démoralisant, dans un cas comme dans l'autre. Mais regarde-les. Si fortes et pleines de courage.

Iona trébucha en reculant et dérapa. Ses fesses heurtèrent l'herbe imbibée d'eau. Meara se pencha vers elle, la main tendue, mais Iona la refusa en secouant la tête, les dents serrées. Elle roula sur le côté, se releva d'un bond. S'avança tout en balançant l'épée de droite à gauche.

Souriant de toutes ses dents, Connor frappa la cuisse de sa sœur.

— Bien qu'elle soit toute menue, elle est féroce !

— Puisque c'est vrai, je te pardonnerai de citer le barde anglais dès que mon ragoût à la Guinness sera sur le feu.

Ses pensées se concentrèrent illico sur la nourriture.

— Ragoût à la Guinness au menu ?

— Oui, ainsi qu'une miche de pain de campagne au levain avec les graines de pavot que tu aimes tant.

Son regard s'illumina et il plissa les yeux.

— Et que vais-je devoir faire pour mériter ça ?

— J'ai besoin que tu travailles avec moi dès que tu auras un jour de congé.

— D'accord, sans problème.

— Les tours de magie auxquels nous avons eu recours le soir du solstice… J'étais convaincue que ça marcherait. Mais j'ai raté quelque chose, exactement comme Sorcha a manqué un détail quand elle s'est sacrifiée et a empoisonné Cabhan il y a si longtemps. Depuis tout ce temps, chacun de nous est passé à côté de quelque chose. Il faut qu'on trouve ce que c'est.

— Nous finirons par y arriver. Mais tu ne peux pas tout porter seule, Branna. Ce n'est pas toi qui as échoué, c'est nous tous. Fin…

— Je sais que j'ai besoin de travailler avec lui. Je l'ai déjà fait et je recommencerai.

— Est-ce que ça t'aide de savoir qu'il souffre autant que toi ?

— Un peu. (Elle posa sa tête sur son épaule.) Comme je suis petite !

— Tu es humaine. Une magicienne est un être humain comme les autres, comme Da nous l'a toujours dit.

— C'est juste.

Ils restèrent assis en silence un instant, côte à côte, les épées s'entrechoquant sous leurs yeux.

— Cabhan va de mieux en mieux, non ? murmura-t-elle juste pour lui. Il reprend des forces pour la suite. Je le sens… dans l'air.

— Je le sens moi aussi.

Tout comme elle, Connor scruta les bois plongés dans une obscurité verdâtre.

— Fin est du même sang que lui, il doit le ressentir plus fort que nous. Il y a assez de ragoût pour tout le monde ?

Elle soupira, lui signifiant qu'elle ne l'avait pas attendu pour y penser.

— Sûrement, oui. Invite-les, dit-elle en se levant, et de mon côté, je vais veiller à ce qu'il y en ait assez.

Il lui prit la main, l'embrassa.

— Aussi humaine que n'importe qui, et plus courageuse que la plupart des gens. Ma sœur est comme ça.

— L'idée de manger un ragoût à la Guinness te rend sentimental.

Malgré son ton badin, elle pressa sa main avant d'entrer dans la maison.

Ce n'était pas le ragoût qui attendrissait Connor, même si ça faisait plutôt pencher la balance du bon côté. Non, dans le fond, il se faisait beaucoup de souci pour elle.

Iona feinta en surgissant par la gauche, tournoya sur elle-même et attaqua finalement par la droite. Cette fois, c'est Meara qui tituba, dérapa et tomba sur les fesses dans l'herbe humide.

Iona poussa un cri de joie, se mit à sauter en cercles, l'épée brandie vers le ciel.

— Bien joué, cousine ! cria-t-il pour couvrir le puissant rire de gorge de Meara.

Iona exécuta une révérence théâtrale, puis poussant un petit cri aigu, se redressa vivement quand le plat de l'épée de Meara lui frappa l'arrière-train.

— En effet, bien joué, lui dit Meara. Mais j'aurais pu te transpercer le ventre pendant ta danse de la victoire. N'oublie pas de m'achever la prochaine fois.

— Message reçu, mais il n'y aura plus qu'une seule fois. (Elle poussa un autre cri de joie et se remit à sautiller sur place.) Ça devrait suffire. Je vais ranger les épées avant d'aller fanfaronner auprès de Branna.

— Bon, d'accord.

Iona s'empara des lames, les fit virevolter au-dessus de sa tête et salua Connor avant de se précipiter à l'intérieur.

— Tu l'as bien entraînée, commenta Connor en se levant pour rejoindre Meara et lui proposer le restant de son thé.

— À la mienne !

— L'aurais-tu laissée gagner, par hasard ?

— Non, pas du tout, même si je l'ai envisagé rien que pour la motiver. En fin de compte, ça n'a pas été nécessaire. Elle a toujours été énergique, mais avec l'expérience, elle gagne en précision.

Elle se massa les fesses.

— Voilà, je suis toute mouillée, maintenant.

— Je peux arranger ça.

Il se rapprocha un peu plus d'elle, l'entoura de ses bras. Ses mains descendirent délicatement vers ses fesses, le long de son pantalon humide.

Une vague de chaleur s'infiltra dans le tissu, et ses mains s'attardèrent encore un instant. Un éclat dans ses yeux, se dit-il, une lueur dans ses pupilles noires exotiques. Sur le point de succomber, il se reprit, juste au moment où elle s'écarta.

— Merci. (Elle vida le fond de thé.) Et pour ça aussi, même si je ne dirais pas non à un verre de ce vin que Branna aime tant.

— Alors viens prendre un verre à la maison. J'ai proposé aux autres de venir dîner. Il y a un ragoût à la Guinness et une miche de pain à peine sortie du four au menu.

— Il vaudrait mieux que j'y aille. (Elle recula de quelques pas, jeta un coup d'œil vers sa camionnette.) On dirait que je vis ici en ce moment.

— Elle a besoin de son cercle autour d'elle, Meara. Tu me rendrais service en restant.

Elle regarda par-dessus son épaule, comme si elle sentait quelque chose ramper vers elle.

— Il vient déjà ?

— Impossible à dire, pas avec certitude. Je compte sur Fin pour en savoir plus long que moi. Allez, entre, viens prendre un verre de vin et du ragoût, comme ça nous serons tous ensemble.

Sans surprise, ils vinrent tous, car Connor savait qu'ils répondraient toujours présents. La cuisine s'emplit de leurs éclats de voix, de leur amitié chaleureuse, avec Kathel couché devant le petit foyer, et un succulent ragoût plein de bonnes choses mijotant sur le réchaud.

Comme il y avait déjà de la Guinness dans le ragoût, Connor opta pour du vin. Tout en buvant, il regarda son compère transi d'amour sourire de toutes ses dents quand Iona, une fois de plus, relata sa victoire.

Qui aurait cru Boyle McGraff capable de tomber raide dingue d'une fille ? Lui, si peu bavard et qui accordait généralement plus d'attention à ses chevaux qu'à la gent féminine ? Un ami loyal et sincère, et un bagarreur répondant à ses propres règles de maîtrise de soi.

Et voilà que Boyle, avec ses phalanges meurtries et son tempérament bouillonnant, était éperdument amoureux de la petite magicienne qui parlait aux chevaux.

— Tu as un air moqueur et content de toi, fit remarquer Meara.

— J'aime bien la tête de grand chiot de Boyle quand il regarde Iona.

— Ils vont bien ensemble, et leur vie de couple sera longue et heureuse. Ce qui n'est pas le cas de la plupart des gens.

— Ça, c'est même rarement le cas. (Entendre ces mots sortir de sa bouche lui fit un pincement au cœur, conscient qu'elle les pensait sincèrement.) Le monde a besoin d'amoureux bien assortis, sinon comment continuerait-il à tourner ? Avec des êtres qui passent leur vie seuls ? Une vie de solitude.

— Quand on mène une vie solitaire, on peut la vivre à sa guise, sans devoir assumer les conséquences des erreurs de l'autre, tout ça pour finir seul quand l'histoire fonce dans le mur.

— Tu es cynique, Meara.

— Ça me va très bien. (Elle lui jeta un regard, les sourcils arqués.) Tu es un romantique, Connor.

— Et ça me va très bien.

Elle rit, d'un éclat naturel et spontané, tout en disposant les serviettes sur la table.

— Branna a dit que chacun doit se servir du ragoût directement dans la marmite, alors tu ferais bien de venir faire la queue.

— J'arrive.

Avant cela, il alla chercher du vin pour la tablée, s'accordant au passage le temps de s'ouvrir un peu, à l'affût du moindre signe dans l'air, avant qu'ils ne s'installent tous ensemble pour dîner et parler magie. Évoquer la clarté et l'obscurité.

Le ragoût, à lui seul, était assez magique ; Branna avait ses astuces.

— C'est délicieux ! s'exclama Iona en se servant une seconde assiette. Il faut que j'apprenne à cuisiner comme toi.

— Tu te débrouilles bien avec les accompagnements, lui dit Branna. Et Boyle aime cuisiner. Il peut se charger des repas, pendant que tu t'occupes des combats à l'épée.

— Possible. Après tout, j'ai bien mis Meara à terre.

— Elle ne va donc jamais se lasser de le répéter ? s'interrogea Meara. Je commence à comprendre que je vais devoir l'écraser une dizaine de fois pour qu'elle cesse de crier victoire.

— Même ça, ça ne me calmera pas. (Iona sourit, puis se rassit à table.) Tu ne l'as pas fait exprès, j'espère ?

— Non, je ne l'ai pas fait exprès, et je le regrette. Au moins, nous aurions pu te plaindre.

— Dans ce cas, trinquons. (Fin leva son verre.) À toi, *dei-fiúr bheag*, une guerrière qui mérite toute notre estime. Et à toi, *dubheasa**, dit-il à Meara, qui l'as aidée à le devenir.

— Un peu facile, maugréa Meara, avant de boire.

— Parfois, la vérité n'a rien de compliqué. Parfois, c'est le contraire.

— Compliquée ou pas, la vérité est nécessaire.

— Alors écoute ce que j'ai à te dire, ce n'est pas rien. Vous lui avez causé du tort, dit-il à Connor. Toi et ce jeune garçon, Eamon. Mais il se rétablit. Et vous, la trinité, vous le sentez, aussi bien que moi.

— Il reprend des forces, précisa Connor.

— Exact. Il rassemble les ténèbres et les forces obscures autour de lui, et en lui. Je ne saurais dire de quelle façon, sans quoi nous trouverions comment arrêter cela, et l'achever, lui.

110

— La pierre rouge. La source.

Fin approuva d'un hochement de tête à l'intention d'Iona.

— Oui, mais comment est-ce venu à lui ? Comment s'en est-il imprégné, comment l'en priver et la détruire ? Quel prix a-t-il payé pour cela ? Lui seul connaît les réponses, et je n'y ai pas accès, pas plus que je n'arrive à le débusquer.

— Il est de l'autre côté de la rivière. À quelle distance, aucune idée, ajouta Connor, mais il ne rôde pas du côté de notre rive pour l'instant.

— Il restera là-bas tant qu'il n'aura pas pleinement rechargé ses batteries. Si nous arrivions à nous mesurer à lui avant qu'il récupère ce que toi et le garçon lui avez pris, nous réussirions à l'achever. Je le sais. Mais j'ai cherché, et je ne trouve pas son gîte.

— Seul ? (La fureur explosa dans la voix de Branna.) Tu es parti tout seul à sa recherche ?

— C'est une gifle pour nous tous, Fin. (Si la voix de Boyle était plus calme, sa colère était sous-jacente.) Ce n'est pas correct.

— J'ai suivi mon sang, comme aucun de vous ne le peut.

— Nous sommes un cercle. (Ce n'était pas de la colère qui transperçait dans la voix d'Iona ni sur son visage, mais une déception révélatrice d'une blessure plus profonde.) Nous sommes une famille.

L'espace d'un instant, la compréhension, les regrets et l'envie de Fin furent si vifs que Connor ne parvint pas à tout bloquer. Il en saisit seulement les contours, ce qui suffit à le faire parler.

— Nous sommes un cercle et une famille, et rien ne peut changer ça. Agir seul n'est pas la bonne solution bien que j'avoue y avoir pensé. Tout comme toi, dit-il à Boyle. Comme chacun de nous à un moment ou à un autre. Fin en porte la marque, sans avoir rien fait pour ça. Est-ce qu'un seul d'entre nous peut affirmer, en toute honnêteté, qu'à sa place nous n'aurions pas fait comme lui ?

— J'aurais fait la même chose que lui. Connor a marqué un point, intervint Meara. Nous aurions tous agi comme lui.

— D'accord, concéda Iona en tendant la main vers Fin. Mais ne recommence pas.

— Je t'emmènerais bien avec moi, pour que ton épée me protège, mais à quoi bon ? Il a trouvé un moyen de se protéger contre moi, et je n'ai pas encore trouvé comment le contourner.

— Nous allons travailler plus longuement et plus durement.

Branna reprit son verre de vin.

— Nous avions besoin de temps, nous aussi, après le solstice, mais nous ne sommes pas restés cachés à soigner nos blessures. Nous allons mettre les bouchées doubles, ensemble et individuellement, et mettre le doigt sur ce que nous avons raté.

— Nous devrions nous réunir plus souvent. (Tout en survolant l'assemblée du regard, Boyle se servit une louche de ragoût.) Pas forcément ici, même si Branna cuisine bien mieux que moi. Mais nous pouvons aussi nous donner rendez-vous chez Fin.

— Ça ne me dérange pas de faire à manger, s'empressa de répondre Branna. J'aime bien cuisiner. Et la plupart du temps, je suis ici ou à l'atelier, alors c'est assez facile.

— Ce serait encore plus simple si on s'organisait. De cette façon, nous pourrions tous te donner un coup de main, déclara Iona, avant de consulter le groupe du regard comme Boyle avant elle. Alors… quand nous retrouvons-nous tous les six ?

— Te voilà qui paraphrases le barde anglais, fit Branna en levant les yeux au ciel. Toutes les semaines. Au moins une fois par semaine à partir de maintenant. Plus souvent si nous en ressentons le besoin. Connor passera ses jours de congé à travailler avec moi et tu devrais faire comme lui, Iona.

— Très bien. Les jours de repos, le soir, autant que nécessaire.

Quand elle se tut, le silence dura un peu trop longtemps pour ne pas trahir une gêne.

— Et toi, Fin ? (Branna cassa en deux le pain qu'elle avait à peine touché, mordit dedans.) Quand peux-tu te libérer ?

— Je vais m'arranger pour être le plus disponible possible.

— À nous tous, si nous unissons nos efforts, nous y arriverons, décréta Connor avant de plonger sa fourchette dans son assiette.

6

Il rêva du garçon. Il était assis avec lui dans la lumière vacillante d'un feu de camp délimité par de grossières pierres grises. La pleine lune était suspendue dans le ciel comme une balle blanche dans une mer d'étoiles. Il sentait l'odeur de la fumée et de la terre – et du cheval. Pas Alastar tel qu'il était désormais, mais une jument robuste qui sommeillait, la croupe détendue.

Sur une branche surplombant le cheval, l'épervier veillait.

Et il entendait les bruits de la nuit, tous ses murmures dispersés par le vent.

Assis, le garçon avait ramené ses genoux contre sa poitrine, le menton posé dessus.

— J'étais en train de dormir, dit-il.

— Moi aussi. Nous sommes dans ton époque ou dans la mienne ?

— Je ne sais pas. Mais c'est chez moi, ici. C'est aussi chez toi ?

Connor porta son regard sur la maisonnette en ruine, puis vers la pierre tombale de Sorcha.

— C'est chez nous, autant que c'était chez elle. Que vois-tu là-bas ?

Eamon tourna la tête vers les ruines.

— Notre cabane, telle que nous l'avons laissée le jour où notre mère nous a demandé de partir.

— Telle que vous l'avez laissée ?

— Oui. J'ai envie d'entrer mais je n'arrive pas à ouvrir la porte. Je sais que ma mère ne se trouve pas à l'intérieur et que nous avons pris tout ce qu'elle a voulu que nous emportions avec nous. Mais j'ai tout de même envie d'entrer comme si elle était là, qu'elle m'attendait au coin du feu.

Eamon s'empara d'un long bâton, attisa les braises comme les garçons le font souvent.

— Que vois-tu ?

Il préféra éviter de faire de la peine au jeune homme en lui révélant qu'il voyait là des ruines envahies par la végétation. Et une tombe.

— Je te vois dans ton époque, et moi dans la mienne. Et pourtant... tu sens ma main, dit-il en touchant l'épaule d'Eamon.

— C'est vrai. Donc c'est un rêve, mais nous ne rêvons pas.

— Le pouvoir gouverne cet endroit. Celui de ta mère et, je le crains, également celui de Cabhan. Nous l'avons affaibli, toi et moi, si bien que ce soir, sa force est absente. Pour toi, notre rencontre remonte à combien de temps ?

— À trois semaines et cinq jours. Et pour toi ?

— Moins. Alors nos époques ne sont pas parallèles. Comment vous portez-vous, Eamon ? Toi et tes sœurs ?

— Nous nous sommes établis dans le comté de Clare, où nous avons construit une petite cabane dans les bois. (Il regarda une fois de plus sa maisonnette, le regard pétillant.) Nous avons eu recours à la magie. À nos mains et à nos dos également, mais nous avons pensé qu'elle serait plus solide avec l'aide de la magie. Mieux isolée aussi, ajouta-t-il en esquissant un sourire. Brannaugh s'est servie de ses talents de guérisseuse pendant le voyage, et elle continue depuis que nous sommes installés. Nous avons une poule qui nous donne des œufs, c'est une bonne chose, et nous chassons – sauf Teagan qui est incapable de tirer des flèches sur une créature vivante. Dès qu'elle essaie, ça lui fait mal au cœur mais elle s'occupe des chevaux et de la poule. Nous pratiquons le troc à l'occasion. Nous proposons nos bras, des guérisons et des potions en échange de pommes de terre, de navets, de céréales, ce genre de choses. Dès que nous le pourrons, nous cultiverons nos légumes. Je sais semer, faire pousser et moissonner.

— N'hésite pas à te tourner vers moi si tu as besoin de quoi que ce soit. C'est à moi de te procurer de la nourriture, ou des couvertures, tout ce qu'il te faut.

Du réconfort, ajouta Connor pour lui-même. Un jeune garçon triste si loin de chez lui en manquait nécessairement.

— Je te remercie, mais nous avons ce qu'il faut, même des pièces qu'Ailish et Bardan nous ont données. Mais…

— Quoi ? Demande-moi tout ce que tu veux.

— Pourrais-je avoir quelque chose qui t'appartient ? Un petit objet que je pourrais emporter avec moi ? Je peux te l'échanger contre autre chose. (Eamon offrit une pierre, un caillou d'un blanc pur posé délicatement dans le creux de sa main.) C'est juste une pierre que j'ai trouvée mais elle est jolie.

— Très jolie. Je ne sais pas ce que j'ai d'intéressant sur moi.

Repensant à la pointe de cristal attachée au fin lacet de cuir qu'il portait autour du cou, il la détacha.

— C'est un œil-de-tigre bleu – qu'on appelle aussi un œil-de-faucon. C'est mon père qui me l'a donné.

— Je ne peux pas l'accepter.

— Prends-le. C'est autant le tien que le mien. Ça lui ferait plaisir de savoir que c'est toi qui l'as. C'est un échange équitable.

116

Pour couper court à ses protestations, il noua le collier autour du cou d'Eamon.

Le garçon caressa la pierre du bout des doigts, l'examina à la lumière des flammes.

— Je vais la montrer à mes sœurs. Elles étaient émerveillées et m'ont posé des tas de questions quand je leur ai raconté notre rencontre, et de quelle façon nous avons repoussé Cabhan. Un peu jalouses également. Elles souhaiteraient faire ta connaissance.

— Moi aussi, j'aimerais les rencontrer. Le jour viendra peut-être. Sens-tu sa présence démoniaque ?

— Plus depuis ce fameux jour. Brannaugh dit qu'il ne peut plus nous atteindre. Comme il ne peut pas sortir des limites de son territoire, il lui est impossible de venir jusqu'au comté de Clare. Nous reviendrons quand nous serons plus grands, plus forts. Nous rentrerons chez nous.

— Je sais que vous reviendrez mais en attendant le bon moment, vous êtes plus en sécurité là où vous êtes.

— Et toi, sens-tu sa présence ?

— Oui, mais pas ce soir. Pas ici. Tu devrais te reposer à présent, dit-il en remarquant qu'Eamon avait les paupières lourdes.

— Tu restes ici ?

— Je reste, aussi longtemps que possible.

Eamon se roula en boule, sa cape courte serrée autour de lui.

— De la musique. Tu l'entends ? Entends-tu la musique ?

— Oui, je l'entends.

La musique de Branna. Une chanson pleine de sanglots.

— C'est beau, murmura Eamon, gagné par le sommeil. Triste et beau. Qui la joue ?

— C'est la musique de l'amour.

117

Il laissa le garçon s'endormir, le regard rivé sur la flambée, puis se réveilla dans son lit, le soleil envahissant sa chambre.

Ouvrant son poing serré, il découvrit une pierre blanche lisse dans le creux de sa main.

Quand Branna descendit prendre son café matinal à la cuisine, il la lui montra. Les dernières traces de sommeil disparurent aussitôt de ses yeux.

— Elle est revenue avec toi.

— Nous étions tous les deux, aussi réels que toi et moi, mais chacun dans son époque. Je lui ai donné l'œil-de-faucon que Da m'a offert – tu t'en souviens ?

— Évidemment. Tu le portais souvent quand tu étais petit. Il est accroché au miroir de ta chambre.

— Plus maintenant. Je ne l'avais pas autour du cou, et j'étais nu en allant me coucher hier soir. Pourtant, dans mon rêve, j'étais tout habillé et je le portais. À présent, il est autour du cou d'Eamon.

— Chacun dans votre époque. (Elle alla ouvrir la porte à Kathel qui rentrait de sa balade du matin.) Et pourtant, vous étiez assis ensemble, vous parliez ensemble. Et après coup, quand tu t'es réveillé, ce qu'il t'a donné était toujours avec toi. Nous devons apprendre à nous servir de ça.

Elle ouvrit le réfrigérateur, et en la voyant sortir du beurre, des œufs, du bacon, il comprit que son histoire, l'énigme qu'elle représentait, ainsi que son besoin de retourner les pièces de ce casse-tête dans tous les sens allaient lui rapporter un petit déjeuner.

— Nous t'avons entendue jouer.

— Quoi ?

— Dans la clairière. Nous t'avons entendue. Il avait tellement sommeil qu'il avait du mal à garder les yeux ouverts. La musique nous est parvenue aux oreilles, ta musique. Il s'est endormi en t'écoutant. As-tu joué hier soir ?

118

— Oui, je me suis réveillée en sursaut et comme je n'arrivais pas à me rendormir, j'ai joué un peu de musique.

— Ta musique a fait tout ce chemin, de ta chambre à nous.

Il perçut une lueur d'hésitation dans ses yeux pendant qu'elle disposait les tranches de bacon dans la poêle à frire.

— Tu n'as pas joué dans ta chambre. Où étais-tu ?

— J'avais besoin de prendre l'air. Juste besoin de la nuit un petit moment. Alors je suis simplement allée dans le champ, derrière le cottage. J'avais la sensation d'étouffer sans air frais ni musique.

— J'aurais aimé que tu arranges la situation avec Fin.

— Connor, pas ça. S'il te plaît.

— Je vous aime tous les deux. Je ne dirai rien de plus pour l'instant. (Il arpenta la cuisine en frottant la petite pierre.) Le champ est trop éloigné pour que la musique parvienne naturellement jusqu'à la clairière.

Il fit le tour de la cuisine pendant qu'elle tranchait le pain, cassait les œufs dans la poêle.

— Nous sommes liés les uns aux autres. Nous trois, la trinité. Il a entendu ta musique. Ça fait deux fois que je parle avec lui. Iona a vu Teagan.

— Et je ne les ai ni vus ni entendus.

Connor arrêta de marcher pour prendre sa tasse de café.

— Eamon a signalé que ses sœurs aussi étaient jalouses.

— Je ne suis pas jalouse. Enfin, un peu, je l'avoue. Mais c'est surtout frustrant, et peut-être même un peu insultant.

— Il a emporté ta musique dans ses rêves, et elle l'a fait sourire dans son sommeil alors qu'il était triste.

— Soit, je prends ça comme un bon point.

Elle plaça le bacon, les œufs qu'elle avait frits dans une assiette. La lui proposa.

— Tu ne manges pas ?

— Juste un café et du pain grillé.

— Ah, bon. Alors merci de t'être donné du mal pour moi.

— Tu vas me rendre un service en échange. (Elle fit sauter les tranches du grille-pain, en posa une dans son assiette et une autre dans une soucoupe.) Porte la pierre qu'il t'a donnée.

— Celle-là ?

Comme il l'avait déjà rangée dans sa poche, il la sortit.

— Garde-la sur toi, Connor, comme une amulette. Elle est porteuse de pouvoir.

Elle alla poser son toast et son café sur la table et attendit qu'il la rejoigne.

— Je ne sais pas si c'est une question de soupçons, d'intuition ou si je le sais vraiment, mais il y a de la force dans cette pierre. Des pouvoirs magiques bienfaisants, à en croire son origine, l'époque de laquelle elle vient et celui qui te l'a donnée.

— Très bien. J'espère que l'œil-de-faucon sera tout aussi bénéfique à Eamon et à ses sœurs.

Son travail ne se cantonnait pas à promener des touristes enthousiastes ou des groupes scolaires pour leur faire observer les rapaces. L'une des activités principales de la fauconnerie était le soin et l'entraînement des oiseaux. Astiquer les volières, changer l'eau des bassins, contrôler le poids des rapaces et équilibrer leur régime alimentaire, entretenir les nichoirs robustes afin que les volatiles puissent humer l'air, le déchiffrer tout en étant à l'abri des intempéries. La santé, le comportement et la fiabilité de ses oiseaux faisaient la fierté de Connor – des rapaces qu'il aidait à faire grandir dès leur naissance comme de ceux qu'il avait accueillis après les avoir secourus.

Il ne rechignait pas à nettoyer les fientes ni à donner de son temps pour sécher les ailes d'un volatile mouillé, ou le dresser.

L'aspect le plus dur de sa profession survenait, depuis toujours et pour toujours, lorsqu'il s'agissait de vendre un rapace qu'il avait élevé à un autre fauconnier.

Comme convenu, il retrouva sa cliente dans un champ à une dizaine de kilomètres de l'école. Le fermier, une vieille connaissance, l'autorisait à amener les jeunes rapaces qu'il avait dressés pour les laisser chasser à l'air libre.

Il appela Sally, la jolie femelle, et l'attacha à son gant pour faire quelques pas tout en lui parlant.

— Fin a rencontré la dame qui veut t'acheter, et il a même visité ce qui va devenir ta nouvelle maison si vous vous entendez bien, toutes les deux. Elle vient de Clare exprès pour toi. D'après ce que je sais, elle a une très belle maison et de très belles volières. Elle a suivi un entraînement, tout comme toi. Tu vas être son tout premier oiseau.

Sans cesser de l'observer de ses yeux dorés, Sally se pomponnait sur son poing.

Il regarda la BMW racée longer la route, s'arrêter derrière sa camionnette.

— C'est elle. Je compte sur toi pour montrer que tu es bien élevée et faire bonne impression.

Il prit un air de circonstance, même s'il haussa malgré lui les sourcils en voyant une blonde élancée au physique de star de cinéma descendre de voiture.

— Vous devez être Mme Stanley ?

— Megan Stanley. Vous êtes Connor O'Dwyer ?

Deuxième surprise, sa pointe d'accent américain. Fin avait également omis ce détail.

— Nous sommes enchantés de faire votre connaissance.

Sally, obéissante, se tenait bien, maintenant une attitude calme et observatrice.

— On ne m'a pas dit que vous étiez américaine.

— Je l'avoue. (Elle sourit en se rapprochant de Connor et marqua quelques points en concentrant d'abord son attention sur l'épervier.) Mais je vis en Irlande depuis bientôt cinq ans – et j'ai l'intention d'y rester. Elle est belle.

— Oui, elle est belle.

— Fin m'a dit que vous vous occupiez d'elle depuis qu'elle est toute petite et que vous l'aviez dressée vous-même.

— Elle est née à la fauconnerie au printemps. Elle est douée, j'aime autant vous le dire. Elle a tout appris en un rien de temps. Très vite, elle s'est mise à sauter sur le gant avec l'air de dire : « Alors, on fait quoi maintenant ? » J'ai apporté son dossier, avec tous les détails sur sa santé, son poids, son alimentation, son entraînement. Vous pratiquiez la volerie aux États-Unis ?

— Pas du tout. Mon mari et moi sommes venus vivre dans le comté de Clare, non loin d'Ennis, et il se trouve que notre voisin possède deux buses de Harris. Comme je suis photographe, j'ai commencé à les prendre en photo et à m'intéresser de plus en plus aux rapaces. Alors il m'a formée et m'a aidée à concevoir les volières, les nichoirs, à choisir le bon équipement. Selon ses critères, il faut compter une année de préparation minimum avant de ne serait-ce qu'envisager d'acquérir un oiseau.

— C'est en effet mieux pour tout le monde.

— Au final, il m'en a fallu plus de deux, car je me suis interrompue quand mon mari est retourné vivre aux États-Unis et pendant notre divorce.

— Ça... a certainement dû être une période difficile.

— Ça aurait pu être pire. Je me sens chez moi à Clare et je me suis découvert une passion en apprenant l'art de la fauconnerie. J'ai fait des tas de recherches avant de contacter Finbar Burke. Votre école a une réputation sensationnelle, tout comme vous et votre associé.

122

— C'est lui le patron, mais…

— Il m'a plutôt présenté les choses en me disant que lorsqu'on s'intéresse aux faucons ou aux oiseaux de proie, il faut exiger l'œil, l'oreille, la main et le cœur de Connor O'Dwyer. (Elle sourit, et son visage de star s'illumina.) Je suis à peu près certaine que ce sont ses mots. J'aimerais beaucoup la voir voler.

— Nous sommes là pour ça. Je l'ai appelée Sally mais si le courant passe entre vous, vous pourrez lui donner le nom qui vous plaît.

— Pas de cloche, pas d'émetteur ?

— Elle n'en a pas besoin ici, elle connaît bien ces champs, expliqua Connor en libérant les liens. Mais il vous en faudra à Clare.

Il eut à peine besoin de bouger le bras pour que Sally s'élance, les ailes déployées. Elle s'éleva haut dans le ciel.

La cliente réagit comme il l'avait espéré. Les yeux de Megan reflétèrent un émerveillement proche de l'amour.

— Je vois que vous avez apporté votre gant. Vous devriez l'enfiler, l'appeler pour qu'elle vienne se poser sur votre bras.

— Par contre, je n'ai pas pris d'appâts.

— Elle n'en a pas besoin. Si elle décide de vous donner une chance, elle viendra.

— Je me sens nerveuse. (Son rire en attesta quand elle sortit son gant de la poche de sa veste et le passa.) Depuis combien de temps faites-vous ce métier ?

— Depuis toujours.

Il observa le vol de l'oiseau, lui adressa ses conseils. *Si elle te plaît, pose-toi sur son bras.*

Sally traça des cercles dans le ciel, plongea. Et atterrit tout en délicatesse sur le gant de Megan.

— Comme tu es belle ! Fin avait raison. Je ne repartirai pas sans elle.

Et, se dit Connor, elle ne reviendrait plus jamais vers lui.

— Vous avez envie de la voir chasser ?

— Oui, bien sûr.

— Faites-lui comprendre qu'elle y est autorisée. Vous ne parlez pas aux oiseaux, madame Stanley ?

— Megan. Si, je leur parle. (Son sourire se mua en moue interrogatrice quand elle scruta Connor.) Ce n'est pas quelque chose que je confie souvent. Très bien, Sally... elle va garder son nom... va chasser.

Le rapace s'éleva dans le ciel, tourna en ronds en haut vol. Connor se mit à traverser le champ avec Megan, en suivant l'animal.

— Racontez-moi pourquoi vous êtes venue vivre en Irlande, et à Clare en particulier, demanda-t-il.

— Pour tenter de sauver mon mariage. C'est raté. Mais je crois que ça m'a sauvée moi, et j'en suis très heureuse. Maintenant il n'y a plus que moi et Bruno... et Sally, bientôt.

— Bruno ?

— Mon chien. Un gentil petit bâtard qui est apparu devant ma porte il y a deux ans. Galeux, boiteux, à moitié mort de faim. Nous nous sommes adoptés mutuellement. Il est habitué aux rapaces. Il n'embête pas les voisins.

— Un chien est un atout pour la chasse. Même si elle n'en a pas besoin.

Pendant qu'ils bavardaient, Sally plongea, aussi vive qu'une balle qui jaillit d'un canon. Au moment où elle montra ses serres, Megan poussa un petit sifflement.

— Ça me fait toujours le même effet. Ils sont faits pour ça, ils en ont besoin. Dieu ou le monde ou tout ce en quoi vous croyez les a conçus pour qu'ils chassent et nous nourrissent. Mais ça me fait toujours un peu de peine. Il m'a fallu un certain temps pour ne plus être dégoûtée chaque fois que

124

je dois les nourrir pendant la mue, mais j'ai fini par y arriver. Vous avez toujours vécu dans le comté de Mayo ?

— Oui, toujours.

Ils parlèrent de choses et d'autres – de la météo, de la volerie, d'un pub à Ennis qu'il connaissait bien – pendant que Sally dégustait un petit lapin qu'elle avait capturé.

— Je sens que je commence à tomber amoureuse d'elle.

Megan leva le bras, et le rapace répondit immédiatement à son geste en volant vers elle.

— C'est en partie dû à mon enthousiasme et à mon impatience de faire plein de choses avec elle, mais je pense que nous formons un bon duo. Êtes-vous d'accord pour me la confier ?

— Vous avez déjà arrangé la vente avec Fin, répondit Connor.

— Oui, c'est vrai, mais il a précisé que la décision vous revenait.

— Elle vous appartient déjà, Megan.

Son regard passa de l'oiseau à la femme.

— Sinon, elle ne serait pas venue se poser sur votre bras après avoir mangé. Vous voulez l'emmener tout de suite ?

— Oui, oui. J'ai prévu tout ce qu'il faut, en croisant les doigts pour que ça marche. J'ai failli amener Bruno, mais je me suis dit qu'il valait mieux qu'ils apprennent à se connaître avant de monter ensemble en voiture.

Elle regarda Sally, éclata de rire.

— J'ai un faucon !

— Et elle vous a, vous.

— Oui. Et je pense que vous resterez toujours avec elle. Ça vous ennuie si je vous prends en photo, tous les deux ?

— Pas de problème, si ça vous fait plaisir.

— Mon appareil photo est dans ma voiture.

Elle transféra Sally sur le bras de Connor, courut jusqu'à son véhicule et revint avec un Nikon assez imposant.

— Sacré appareil.

— Et je sais m'en servir. Allez sur mon site web si vous voulez vous en rendre compte par vous-même. Je vais en prendre plusieurs, d'accord ? expliqua-t-elle tout en vérifiant les réglages et la lumière. Détendez-vous, je n'ai pas envie d'une pose figée. Nous allons faire une belle photo du jeune dieu irlandais avec Sally, reine des faucons.

Profitant de l'éclat de rire de Connor, elle prit trois photos en rafales.

— Parfait. Une dernière de vous qui la regardez.

Obéissant, il se tourna vers Sally. *Tu vas être heureuse avec elle,* dit-il au rapace. *Elle t'attend depuis un moment.*

— Super ! Merci. (Elle passa la bride de l'appareil autour de son cou.) Je vous enverrai les plus belles par courriel, si vous voulez.

— Avec plaisir, oui.

Il piocha une carte de visite dans sa poche, puisque par chance il avait pensé à en prendre.

— Et voilà la mienne, avec l'adresse de mon site Internet. Et j'ai écrit mon adresse mail personnelle au dos en prenant mon appareil dans ma voiture. Au cas où vous voudriez me poser des questions ou prendre des nouvelles… de Sally.

— Formidable.

Il glissa la carte dans sa poche.

Un instant plus tard, après avoir aidé Megan à installer Sally dans sa cage pour le trajet, Connor monta dans sa camionnette.

— Formidable ? Tu n'as rien trouvé de mieux ?

Exaspéré, il roula en pestant.

— Quelle mouche t'a piqué, O'Dwyer ? Cette femme est splendide, célibataire et passionnée de fauconnerie. Et elle t'a tendu une perche d'un kilomètre. L'as-tu seulement saisie ? Non, que dalle. « Formidable », c'est tout ce que tu as trouvé à dire, et tu as laissé sa perche en plan.

Était-ce par simple étourderie, parce qu'il était préoccupé à l'idée de ce qui devait être fait, sans savoir quand cela pourrait être accompli ? Sauf que leur dessein avait toujours été là, dans le fond, non ? Et il n'avait jamais fait obstacle à sa vie sentimentale.

Tout aurait donc changé à ce point depuis le solstice ? Assurément, il n'avait jamais connu de peur aussi vive qu'au moment où il avait vu les mains de Boyle en feu, Iona par terre, meurtrie, en sang. Rien de pire que cet instant vécu dans la conscience que leurs vies à tous dépendaient d'eux tous.

Bon, se dit-il, peut-être qu'il valait mieux se priver de toute conquête amoureuse pendant quelque temps. Rien ne lui interdirait de saisir plus tard la perche que Megan lui avait tendue.

Mais pour l'instant, il devait faire un détour par les grandes écuries pour annoncer à Fin que l'affaire était conclue. Ensuite, il irait rejoindre sa sœur qui l'attendait, puisque c'était, du moins en théorie, son jour de repos.

Il s'arrêta devant les étables où Fin avait aménagé sa résidence dans une élégante bâtisse de pierre, avec une terrasse à l'arrière qui accueillait un jacuzzi aussi vaste qu'une mare, et une salle à l'étage où il entreposait ses armes et ses livres de magie, et tout ce dont un magicien pouvait avoir besoin – en particulier s'il était résolu à détruire un ensorceleur maléfique du même sang que lui.

Juste à côté de la bâtisse, au-dessus du garage, se trouvait l'appartement que Boyle habitait – et bientôt Iona. Et les granges réservées aux chevaux – certains destinés à la reproduction, d'autres au centre d'équitation qui se trouvait à proximité.

Quelques-uns des chevaux broutaient dans l'enclos derrière le paddock consacré aux exercices de sauts et aux cours d'équitation.

Il eut alors la surprise de voir Meara surgir à dos de cheval.

Il descendit prestement de sa camionnette pour aller saluer Bugs, le joyeux bâtard qui avait élu domicile dans cette grange, puis la héla.

— J'espérais trouver Fin, mais je ne m'attendais pas à te voir ici.

— Je viens chercher Rufus. Caesar était sur la liste des visites guidées du jour, mais Iona pense qu'il a une petite entorse à la jambe antérieure.

— Rien de grave, j'espère ?

— Elle dit que non. (Elle enroula les rênes de Rufus autour de la clôture.) Mais il vaut mieux qu'il se repose et qu'on le surveille. Fin est dans le coin. Je te croyais en repos aujourd'hui.

— Je ne travaille pas mais j'avais rendez-vous avec une cliente à la ferme de Mulligan. Elle a acheté Sally, l'un des rapaces nés au printemps dernier.

— Et ça te rend triste.

— Je ne suis pas triste.

— Un peu, dit Meara, en se penchant pour gratter la tête de Bugs. C'est dur de voir grandir un être vivant, de créer des liens, de s'attacher à lui pour finalement le donner à quelqu'un d'autre. Mais on ne peut pas tous les garder.

— Je le sais – même s'il regrettait cet état de fait – et elles forment un bon duo. Sally l'a adoptée au premier coup d'œil, ça sautait aux yeux.

— Elles ?

— Une Américaine, qui vit ici depuis plusieurs années, et qui a l'intention de rester, même si son mari, dont elle a divorcé entre-temps, est rentré aux États-Unis.

Meara fit la moue, sourcils arqués.

— Un canon, pas vrai ?

— Exact. Pourquoi ?

— Comme ça, ça se sent à ta voix. Elle habite la région ?

— Dans le comté de Clare. Encore un peu dégoûtée par la chasse, mais elle est habile et bien disposée avec le rapace. Je comptais informer Fin que l'affaire était réglée avant de rentrer travailler avec Branna, comme promis.

— Moi aussi, je vais rentrer. (Elle déroula les rênes.) Puisque tu vas voir Branna avant moi, dis-lui qu'Iona a envie de faire un saut à Galway pour chercher une robe de mariée, et vite.

— Il reste des mois avant le mariage.

— Seulement six, et une future mariée doit trouver sa robe avant de programmer tout le reste.

— Tu crois qu'ils vont s'installer ici ?

Sur le point de monter en selle, Meara prit le temps de jeter un coup d'œil à l'appartement de Boyle, au-dessus du garage.

— Où veux-tu qu'ils aillent vivre ? J'ai du mal à les imaginer s'entasser longtemps dans la chambre d'Iona.

Il prit conscience qu'elle allait lui manquer – ou plutôt qu'ils allaient lui manquer, puisqu'ils étaient devenus inséparables. Discuter avec eux pendant le petit déjeuner, et de nouveau le soir avant d'aller se coucher, chaque fois qu'ils passaient la nuit au cottage.

— L'appartement de Boyle est plus grand, et il compte plusieurs pièces. Mais c'est sûr qu'avec des enfants en plus ça sera juste.

— Tu vas vite en besogne, fit remarquer Meara.

— Pas pour un couple comme Boyle et Iona.

D'un geste paresseux, il caressa le cheval tout en soupesant ce que Fin avait bâti – pour lui et pour les autres.

— Ils vont vouloir une maison individuelle, tu ne crois pas, plutôt que des pièces au-dessus d'un garage ?

— Je n'y ai pas vraiment réfléchi. Ils trouveront une solution. (Elle monta en selle.) Pour l'instant, elle a l'esprit occupé par les robes et les bouquets de fleurs, ce qui est normal pour une future mariée. Tiens, voilà Fin, sur Aine.

Elle observa la belle pouliche blanche qui sortait de la grange avec Fin.

— Bientôt fiancée elle aussi, dès que nous l'accouplerons avec Alastar.

— Sans robe blanche ni bouquets.

— Mais elle aura l'étalon, et pour certaines d'entre nous, c'est largement suffisant.

Elle partit sous les éclats de rire de Connor. Il la regarda pousser Rufus au grand galop avec une fluidité naturelle avant d'aller rejoindre Fin.

Son ami s'accroupit pour caresser Bugs, souriant au chien qui remuait frénétiquement la queue en poussant des grognements rauques.

Il parlait au chien, Connor le savait, comme il le faisait lui-même avec les rapaces, Iona avec les chevaux, Branna avec les chiens de meute. Ce qui coulait dans les veines de Fin lui permettait de communiquer avec tout ce qu'il voulait.

— Il a des raisons de se plaindre ? s'interrogea Connor.

— Il espère juste que je n'ai pas oublié ça.

Fin plongea la main dans la poche de sa veste de cuir pour piocher un petit biscuit pour chien. Bugs s'assit, le fixa de son regard le plus attendrissant.

— Tu es un bon chien, voilà ta récompense.

Bugs le saisit délicatement avant de s'éloigner en trottinant, d'une démarche triomphale.

— Il se contente de peu, commenta Connor.

— Sa vie lui plaît et il n'en changerait pour rien au monde. En tant qu'homme, on pourrait s'estimer chanceux d'être comme lui.

— Te sens-tu chanceux, Fin ?

— Parfois. Mais il me faut plus qu'un biscuit sec et une couche dans une grange pour être heureux. D'un autre côté, j'ai plus, ajouta-t-il en flattant l'encolure d'Aine.

— C'est assurément la plus belle pouliche que j'aie jamais vue.

— Et elle le sait bien. Mais en même temps, quand une belle femelle est modeste, c'est le plus souvent de la fausse modestie. Je m'apprête à l'emmener voir Alastar, pour qu'ils fassent un peu connaissance. Au fait, qu'as-tu pensé de Megan ?

— Une beauté elle aussi, c'est certain. Elles se sont tout de suite plu, elle et Sally. Elle m'a payé sur-le-champ.

— Ça ne m'étonne pas. (Il hocha la tête et fourra dans sa poche le chèque que Connor lui tendit sans même le vérifier.) Elle reviendra en chercher un autre d'ici un mois ou deux.

Connor sourit.

— C'est ce que je me suis dit.

— Et toi ? Tu vas aller leur rendre visite à Clare ?

— Ça m'a traversé l'esprit. Mais je ne crois pas, finalement et à mon avis, la seule raison qui m'en empêche, c'est que j'ai trop de choses en tête.

Connor se passa la main dans les cheveux avant de préciser sa pensée.

— Tous les matins, je me réveille en pensant à ça, et à lui. Ça ne m'était jamais arrivé.

— Nous l'avons blessé, mais il nous a également affaiblis. Nous avons failli perdre Iona. Aucun d'entre nous ne l'oubliera. Malgré tous nos efforts communs, ça n'a pas suffi. Il ne va pas l'oublier.

— Nous irons plus loin au prochain coup. Je vais travailler avec Branna. (Connor posa une main légère sur le bras de Fin.) Tu devrais m'accompagner.

— Pas aujourd'hui. Elle n'a pas envie de m'avoir dans les pattes alors qu'elle pense que vous ne serez que tous les deux.

— Branna ne laissera pas ses sentiments entraver ce qui doit être réalisé.

— C'est une vérité primordiale, concéda Fin tout en montant en selle. (Il laissa Aine danser sur place un moment.) Nous devons vivre notre vie, Connor. Malgré ça, à cause de ça, en fonction de ça, à travers ça. Nous devons vivre du mieux que nous le pouvons.

— Tu penses qu'il va nous battre ?

— Pas du tout. Non, il ne vous vaincra pas.

D'un geste délibéré, Connor glissa la main sur la longe d'Aine et plongea ses yeux dans ceux, d'un gris-vert, de Fin.

— Nous. Nous, Fin, et il ne sera toujours question que de nous.

Fin approuva d'un hochement de tête.

— Il ne gagnera pas. Mais jusqu'au jour de la bataille, qui sera obligatoirement âpre et sanglante, nous devons vivre. Je préférerais une autre vie si j'avais le choix, mais je compte profiter au maximum de celle que j'ai. Je passe bientôt au cottage.

Il laissa Aine céder à son envie de prendre le galop et disparut en trombe.

D'humeur mitigée et changeante, Connor se rendit directement au cottage. La lumière filtrait à travers les fenêtres de l'atelier de Branna, ricochait sur les bouteilles colorées exposées à la vue de tous et qui contenaient ses crèmes et ses lotions, ses sérums et ses potions. Sa collection de mortiers et de pilons, ses outils, les bougies et les plantes aromatiques disposées de-ci de-là, tout était ordonné avec exactitude.

Kathel était couché au pied de son plan de travail comme s'il le protégeait, et Branna assise devant, le nez plongé dans un épais ouvrage dont il savait qu'il était celui de Sorcha.

Dans l'âtre mijotait une marmite posée sur son réchaud de magicienne.

Encore une beauté, se dit-il – il semblait être entouré de belles femmes –, avec ses cheveux foncés ramenés en arrière pour dégager son visage, son pull aux manches retroussées. Ses yeux, du même gris que la fumée qui s'échappait de la cheminée par bouffées, se portèrent sur lui.

— Tiens, te voilà ! Je pensais te voir arriver beaucoup plus tôt. Nous avons déjà perdu la moitié de la journée.

— J'avais des choses à faire, comme je te l'ai dit assez clairement.

Elle arqua les sourcils.

— Quelle mouche t'a piqué ?

— Là, tout de suite, c'est toi.

Il s'aperçut qu'il n'était plus d'humeur mitigée, mais carrément massacrante. Il alla d'un pas raide vers le bocal posé sur le plan de travail, à côté du réchaud. Il y avait toujours des biscuits, et en trouvant ceux plus tendres, plus mous, qu'elle roulait dans la cannelle et le sucre, il se sentit un peu apaisé.

— Je suis venu dès que j'ai pu. Je devais m'occuper de la vente de la buse.

— Était-ce l'une de tes préférées ? Inutile de me répondre, elles le sont toutes. Tu dois être réaliste, Connor.

— Je suis sacrément réaliste. J'ai vendu la buse, et l'acheteuse était belle, libre, et je ne l'ai pas laissée indifférente. Mais je suis assez réaliste pour savoir que je devais revenir ici pour toi et pour ça ; sinon, je serais en train de tirer un bon coup.

— Si baiser compte à ce point pour toi, vas-y, ne te gêne pas. (Les yeux plissés, elle poursuivit sans se laisser démonter.) Je préfère travailler seule qu'avec toi, tout excité et amer, qui fais les cent pas.

— C'est justement parce que ça ne comptait pas vraiment pour moi, ça ne compte plus depuis avant le solstice, que ça m'inquiète.

Il fourra un biscuit dans sa bouche, en agita un deuxième dans le vide.

— Je vais préparer du thé.

— Je ne veux pas de ton fichu thé ! Si, j'en veux.

Il se laissa choir sur l'un des tabourets hauts, devant son plan de travail. Kathel reposa sa magnifique tête contre sa cuisse, et Connor le caressa.

— Ce n'est pas à cause de la baise, ni de la femme, ni de la buse. C'est l'ensemble. Tout ça. Tout, et je laisse ça me bouffer la vie.

— Il y a des jours où j'ai envie de monter sur le toit pour hurler. Crier contre tout et contre tout le monde.

Rasséréné, Connor mordit dans l'autre gâteau sec.

— Mais tu ne le fais pas.

— Je ne l'ai pas encore fait, mais ça pourrait arriver. Nous allons prendre le thé et ensuite nous nous mettrons au travail.

— Merci, dit-il en approuvant d'un signe de tête.

Branna laissa glisser ses doigts dans son dos lorsqu'elle passa derrière lui pour se diriger vers le réchaud.

— Tant que ça ne sera pas terminé, nous aurons de bons et de mauvais jours, mais nous devons profiter de la vie au maximum.

Fixant sa nuque pendant qu'elle mettait de l'eau à bouillir, il fit le choix de ne pas répondre que Fin avait dit exactement la même chose.

7

Connor envisagea d'aller au pub. Il était las de la magie, des sorts, des potions à mélanger. Il avait envie de lumière, de musique, de conversations qui ne tournent pas autour du bien et du mal, ou de la fin de tout ce qui lui était familier.

La fin de tout ce qu'il aimait.

Et peut-être, peut-être seulement, si jamais Alice était là, il verrait s'il l'intéressait toujours.

Tout homme a besoin de se changer les idées quand il risque de voir sa vie basculer, non ? Et aussi d'amusement, de chaleur humaine. Des adorables gémissements d'une femme allongée sous lui.

Mais surtout, un homme comme lui avait besoin de s'échapper lorsque les trois femmes les plus importantes de sa vie décidaient de passer la soirée entre filles à planifier un mariage – même si jamais il ne présenterait les choses de cette façon devant elles, pas tant qu'il tenait à sa peau – sous son toit.

À peine avait-il mis le pied dehors qu'il comprit que le pub, la foule, ou même Alice ne lui disaient rien qui vaille. Tout en se dirigeant vers sa camionnette, il envoya un message à Fin.

136

Maison pleine de femmes qui papotent robe blanche.
Si tu es chez toi, je peux passer ?

Il venait tout juste de mettre le contact quand il reçut la réponse de Fin.

Ramène-toi, pauvre idiot.

Souriant intérieurement, il s'éloigna du cottage.

Ça lui ferait du bien, se rassura Connor, après avoir occupé une grande partie de sa journée à être penché sur des grimoires à étudier la magie du sang avec sa sœur, de passer du temps chez un homme, avec un homme. Boyle serait sans doute invité à se joindre à eux, à partager quelques bières, éventuellement à faire quelques parties de billard dans ce qui pouvait s'appeler la salle de jeux de Fin.

Un simple antidote à une longue journée assez peu satisfaisante.

Il emprunta un chemin de traverse qui serpentait entre les bois denses par cette soirée sombre et douce. Connor vit un renard roux se réfugier dans la verdure, sa proie se débattant entre ses mâchoires.

La nature était pleine de cruauté, autant que de beauté, il ne le savait que trop bien. Pour que les renards survivent, les rats des champs devaient périr. C'était ainsi. Et pour qu'ils survivent, Cabhan devait périr. Par conséquent, lui qui ne s'était jamais mêlé à une bagarre sans avoir auparavant tenté de calmer le jeu par le dialogue, lui qui n'avait jamais volontairement fait de mal à personne, il tuerait sans hésitation ni remords. Tuerait, s'avoua-t-il, en prenant un plaisir terrible.

Mais ce n'était pas le moment de penser à Cabhan, à tuer ou à survivre. Ce soir, il ne demandait rien de plus que ses potes, une bière, et peut-être une partie de billard ou deux.

À moins de cinq cents mètres de chez Fin, le moteur de sa camionnette se mit à toussoter, à tressauter pour finalement caler.

— Putain, la poisse !

Il avait encore de l'essence, puisqu'il avait fait le plein la veille. Et il avait fait la révision générale – du moteur à la sortie du pot d'échappement – à peine un mois plus tôt.

Il devrait tourner en ronronnant.

Grommelant entre ses dents, il prit une lampe-torche dans la boîte à gants et alla ouvrir le capot.

Il avait de solides notions de mécanique – comme il s'y connaissait un peu en plomberie, en menuiserie, en maçonnerie et en électricité. Si la fauconnerie ne l'avait pas accaparé corps et âme, il aurait pu s'installer comme homme à tout faire.

Toutefois, ces connaissances élémentaires lui rendaient service dans des moments comme celui-ci.

Il braqua le faisceau de sa lampe sur le moteur, en examina chaque partie, vérifia que la batterie et le carburateur fonctionnaient, mit le contact pour observer le moteur qui émettait un grincement fâcheux et déconcertant chaque fois qu'il démarrait.

Rien ne clochait, pourtant.

Bien sûr, il aurait pu résoudre ce problème d'un tour de clé, en partant rejoindre ses copains, sa bière et son éventuelle partie de billard.

Mais c'était une question de fierté.

Alors il vérifia les liaisons de la pompe d'alimentation, revérifia la connexion de la batterie, sans remarquer le brouillard qui enflait au ras du sol.

— Bon, c'est un fichu mystère.

Il déploya les mains au-dessus du moteur, comme pour l'examiner dans sa globalité – un dernier compromis avant de renoncer.

Soudain, il sentit que l'air était imprégné de noirceur.

Il se retourna lentement, vit qu'il pataugeait à mi-mollet dans une brume qui se figea dès qu'il esquissa un mouvement. L'obscurité se resserra autour de lui, tels des rideaux noirs qui le coupèrent des arbres, de la route, du monde. Même le ciel s'évanouit au-delà.

Il apparut sous la forme d'un homme, la gemme rouge autour de son cou brillant dans le noir qui s'était épaissi tout à coup.

— Tu es seul, jeune Connor.

— Comme toi.

Écartant les mains, Connor se contenta de sourire.

— Ça m'intrigue. Tu n'as pas besoin d'une machination comme celle-là pour te déplacer d'un endroit à un autre. Il te suffit de…

Cabhan étira les bras devant lui, les leva. Et se rapprocha de cinquante centimètres sans donner l'impression de bouger.

— Nous respectons notre don, notre art. Trop pour y avoir recours sous des prétextes insignifiants. J'ai des jambes pour marcher ou, au besoin, une camionnette et un cheval.

— Pourtant tu es là, seul sur cette route.

— J'ai des amis et de la famille tout près d'ici.

Même si en cherchant à les contacter, il échoua – impossible de traverser l'épais mur de brouillard.

— Qu'as-tu, Cabhan ?

— Le pouvoir, déclara-t-il avec une vénération outrancière. Un pouvoir qui dépasse ton entendement.

— Et un taudis derrière la rivière dans lequel te cacher, seul, dans le noir. Je préfère un feu de cheminée, sa lumière, et une pinte partagée avec mes amis et ma famille.

— Tu es moins qu'eux. (Sa pitié suintait, maussade comme la pluie.) Tu le sais aussi bien qu'eux. Tout juste bon pour la rigolade et le travail. Mais tu es le moins important de la trinité. Ton père le savait et c'est pour ça qu'il a transmis l'amulette à ta sœur – à une fille plutôt qu'à son fils unique.

— Penses-tu que cela fasse de moi un inférieur ?

— Je le sais. Que portes-tu ? Donné par une tante, en guise de consolation. Même ta cousine qui vient de loin a plus que toi. Tu as moins, tu es moins, une sorte de bouffon de cour, et même un serviteur pour les autres, ceux que tu appelles ta famille, que tu appelles tes amis. Ton grand *ami* Finbar a préféré s'associer à un homme dénué de pouvoir plutôt qu'à toi, et pendant ce temps, tu lui sers de main-d'œuvre en échange d'un pauvre salaire et tu cèdes à ses caprices. Tu n'es rien, et tu as moins.

Il se rapprochait en parlant, et la pierre rouge palpitait comme un pouls.

— Je suis plus que tu ne le crois, répliqua Connor.

— Qu'es-tu donc, jeunot ?

— Je suis Connor, du clan O'Dwyer. Je fais partie de la trinité. Je suis un sorcier du comté de Mayo.

Connor plongea les yeux dans ses pupilles noires, perçut son intention.

— J'ai le feu. (Il tendit la main droite dans laquelle reposait une boule de feu tourbillonnante.) Et j'ai l'air. (Il leva l'index, le fit tournoyer et créa un petit cyclone.) La terre, dit-il en faisant trembler le sol. L'eau.

La pluie tomba, assez chaude pour grésiller sur le sol.

— Et l'épervier.

Roibeard fondit en piqué dans un cri perçant et se posa en douceur sur l'épaule de Connor.

140

— Des tours de salon et des animaux de compagnie.

Cabhan leva les bras au-dessus de la tête, doigts écartés. La pierre prit une teinte rouge aussi vive que le sang.

Le tonnerre frappa le sol à quelques centimètres des pieds de Connor, accompagné par l'odeur âcre du soufre.

— Je pourrais te tuer par la pensée.

La voix éclatante de Cabhan couvrit le rugissement du tonnerre.

Je ne pense pas, se dit Connor qui, pour toute réponse, inclina la tête sur le côté en souriant.

— Des tours de salon et des animaux de compagnie ? Je contrôle le feu, l'eau, la terre et l'air. Mets mes pouvoirs à l'épreuve si tu l'oses. L'épervier est mien à tout jamais. Lui et moi faisons partie de la trinité et nous accomplirons notre destinée. La lumière est mon épée, la justice est mon bouclier, car ma voie a été révélée il y a bien longtemps. Je l'accepte de mon plein gré.

Alors il décocha un coup avec l'épée formée à partir de la boule de feu et fendit l'air entre eux. Il sentit la brûlure – un éclair, un coup tranchant en travers du biceps de son bras gauche.

L'ignorant, il avança, frappa de nouveau, ses cheveux tourbillonnant dans le cyclone, l'épée flamboyant dans l'obscurité.

Et quand il donna un coup de lame, Cabhan avait disparu.

Les rideaux noirs se levèrent, le brouillard s'éloigna en rampant.

— Très bien, qu'il en soit ainsi, murmura Connor.

Il poussa un soupir, inspira, apprécia la nuit – douce, humide et végétale. Il entendit le long hululement inquisiteur d'un hibou et le frémissement d'une créature qui courait se mettre à l'abri dans les buissons.

— Bon, allez.

Brièvement, Roibeard se pencha vers lui, et quand leurs joues se touchèrent, il s'immobilisa.

— C'était intéressant. Tu veux parier que ma camionnette va démarrer au quart de tour ? Je vais chez Fin. Pars devant et va rendre visite à son Merlin, ou rentre à la maison. C'est toi qui décides, *mo deartháir**.

Avec toi. Connor entendit la réponse dans son cœur autant que dans sa tête. *Toujours avec toi.*

Roibeard s'éleva dans le ciel et le précéda.

Les échos du pouvoir – maléfique et bénéfique – palpitant encore dans ses veines, Connor remonta dans sa camionnette. Elle démarra aussitôt, en effet, ronronna et le restant du trajet se fit sans encombre.

Il entra directement chez Fin. Un feu crépitait dans la cheminée, ce qui était bienvenu, mais personne ne se détendait sur le canapé, une bière à la main.

Aussi à l'aise que chez lui, il traversa l'espace jusqu'au fond, où il perçut des éclats de voix.

— Si tu veux des plats chauds, épouse quelqu'un qui t'en préparera.

— Pourquoi je ferais ça alors que je t'ai sous la main ?

— J'étais bien, moi, tout seul. Je me contentais de sandwichs et de chips.

— Et moi, j'ai un gros morceau de porc dans le frigo.

— Pourquoi as-tu acheté un gros morceau de porc si tu n'es pas fichu de le préparer ?

— Justement, puisque je t'ai sous la main, pourquoi je m'en priverais ?

Malgré son léger mal de tête, aussi présent qu'une carie, la dispute fit ricaner Connor qui continua à se rapprocher d'eux.

Bizarre, il avait l'impression d'être aussi ivre que s'il avait déjà bu sa bière. Et même plusieurs, puisqu'il se sentit flotter comme au-dessus d'un sol légèrement incliné.

Il entra dans la cuisine où l'éclairage était si vif qu'il cligna les yeux, ce qui redoubla l'intensité de son mal de tête.

— Je ne dirais pas non à un morceau de porc.

— Tiens, tu vois ? (Souriant de toutes ses dents, Fin se tourna vers lui et se rembrunit aussitôt.) Que s'est-il passé ?

— Une petite confrontation. Pouah, il fait tellement chaud ! On se croirait en Afrique.

Il enleva sa veste tant bien que mal, puis considéra son bras avec stupeur.

— Regarde ça, j'ai le bras qui fume.

Il tangua, et serait tombé en avant si ses amis n'avaient pas bondi pour le rattraper.

— C'est quoi, ce bordel ? demanda Boyle. Il est en train de se consumer sur place.

— Il fait chaud chez vous, insista Connor.

— Mais non. C'est Cabhan, constata Fin à contrecœur, je sens son odeur.

— Je vais lui enlever sa chemise.

— C'est ce que me disent toutes les filles.

Impatient, Fin mit Connor torse nu d'un seul geste brusque.

Connor observa son bras, l'énorme brûlure noire, sa peau qui se détachait et bouillonnait. Il se sentait étonnamment étranger à la scène, comme s'il voyait tout à travers la vitre d'un cabinet de curiosités.

— Vous voulez bien jeter un œil à ce truc ? dit-il avant de s'évanouir.

Fin apposa ses mains sur la brûlure. Malgré la douleur qui le transperçait, il les maintint en place. Repoussa le feu.

— Dis-moi ce que je dois faire, demanda Boyle.

— Donne-lui de l'eau. Je peux éviter que ça s'étende, mais… nous avons besoin de Branna.

— Je vais la chercher.

— Ça serait trop long. Donne-lui de l'eau.

Fermant les yeux, Fin ouvrit son esprit pour l'atteindre.

Connor est blessé. Viens. Viens vite.

— L'eau ne servirait à rien.

Pourtant, Boyle s'agenouilla.

— Ni pour toi ni pour lui. Ça te brûle les mains. Je sais ce que c'est.

— Et tu sais que ça peut être réparé.

Des gouttes de sueur recouvrirent le visage de Fin, ruisselèrent en filets le long de son dos.

— Je ne sais pas jusqu'où ça l'entraînera si je n'arrive pas à le retenir.

— De la glace ? Il est en feu, Fin. Nous pouvons le placer dans un bain de glace.

— Nous n'arriverons à rien par des remèdes naturels. Dans mon atelier. Va… Inutile, dit-il, soulagé lorsque surgirent Branna et Iona de part et d'autre de Meara qui avait les yeux écarquillés.

Branna tomba à genoux devant Connor.

— Que s'est-il passé ?

— Je ne sais pas. Un coup de Cabhan, c'est sûr, mais je n'en sais pas plus. Il est fiévreux, un peu délirant. Sous mes mains, la brûlure est noire, profonde, elle essaie de se propager. Je la contiens.

— Montre-moi. Laisse-moi faire.

— Je la contiens, Branna. Je pourrais faire plus mais pas tout, je pense. Toi, tu peux.

La souffrance lui fit serrer les dents.

— Je refuse de le lâcher, même pour toi.

— Très bien. D'accord. Mais j'ai besoin de la voir, de la toucher, de savoir.

Elle ferma les yeux, rassembla toute son énergie et posa les mains sur celles de Fin.

Elle rouvrit les yeux, au bord des larmes tant la douleur qu'elle sentait sous ses paumes était indescriptible.

— Regarde-moi, murmura-t-elle à Fin. Il en est incapable, alors regarde pour lui. Existe pour lui. Sens pour lui. Guéris pour lui.

Les yeux de Branna virèrent au gris, un gris pareil à l'eau d'un lac, mais son regard demeura calme, infiniment calme.

— Iona, pose tes mains sur les miennes, donne-moi tout ce que tu peux.

— Tout ce que j'ai.

— C'est frais, tu sens la fraîcheur ? dit Branna à Fin.

— Oui.

— Frais et clair est ce pouvoir de guérison. Il éteint le feu, inonde la noirceur.

Quand Connor se mit à frissonner et à gémir, Meara s'agenouilla et posa sa tête sur ses genoux.

— Ça va aller. (Avec une infinie douceur, elle caressa ses cheveux, son visage.) Reste tranquille. Nous sommes là, avec toi.

La sueur dégoulina sur le visage de Connor – et s'écoula sur celui de Fin.

Branna retint son souffle tandis qu'elle absorbait une partie de sa chaleur, une partie de sa souffrance.

— Je le contiens, dit Fin entre ses dents serrées.

— Il n'est plus tout seul, à présent. Guérir fait mal – c'est le prix à payer. Regarde-moi, et laisse venir à moi. Sortir de lui que nous aimons tous deux, lentement, calmement, hors de lui, vers toi, vers moi. Hors de lui, en toi, en moi. Hors de lui, en toi, en moi.

Elle l'hypnotisait presque. Ce visage, ces yeux, cette voix. La douleur qui se calmait peu à peu, la brûlure qui s'apaisait.

— Hors de lui, répétait-elle en le berçant continuellement. En toi, en moi. Et loin. Loin.

— Regarde-moi, lui dit-il en sentant les mains de Meara trembler sur les siennes. Nous y sommes presque. Boyle, dans mon atelier, une fiole d'apothicaire avec un bouchon vert, sur l'étagère du haut, derrière mon établi…

Il écarta lentement ses mains de façon à leur montrer la blessure. La brûlure, à vif, était de la largeur d'un petit poing.

— Il est moins chaud, dit Meara sans cesser de l'apaiser de ses caresses. Moite, mais moins chaud, et il respire régulièrement.

— Ce n'est pas noir en dessous, il n'y a pas de poison.

Iona chercha confirmation auprès de Branna et de Fin.

— Non, mais c'est une vilaine brûlure. Je vais finir. (Branna posa les mains sur la plaie, soupira.) Ce n'est plus qu'une simple brûlure à présent, elle cicatrise bien.

— Ça ? demanda Boyle en revenant d'un pas précipité avec la fiole.

— Exactement.

Fin la saisit et l'ouvrit pour laisser Branna la sentir.

— Oui, oui, c'est bien. C'est parfait.

Elle tendit les mains à Fin pour qu'il lui enduise les paumes de baume.

— Tiens, *mo chroi*.

Retournant les mains, doucement, elle appliqua le baume et massa la brûlure – qui rosit, s'estompa.

Pendant qu'elle massait, qu'elle fredonnait, Connor se mit à battre des paupières. Quand il ouvrit enfin les yeux, il découvrit le visage pâle et les yeux larmoyants de Meara.

— Quoi ? Pourquoi suis-je par terre ? Je ne suis pas encore saoul. (Tendant la main, il chassa une larme sur la joue de

146

Meara.) Ne pleure pas, trésor. (Il lutta pour s'asseoir, oscilla un peu.) Bon, nous sommes tous là, assis par terre dans la cuisine de Fin. Si vous voulez jouer à faire tournoyer une bouteille pour savoir qui embrassera qui, je suis volontaire pour être celui qui la vide.

— De l'eau, dit Fin en lui plaquant une bouteille contre le torse.

Il vida la bouteille d'eau d'un trait, et la lui rendit.

— Tu n'as rien de plus fort ? Mon bras, se souvint-il. C'était mon bras. Il a l'air en pleine forme, maintenant.

Devant la moue de Meara, il écarta les bras pour la serrer contre lui.

— Tu t'es occupée de moi.

— Tu m'as fichu une peur bleue, comme à nous cinq. (Elle l'étreignit, jusqu'à être rassurée.) Que s'est-il passé ?

— Je te raconterai tout, mais... merci. (Il accepta le verre que Boyle lui tendait, but. Grimaça.) Mais c'est du cognac ! Un homme comme moi n'a pas droit à un whisky ?

— Contre les évanouissements, c'est du cognac qu'il faut, insista Boyle.

— Je ne me suis pas évanoui. (Contrit autant qu'insulté, Connor rendit le verre à Boyle.) J'ai perdu connaissance à cause de mes blessures, c'est totalement différent. Je préfère le whisky.

— Je m'en occupe.

Meara se redressa avec peine au moment où Iona se pencha pour déposer un baiser sur la joue de Connor.

— Tu reprends des couleurs. Tu étais affreusement pâle, et bouillant. Ne recommence jamais ça.

— Je peux seulement te promettre de faire tout mon possible pour ne pas réitérer l'expérience.

— Et quelle était cette expérience ?

— Je vais te la raconter, en entier, mais je te jure sur la tête de ma mère que je meurs de faim. Je ne veux pas qu'on m'accuse encore de défaillir si je crève de faim. J'en ai la tête qui tourne, je ne mens pas.

— J'ai du porc. Cru, avança Fin.

— Tu n'as pas encore commencé à préparer à dîner ? demanda Branna en se redressant.

— Je pensais que Boyle allait se mettre aux fourneaux, mais Connor est arrivé. Nous avons été un peu pris ce soir.

— Le porc ne se cuisine pas en claquant des doigts.

Fin esquissa un sourire.

— Toi, tu peux.

— Oh, garde ton satané porc et donne-moi un plateau.

— Tu trouveras ce genre de truc…

Fin fit un geste vague en direction de la vaste salle à manger ouvrant sur la cuisine, meublée de buffets massifs et de vaisseliers.

Elle suivit ses indications, ouvrit quelques tiroirs d'un geste sec. Et trouva un grand plateau en porcelaine de Belleek. Après avoir déplacé un joli bouquet de lis de serre, elle déposa le plat au milieu de la table.

— C'est frivole comme emploi de la magie, mais je ne peux pas laisser mon frère mourir de faim, d'autant que j'avais déjà fait rôtir un poulet, cuire des pommes de terre et des carottes ce soir, alors…

Elle lança ses dix doigts vers le plateau. L'air s'emplit du fumet de poulet rôti agrémenté de sauge.

— Merci aux dieux et aux déesses.

Sur ces mots, Connor entama le poulet, lui arrachant un pilon.

— Connor O'Dwyer !

148

— Affamé, dit-il, la bouche pleine, devant Branna qui le toisait, les poings sur les hanches. Je ne rigolais pas. Et vous autres, qu'allez-vous manger ?

— Que quelqu'un mette la table, par pitié ! J'ai besoin de faire un brin de toilette. (Elle se tourna vers Fin.) Tu peux me montrer où est ta salle d'eau ?

— Suis-moi.

C'était la première fois qu'elle venait chez lui, songea-t-il. Jamais elle n'avait accepté de franchir sa porte. Il avait fallu que son frère ait besoin d'elle pour qu'elle mette les pieds dans son appartement.

Il lui indiqua le petit cabinet de toilette judicieusement aménagé sous l'escalier.

— Montre-moi tes mains.

Elle redressa le dos, entourée par les voix et les éclats de rire qui lui parvenaient de la cuisine.

Il tendit les mains, paumes tournées vers le sol. Impatiente, elle soupira en les saisissant pour les retourner dans le bon sens.

Paumes cloquées, stigmates sur toute la longueur des doigts.

— Le baume va soigner ça.

— Arrête.

Elle mit ses mains sur les siennes, paumes contre paumes, doigts superposés.

— Je souhaite te remercier, même si je sais que tu ne veux pas de remerciements et que tu n'en as pas besoin. Il est autant ton frère que le mien. Ton frère de cœur, ton frère spirituel. Mais puisqu'il est de mon sang, je dois te remercier.

Les larmes lui montèrent aux yeux, miroitèrent sur le gris couleur de fumée de ses iris. Elle les repoussa et les fit disparaître.

149

— C'était grave, même très grave. Je ne peux pas dire dans quel état il aurait été si tu n'avais pas agi aussi vite.

— Je l'aime.

— Je le sais.

Elle examina ses mains guéries, puis prolongea ce petit moment à deux. Elle porta ses mains à ses lèvres.

— Je le sais, répéta-t-elle avant de se faufiler dans la salle d'eau.

L'amour qu'il éprouvait pour Connor était profond et sincère mais ce n'était rien comparé à ses sentiments pour elle. Se faisant une raison, Fin retourna à la cuisine, auprès de son cercle qui préparait le dîner, le premier repas qu'ils partageaient sous son toit.

— Pourquoi tu ne nous as pas appelés ? demanda Branna une fois qu'ils furent rassasiés et qu'ils eurent écouté Connor leur relater sa mésaventure.

— Je l'ai fait. Enfin, j'ai essayé. Il y avait quelque chose de différent dans les ténèbres, dans le brouillard. C'était... comme d'être enfermé dans une boîte, à l'étroit, si bien qu'il n'y avait plus rien, pas même le ciel. Je ne sais pas comment Roibeard a pu m'entendre ni comment il a réussi à le traverser pour arriver jusqu'à moi. Il était peut-être déjà à l'intérieur de la boîte, pour ainsi dire. La pierre de Cabhan palpitait comme un cœur, et ses battements se sont accélérés quand j'ai convoqué les éléments.

— En accord avec lui ? s'interrogea Fin. Exprimant son excitation, sa colère, sa peur ?

— La peur, je ne crois pas, vu qu'il me prend pour un moins que rien.

— Mon œil ! fit Meara en plantant sa fourchette dans une carotte. Il t'a bourré le crâne jusqu'à ce que tu te sentes petit.

— Elle a raison, approuva Boyle. Il a essayé de te mettre les nerfs en pelote, c'est certain. D'affaiblir tes défenses. C'est une tactique assez courante dans une rixe.

— Je t'ai vu te bagarrer une fois, se souvint Iona, le sourire aux lèvres. Tu n'as pas tellement ouvert la bouche.

— Parce que j'étais trop occupé à frapper l'autre idiot. Mais quand on pense être face à un adversaire de taille, qu'on est peut-être au même niveau, bourrer le crâne, comme le dit Meara, est une bonne tactique.

— L'image que ce salopard a de moi, ça ne m'inquiète pas vraiment. (Content de lui, Connor planta sa fourchette dans les pommes de terre.) Mais j'avoue que le coup de l'éclair, ça m'a fait un choc.

— Il ne t'a pas attaqué directement parce que tu portes l'amulette sur toi, elle te protège, déclara Branna. Et parce qu'il te veut vivant. Il a cherché à saper ta confiance en toi, et à créer des sentiments négatifs entre toi et moi, entre toi et Fin.

— Il a échoué sur tous les points. Et ce n'est pas tout. Quand je l'ai attaqué, la pierre a brillé deux fois plus, mais après – j'ai senti quelque chose brûler – rien ne le laissait présager mais d'un coup, j'ai ressenti une brûlure. Puis la pierre, sa lumière s'est atténuée. Elle a baissé considérablement après ma seconde attaque, juste avant qu'il ne disparaisse, et les ténèbres avec lui.

— Ce qu'il t'a fait lui a coûté cher. (Branna fit glisser sa main sur le bras de Connor.) Pour t'enfermer, puis te faire du mal et, disons, faire son petit numéro pour t'impressionner. Ça lui a coûté cher.

— Si j'avais pu vous appeler, si nous avions tous été réunis…

— Je ne sais pas, dit Branna.

— Mais nous savons qu'il n'était pas disposé à courir ce risque. Il n'est pas prêt à tous nous affronter une nouvelle fois, ou alors il n'en a pas les couilles. (Fin balaya l'assemblée du regard.) Et ça, c'est une victoire.

— Il n'était pas faible, je vous le garantis. Je sentais sa puissance rayonner autour de lui. À travers l'obscurité, dans son impatience. Je ne l'ai pas vu passer à l'attaque, et je pourrais parier qu'il ne m'a pas touché une seule fois. Et pourtant, je l'ai senti me brûler.

— Ta veste n'était pas roussie. Mais ta chemise ? (Boyle fit un geste avec sa fourchette.) La fumée qui s'échappait de ton bras passait à travers le tissu. Pourtant tu la portes sur toi, et il n'y aucune trace de brûlure.

— C'est génial, j'adore cette chemise.

— Il a gardé forme humaine, ajouta Meara. Parce qu'il ne voulait pas se servir de son pouvoir pour se transformer ? Il avait besoin de toutes ses forces pour agresser Connor. Si Fin ne l'avait pas empêché de se répandre le temps que Branna arrive ici, ç'aurait été bien pire. C'est bien ça ?

— Bien pire, confirma Branna.

— Et pire, bien pire, vous aurait demandé plus d'énergie, à vous trois. Il vous a observés toute votre vie durant, d'une manière ou d'une autre, alors il savait certainement que Branna allait venir et qu'elle ferait tout son possible pour soigner Connor – et qu'Iona ajouterait ce qu'elle pourrait. Mais si ç'avait été pire, Connor aurait été hors service un jour ou deux, et il en aurait manqué un à la trinité. C'est ce qu'il voulait, et il a pris des risques dans ce but. Mais c'était sans compter Fin, expliqua Meara.

— C'est ce qui a failli m'arriver, souligna Connor. Il a fallu qu'il pige que je n'allais pas me laisser faire.

Branna secoua la tête d'un geste impatient.

— Il t'a observé, étudié, mais il ne comprend pas du tout Fin. Pas du tout. Il voit seulement qu'ils sont du même sang. Qu'on me convoquerait et que je viendrais, oui, mais que Fin prendrait ta douleur, des risques, qu'il stopperait la brûlure ? Il ne te connaît pas du tout, dit-elle à Fin. Il ne te verra jamais comme ça. En fin de compte, c'est ce qui pourrait le conduire à sa perte.

— Il ne comprend pas le sens de la famille, et comme il ne le comprend pas, il ne le respecte pas. Il ne l'emportera pas, dit Connor avant de se resservir des pommes de terre.

Après qu'ils eurent terminé le repas et la vaisselle, Connor raccompagna Branna en camionnette avec Meara.

— Tu dors à la maison ? demanda-t-il à Meara.

— Non, sauf si tu le souhaites, dit-elle à Branna. Je sais que nous avions prévu de passer la nuit chez toi.

— Dors dans ton lit. Nous aurons une autre soirée entre filles, et nous parlerons mariage une autre fois. Connor va te raccompagner.

— Je suis rentrée des écuries à pied. (Meara se pencha pour regarder Connor.) Tu n'as qu'à me déposer là.

— Je te raccompagne jusque chez toi. Il est tard, et le moins qu'on puisse dire, c'est que la soirée a été difficile.

— Je ne peux pas dire le contraire.

Il déposa Branna, attendit qu'elle soit entrée chez elle, même s'il doutait que Cabhan ait la force de donner le moindre coup de pique ce soir.

— Elle doit avoir envie d'être seule avec toi, dit calmement Meara.

— Tu es toujours la bienvenue chez nous.

— Oui, mais elle doit préférer rester seule avec toi ce soir. Je ne l'avais jamais vue aussi effrayée. Nous étions dans la cuisine, elle sortait le poulet du four en riant à propos de je ne sais plus quoi. Et d'un coup, elle est devenue blanche comme un linge. C'est Fin qui l'appelait, bien que je ne sache pas ce qu'il a dit.

Se ressaisissant, Meara se tut un instant.

— Mais elle a juste dit : « Connor est blessé. Chez Fin. » Et elle m'a prise par un bras, Iona par l'autre. Et je me suis envolée. Pendant un quart de seconde, une heure, je ne saurais le dire. Je vous connais depuis des années, et je n'avais jamais rien vu de pareil. Tout à coup, je me suis retrouvée dans la cuisine de Fin, devant toi allongé par terre, encore plus blême que Branna. Je t'ai cru mort.

— Il faudrait plus d'un tour de magie noire pour m'avoir.

— Arrête la camionnette.

— Quoi ? Tu te sens mal. Je suis désolé. (Il se rapprocha du bas-côté, et se gara.) Je ne devrais pas faire de l'humour alors que…

Ses mots, ses pensées, son esprit entier tombèrent dans un gouffre au moment où elle se jeta sur lui, passa ses bras autour de son cou et l'embrassa avec tout le désespoir d'une démente.

Une démente débordante de désir.

Avant qu'il n'ait pu agir, réagir, réfléchir, elle s'écarta de lui.

— Quoi… qu'est-ce que ça veut dire ? D'où ça sort ?

— Je t'ai cru mort, répéta-t-elle avant de presser ses lèvres chaudes de démente désespérée sur sa bouche.

Cette fois, il passa à l'action, s'agrippant à elle pour tenter de la décaler sur le côté et d'avoir une meilleure prise sur elle, un meilleur angle. Et pendant ce temps, la saveur de son baiser lui faisait l'effet d'une drogue d'un genre inconnu qui lui donnait envie d'en avoir plus. Et d'en profiter pleinement.

— Meara. Attends que je…

Elle s'écarta d'un bond.

— Non, non. Ce n'est pas réel. Nous ne pouvons pas faire ça.

— C'est déjà fait.

— C'est juste. (Ses mains dansèrent devant elle.) C'est tout.

— En réalité, ça peut facilement se poursuivre. Si tu voulais simplement…

— Non. (Elle lança son bras devant elle, le frappa au torse pour le faire cesser.) Démarre. Roule, roule, roule.

— Je roule.

Tandis que la camionnette reprenait son chemin, il s'aperçut qu'il était aussi fébrile qu'après l'attaque de Cabhan.

— Nous devrions en parler.

— Non, nous n'allons pas en parler, il n'y a rien à en dire. J'ai cru que tu étais mort, et ça m'a plus bouleversée que je ne l'ai compris sur le moment parce que je ne veux pas que tu meures.

Comme il sentait le chaos intérieur qui livrait bataille en elle, il préféra tenter de l'apaiser en avançant des arguments contraires.

— C'est sûr, ça me fait plaisir que tu ne veuilles pas que je meure et je suis content d'être toujours en vie, mais…

— Il n'y a pas de « mais ». Et il n'y a rien à ajouter.

Elle bondit hors du véhicule avant qu'il soit totalement à l'arrêt devant son appartement.

— Rentre retrouver Branna, dit-elle avec autorité. Elle a besoin de toi.

Sans l'évocation de sa sœur, il serait directement monté chez elle. Il aurait même forcé sa porte au besoin. Et il serait arrivé ce qui devait arriver.

Mais puisqu'elle avait raison, il attendit qu'elle soit enfermée chez elle.

Sur le trajet du retour, il se sentit plus dérouté que jamais par le comportement d'une femme.

Et plus affecté par celle-ci que par aucune autre.

8

Meara s'intima d'oublier. De classer ça comme un moment de folie dû à un excès de stress. Après tout, ce n'était pas tous les jours que deux amies proches vous attrapaient par les bras et vous faisaient décoller pour vous transporter d'un endroit à un autre en un clin d'œil.

Tout ça pour se retrouver face à un homme qui comptait beaucoup depuis toujours et le croire mort.

Certaines femmes se seraient enfuies en hurlant, se dit-elle en reprenant le nettoyage des stalles. D'autres auraient piqué une crise de nerfs.

Et pour toute réaction, elle avait embrassé un homme qui n'était pas mort du tout.

— Ce n'est pas la première fois que je l'embrasse, marmonna-t-elle en lançant du foin souillé dans la charrette à bras. C'est inévitable, quand on se connaît depuis le berceau, qu'on évolue dans le même monde, et qu'on est amie avec sa sœur. Ce n'est rien. Ça compte pour du beurre.

Oh, mon Dieu.

Elle ferma les yeux en pressant ses paupières, s'appuya contre la fourche.

Bien sûr, elle l'avait déjà embrassé, et lui aussi l'avait déjà embrassée.

Mais pas comme ça. Oh, non, pas du tout de cette manière. Pas avec passion, pas à pleine bouche, le cœur battant à tout rompre.

Qu'en pensait-il ? Où avait-elle eu la tête ?

Plus grave encore, comment diable devait-elle se comporter la prochaine fois qu'elle le verrait ?

— Bon, dit Iona en entrant dans la stalle, surgissant dans son dos, prenant appui sur le manche d'une fourche. Je t'ai donné trente-deux minutes, montre en main. J'ai atteint ma limite. Dis-moi ce qui t'arrive.

— Ce qui m'arrive ?

Troublée, Meara baissa la visière de sa casquette sur son front et jeta un autre tas de foin dans la charrette.

— Rien. Je nettoie le fumier des chevaux, comme toi.

— Meara, tu m'as à peine regardée, et quasiment pas adressé la parole depuis ce matin. Tu restes là-dedans, à marmonner toute seule. Si j'ai fait quoi que ce soit qui t'ait mise en rogne…

— Non ! Tu n'as rien fait !

— C'est bien ce que je me disais. Pourtant, tu marmonnes, repliée sur toi-même, et tu évites les regards.

— J'ai peut-être mes règles.

— Peut-être ?

— Je n'ai pas eu le temps de me demander si j'étais énervée ces temps-ci quand je les avais. Ma mère…

Iona la menaça du doigt pour la faire taire.

— Sur ce coup-là non plus, tu n'as pas réfléchi. Quand tu as un souci avec ta mère, tu déblatères. Là, tu ne craches pas ta colère, tu te caches.

— Mais non ! (Insultée, Meara prit ses distances.) Je ne fais que réfléchir dans mon coin.

— Il y a un rapport avec ce qui s'est passé hier soir ?

Meara se redressa, droite comme un piquet.

— Quoi, hier soir ?

— Connor. Sa brûlure causée par la magie noire.

— Oh, eh bien, oui, bien sûr. C'est ça, évidemment.

Concentrée sur ses suppositions, Iona dessina un rond dans les airs du bout du doigt.

— Et ?

— Et ? Ça suffirait à n'importe qui. Ça enverrait la plupart des gens à l'hôpital pour une crise de nerfs.

— Tu n'es pas comme la plupart des gens. (Iona se rapprocha, fermant au maximum l'espace qui les séparait.) Que s'est-il passé après ton départ de chez Fin ?

— Pourquoi se serait-il passé quelque chose ?

— Tiens ! fit remarquer Iona. Tu as baissé les yeux. Il s'est passé un truc, et ça te rend fuyante.

Pourquoi mentait-elle aussi mal dès que c'était important ?

— Je regarde tout le crottin qui me reste à nettoyer…

— Je croyais que nous étions amies.

— C'est ce qui s'appelle un coup bas. (Ce fut au tour de Meara de pointer un doigt accusateur.) Cet air triste, ta petite voix qui se brise.

— C'est vrai, admit Iona en esquissant un petit sourire. Mais ça ne change rien au fait que j'ai raison.

S'avouant vaincue, Meara s'appuya sur le manche de sa fourche.

— Je ne sais pas ce qu'il y a à dire, ou à faire.

— C'est pour ça que tu dois en parler avec une amie. Tu es proche de Branna – et ce n'est pas un coup bas. Si tu veux aller lui parler, je te remplace un moment.

— Ça ne t'ennuie pas ? dit Meara dans un soupir. J'ai besoin de lui parler, c'est clair. Je ne sais pas comment m'y prendre. Il est peut-être préférable de commencer par en parler à une cousine plutôt qu'à la sœur. Par étapes, en quelque sorte. C'est juste que…

159

Elle passa la tête par l'ouverture de la stalle, inspecta l'allée, à droite puis à gauche, pour vérifier si Boyle, Mick ou l'un des garçons d'écurie ne traînaient pas dans les parages.

— C'était terrifiant, hier soir. Et j'étais bouleversée dès le départ, d'avoir été transportée par magie d'une cuisine à une autre en un millième de seconde.

— Tu n'avais jamais volé ? Oh, mon Dieu, Meara, ça a dû te chambouler. J'imagine que j'ai dû croire que Branna t'avait déjà fait voler de temps en temps. Comme ça, pour s'amuser.

— Ça lui arrive d'avoir recours à la magie pour rigoler. Mais elle est plutôt stricte sur le sujet, la plupart du temps.

— Inutile de le préciser.

— Nous étions là, et d'un coup, plus là et Connor... Sur le moment, j'ai cru qu'il était mort.

— Oh, Meara. (D'instinct, Iona s'approcha pour la prendre dans ses bras.) J'ai failli perdre la boule alors que je savais qu'il était vivant, grâce à ce lien qui nous unit tous les trois.

— J'ai cru que je... que nous l'avions perdu. La tête me tournait, j'ai eu la nausée. Ensuite Branna et Fin ont commencé à le soigner, et toi aussi. Et moi qui ne pouvais rien faire !

— Ce n'est pas vrai. (Iona se recula et secoua légèrement Meara par les épaules.) Nous avons réussi parce que nous étions tous ensemble. Il avait besoin du cercle, de notre famille.

— Je me sentais malgré tout inutile, mais c'est sans importance. J'ai été tellement soulagée de le voir revenir à lui, comme avant. J'ai cru que j'allais me calmer, être rassurée. Mais quand il m'a raccompagnée chez moi, tout m'est revenu, et sans que je m'en rende compte, sans y avoir réfléchi clairement, je lui ai demandé de se garer sur le bas-côté.

— Tu étais malade ? Je suis désolée pour toi.

160

— Non, c'est ce qu'il a cru lui aussi. Mais j'ai plutôt perdu la tête, en fait. Je lui ai sauté dessus, là, dans sa camionnette.

Choquée, Iona resta bouche bée tout en reculant d'un bond.

— Tu l'as… frappé ?

— Non ! Ne sois pas bête ! Je l'ai embrassé. Et pas du tout comme un frère ou un ami, ou un proche que l'on est content de voir revenir à la vie.

— Oh, fit Iona dans un souffle.

— Oh, reprit Meara en écho, tournant en rond dans la stalle. Et ensuite, comme si ce n'était pas suffisant, je me suis écartée de lui. À ce stade, on pourrait croire que j'avais recouvré mes esprits, mais non, j'ai recommencé. Après tout, c'est un homme et il ne m'a pas repoussée. Au contraire, il aurait continué si la raison ne s'était pas imposée à moi.

— Ça ne devrait pas m'étonner. En fait, je ne suis pas vraiment surprise. J'ai toujours trouvé qu'il y avait quelque chose… En même temps, quand je suis arrivée ici l'hiver dernier, j'avais l'impression qu'il y avait un truc entre toi et Boyle.

— Oh, mon Dieu.

Déconfite, Meara enfouit son visage dans ses mains.

— Je sais qu'il n'y avait rien, rien d'autre que des liens familiaux, amicaux. Alors j'ai fini par me dire que ce truc que je ressentais entre toi et Connor, c'était la même chose.

— C'est la même chose ! Évidemment. C'est la conséquence d'un traumatisme, rien de plus.

— C'est le coma qui fait suite à un choc, normalement. Se tripoter dans un pick-up, enfin, dans une camionnette, c'est le résultat d'un état tout à fait différent.

— Nous ne nous sommes pas tripotés. Juste un baiser ou deux.

— Avec la langue ?

— Et merde !

Elle arracha sa casquette d'un geste rageur, la jeta au sol et sauta dessus à pieds joints.

— Ça va mieux ? demanda Iona.

— Non. (Dépitée, Meara ramassa la casquette et l'épousseta contre sa cuisse.) Comment veux-tu que je raconte à Branna que j'ai fricoté avec son frère, dans sa camionnette, sur le bas-côté, comme une adolescente qui a le feu aux fesses ?

— De la même façon qu'à moi. Et si…

— Dites-moi, vous deux, vous avez prévu de passer la matinée à traînasser ou vous comptez me sortir tout ce crottin ?

Boyle entra dans la stalle, l'air renfrogné.

— Nous avons presque terminé, répondit Iona. Et nous avons besoin de parler de quelque chose.

— Vous discuterez plus tard. Occupez-vous tout de suite du fumier.

— Laisse-nous tranquilles !

— C'est moi le chef, ici.

Elle lui accorda à peine un regard le temps qu'il enfonce ses mains dans ses poches et qu'il disparaisse.

— Ne t'inquiète pas, je ne lui dirai rien.

— Oh, peu importe.

De nouveau froissée, Meara chargea quelques pelletées de fumier.

— Connor va sûrement lui en toucher deux mots. Les hommes sont pires que les femmes avec ce genre de sujets.

— Qu'as-tu dit à Connor ? Après coup.

— Je lui ai dit que ça s'arrêtait là et que je n'avais pas envie d'en parler.

— Bon, marmonna Iona en ravalant une envie de pouffer, non sans sourire de toutes ses dents. Ça devrait marcher.

— Nous ne pouvons pas laisser un moment de folie, d'emportement, venir tout chambouler. Nous avons d'autres chats à fouetter, des préoccupations qui nous concernent tous, en tant que cercle.

Iona ne dit rien mais se rapprocha de Meara pour l'étreindre.

— Je comprends. Je t'accompagnerai quand tu iras en parler avec Branna, si tu veux.

— Je te remercie, mais c'est mieux que j'y aille seule.

— Vas-y ce matin, tu auras l'esprit plus léger après. Je te remplace.

— C'est vrai que ça me ferait du bien de cracher le morceau…

Et peut-être qu'elle n'aurait plus de crampes d'estomac, se dit-elle en posant la main sur son ventre.

— Je vais terminer le nettoyage de cette stalle avant de faire un saut chez elle. Une fois que je lui en aurai parlé et que ça me sera sorti de la tête, je pourrai me concentrer sur le travail l'esprit tranquille.

— Je prépare le terrain avec Boyle.

— Dis-lui que j'ai mes règles, ou un autre problème de filles. Ça lui cloue le bec à tous les coups.

— À qui le dis-tu ! dit Iona en riant, avant d'aller s'affairer dans sa stalle.

Dépêche-toi, s'ordonna Meara tout en traversant les bois à grands pas. *Passe à autre chose. Branna ne va sûrement pas t'en vouloir – elle va plus probablement en rire et prendre ça comme une bonne blague.*

Ce serait formidable, car ensuite elle pourrait le vivre comme une plaisanterie.

Imaginer que Meara Quinn en pince pour Connor O'Dwyer ? Et elle devait admettre qu'elle éprouvait de petits pincements à des endroits gênants.

Mais en parler avec Branna étoufferait tout ça, et la vie reprendrait son cours normal.

Peut-être qu'au fil du temps il lui était arrivé d'être en proie au désir face à lui. Quelle femme resterait de marbre devant des hommes de la trempe de Connor O'Dwyer ?

Il en imposait, non ? Sa silhouette élancée, sa masse de boucles, son joli visage, son sourire sûr de lui. Sans oublier ses gestes attentionnés, aussi remarquables que son physique.

Un caractère bien trempé, assurément, mais de loin plus doux que le sien. De très loin, à dire vrai. Une manière de penser beaucoup plus optimiste et constante que la plupart de ses semblables, elle y comprise.

Malgré tout ce qu'il avait affronté au cours de sa vie, il conservait une image positive de l'existence et un tempérament altruiste. Si l'on ajoutait son pouvoir à la liste – ce qui était un don formidable même pour quelqu'un qui, comme elle, en faisait l'expérience au quotidien –, l'ensemble ne manquait pas d'attrait.

Elle était convaincue qu'il le savait bien et s'en servait sans retenue pour charmer plus que son compte de femmes.

Comment le lui reprocher ? Après tout, pourquoi ne cueillerait-il pas toutes les belles fleurs qui poussaient sur son chemin ?

Quant à elle, par raison et par logique, elle s'en tiendrait à rester son amie plutôt que d'entrer dans la composition de son bouquet de conquêtes.

Elle soupira, voûta le dos pour lutter contre le vent frais. Elle allait devoir lui en parler – ce serait de la folie de s'entêter à fuir cette conversation. Mais seulement après en avoir discuté avec Branna et qu'elles en auraient ri ensemble.

Ensuite, elle pourrait aborder le problème avec Connor, tourner leurs baisers en dérision ; mais pas avant d'avoir tout raconté à Branna.

Pour se protéger du vent qui gagnait en force, elle chercha ses gants dans sa poche. Dire qu'ils avaient annoncé une belle matinée ! pensa-t-elle en voyant les nuages cacher le soleil.

Soudain, elle entendit son nom porté par le vent.

S'arrêtant, elle tourna la tête dans la direction de l'appel, s'aperçut qu'elle se tenait devant le grand arbre abattu, près des amas de vigne vierge. Non loin de l'endroit des ruines de la chaumière de Sorcha et du terrain que Cabhan pouvait déplacer dans le temps à volonté.

Jamais il ne l'avait appelée, jamais il ne s'était donné de mal pour elle. Pourquoi commencerait-il maintenant ? Elle n'avait aucun pouvoir, ne représentait aucune menace. Malgré cela il l'apostrophait, d'une voix outrageusement séductrice qui ne fut pas sans effet sur elle.

Elle était pourtant consciente du danger, connaissait par cœur les recommandations et les risques, ce qui ne l'empêcha pas de se retrouver devant le rideau de vigne vierge sans avoir eu l'impression de s'en approcher. Elle se surprit à tendre la main.

Juste un petit coup d'œil, rapidement, rien de plus.

Quand sa main toucha le feuillage, une vague de chaleur irréelle la submergea. Souriant, elle l'écarta tandis que le brouillard se glissait entre ses enchevêtrements.

L'épervier poussa un cri en tombant en piqué. Il longea la vigne vierge de façon à la faire tomber à la renverse. Alors que le brouillard s'épaississait au point de lui arriver aux genoux, elle frissonna.

Roibeard se percha sur le tronc déraciné, posant sur elle son regard vif et féroce.

— J'ai failli entrer, jeter un coup d'œil à l'intérieur. Tu l'entends, toi aussi ? C'est moi qu'il appelle. J'ai juste envie de voir.

Cette fois, quand elle tendit la main, Roibeard déploya les ailes en signe d'avertissement. Derrière elle, le chien de Branna poussa un discret aboiement.

— Viens avec moi si tu veux. Pourquoi tu ne veux pas venir avec moi ?

Kathel saisit le bas de sa veste entre ses crocs, la tira en arrière.

— Arrête ça tout de suite ! Qu'est-ce qui te prend ? Qu'est-ce… qui *me* prend ? murmura-t-elle. (Elle se mit à tituber, ses genoux flanchèrent et elle fut prise de vertiges.) Merde. (Elle posa une main tremblante sur la grosse tête de Kathel.) Tu es un bon chien, intelligent et gentil. Partons vite d'ici.

Elle se tourna vers Roibeard, puis vers l'obscurité chassée par le soleil qui l'emportait péniblement sur la brume.

— Partons tous d'ici.

Gardant une main sur le chien, elle hâta le pas pendant que l'épervier tournoyait en vol plané au-dessus de sa tête. De toute sa vie, elle ne s'était jamais autant réjouie de quitter les bois et la maison de la Ténébreuse alors qu'elle se trouvait à portée de main.

Elle courut à perdre haleine et se réfugia, suivie de près par le chien, à bout de souffle, dans l'atelier de Branna.

Occupée à verser un ingrédient qui sentait le sucre roux d'une cuve dans une bouteille, Branna leva les yeux. Elle posa immédiatement la cuve.

— Qu'y a-t-il ? Tu trembles. Viens, viens t'asseoir devant la cheminée.

— Il m'a appelée, articula Meara pendant que Branna s'affairait autour de son plan de travail. Il a murmuré mon nom.

— Cabhan. (Passant le bras autour des épaules de Meara, Branna la guida vers la cheminée et la fit asseoir sur une chaise.) Aux écuries ?

— Non, non, dans les bois. En venant te voir. Au même endroit, devant la maison de Sorcha. Branna, il m'a appelée, et j'ai failli y aller. J'avais envie d'entrer, d'aller vers lui. C'est ce que je voulais.

— Ça va. Tu es là maintenant.

Elle passa les mains sur les joues froides de Meara pour les réchauffer.

— Mais j'en avais envie.

— Il est sournois. C'est sa propre envie qu'il t'a transmise. Mais tu es là.

— Je ne serais pas là si Roibeard n'avait pas surgi de nulle part pour m'en empêcher. Kathel est venu aussi, il s'est accroché à ma veste pour m'en empêcher.

— Ils t'aiment, comme moi. (Branna se pencha pour poser la joue sur le dessus de la tête de Kathel, l'étreindre un instant.) Je vais te préparer une infusion. Ne discute pas. Tu en as besoin, et moi aussi.

Elle donna d'abord un biscuit au chien, puis sortit brièvement.

Pour remercier l'épervier, se dit Meara. Pour lui faire savoir que tout allait bien et qu'elle lui était reconnaissante. Branna ne manquait jamais de saluer les marques de loyauté.

Pour le remercier à son tour, et pour chercher un peu de réconfort, Meara se laissa glisser au bas de sa chaise pour serrer Kathel dans ses bras.

— Fort, courageux et fidèle, chuchota-t-elle. Il n'y a pas meilleur chien au monde que notre Kathel.

— Pas un seul. Assieds-toi, reprends ton souffle.

Branna prépara l'infusion dès son retour dans l'atelier.

— Pourquoi m'a-t-il appelée, moi ? Que peut-il me vouloir ?

— Tu es l'une des nôtres.

— Je n'ai pas de pouvoir magique.

— Ce n'est pas parce que tu n'es pas magicienne que tu n'as pas de pouvoir. Tu as un cœur et un mental puissants. Tu es aussi forte, courageuse et fidèle que Kathel.

— Je n'avais jamais rien ressenti de pareil. C'était comme si tout le reste n'existait plus, qu'il n'y avait plus que sa voix, et mon besoin irrépressible d'y répondre.

— Je vais te fabriquer une amulette que tu porteras constamment sur toi.

Réchauffée, Meara ôta sa veste.

— Tu m'as déjà fabriqué des talismans.

— Je vais t'en créer un autre plus fort, plus spécifique dirons-nous. (Elle lui servit son infusion.) Raconte-moi tout à présent, aussi précisément que possible.

Une fois son récit terminé, Meara s'adossa contre le dossier de son siège.

— Au final, ça n'a duré qu'une minute ou deux. J'avais l'impression que tout se passait au ralenti, comme dans un rêve. Pourquoi ne m'a-t-il pas terrassée ?

— Pour éviter de gaspiller une pucelle avenante.

— Je ne suis plus pucelle depuis un moment. (Meara haussa les épaules.) Quelle horrible idée ! Dire que j'étais à deux doigts de succomber, quelle horreur !

— Une femme envoûtée n'est pas consentante. Je pense qu'il aurait abusé de toi si tu avais traversé la vigne vierge. Il t'aurait emmenée dans une autre époque, se serait servi de toi et aurait fait tout son possible pour faire de toi une alliée.

— Ses sortilèges n'auront jamais cet effet sur moi. Aucun ne m'aurait poussée à retourner ma veste.

— Non, il n'y arriverait pas, pas à ça. Mais comme tu l'as dit à propos de Fin, le sens de la famille et de l'amour lui échappe. (Branna saisit la main de Meara, la porta à sa joue.) Il t'aurait fait du mal, Meara, et cela nous aurait nui à tous. Tu vas porter ce talisman que je vais te fabriquer.

— Bien sûr, je vais le porter.

— Nous devons en informer les autres. Boyle va avoir besoin de plus d'attention, lui aussi. Mais il a Iona et Fin. Tu devrais t'installer ici, avec Connor et moi.

— Je ne peux pas.

— Je sais que tu aimes avoir ton chez-toi, c'est tout à fait compréhensible mais tant que nous n'avons pas décidé de la prochaine étape, c'est mieux que...

— Je l'ai embrassé.

— Quoi ? Hein ? (Abasourdie, Branna fit un bond en arrière.) Tu as embrassé Cabhan ? Mais tu as dit qu'il n'était pas parvenu à ses fins. Que...

— Connor. J'ai embrassé Connor. Hier soir. Je l'ai quasiment agressé sur le bord de la route. J'ai perdu la tête, rien qu'une minute, c'est tout. Voler, le découvrir allongé par terre dans la cuisine de Fin, sa souffrance si visible quand il a commencé à guérir... Je me suis dit, il est mort, et puis j'ai réalisé qu'il était vivant, il tremblait, il se consumait, et d'un coup il a arraché un pilon du poulet et l'a dévoré avant même d'avoir enfilé un tee-shirt. Toutes ces images s'entrechoquaient dans ma tête et sans réfléchir, je lui ai sauté dessus, et je l'ai embrassé.

— Eh bien, dit Branna tandis que Meara reprenait son souffle.

— Mais je me suis arrêtée là, tu dois le savoir, enfin, après la deuxième fois, j'ai arrêté.

Branna tordit bizarrement la bouche, mais elle répondit d'une voix neutre.

169

— La deuxième fois ?

— Je… ça… il… C'était juste le contrecoup de la soirée, c'est ridicule.

— Et lui, il a eu une réaction ridicule… aux événements de la soirée ?

— Je t'avoue que, maintenant que j'y pense, le premier baiser l'a pris de court, il faut se mettre à sa place. Mais le second… C'est un homme, après tout.

— En effet.

— Mais ça s'est arrêté là. Je tiens à te préciser que je lui ai demandé de me déposer devant chez moi et de rentrer tout de suite chez lui. Nous n'avons rien fait de plus.

— Pourquoi ?

— Pourquoi ? (Interdite, Meara la fixa un instant.) Il m'a déposée chez moi, comme je viens de le dire.

— Pourquoi n'est-il pas entré chez toi ?

— Chez moi ? Il avait besoin de rentrer chez lui, auprès de toi.

— Ce sont des foutaises, Meara. (Branna exprima un léger agacement.) Je refuse de servir d'excuse.

— Ce n'est pas ce que je voulais dire, pas du tout. Je… j'ai cru que ça t'énerverait, ou que ça t'amuserait ou au moins que tu en resterais comme deux ronds de flan. Mais non, ça ne te fait rien.

— Rien de tout ça, non. Et je ne suis même pas surprise, pas le moins du monde. Je me demandais plutôt ce que vous fichiez depuis tout ce temps. Vous avez sacrément tardé à vous y mettre.

— À quoi ?

— Vous mettre ensemble.

— Ensemble ? (Profondément choquée, Meara se leva d'un bond.) Moi et Connor ? Non, impossible.

— Et pourquoi donc ?

170

— Parce que nous sommes amis.

Meara prit une gorgée d'infusion, regarda le feu dans la cheminée.

— Pour moi, un amant qui me toucherait au-delà du physique, c'est un ami. Une connivence sexuelle qui ne m'enflamme pas jusqu'au fond de mon être ? Pourquoi pas, ça peut marcher, mais pas longtemps.

— Et qu'advient-il de l'amitié quand l'ami n'est plus l'amant ?

— Je ne sais pas. Je vois nos parents, ceux de Connor et moi, ils sont toujours heureux. Ils ne baignent pas dans la félicité en permanence ni même tous les jours, et ce serait d'ailleurs insupportable. Mais ils sont heureux, ils vivent en harmonie la plupart du temps.

— Quand je vois les miens...

— Je sais. (Branna prit la main de Meara pour l'inviter à se rasseoir.) Ceux qui nous ont conçus nous ont donné à chacun une place, non ? Je veux, quand je me l'autorise, connaître ce genre de bonheur à deux, cette harmonie. Et tu refuses de t'accorder le droit d'en avoir envie parce que tu ne vois que la destruction, la tristesse et l'égoïsme sous-jacents.

— Je tiens trop à lui pour prendre le risque de tout perdre. Et le combat qui nous attend est trop important, comme nous en avons encore eu la preuve hier et aujourd'hui, pour compliquer notre cercle avec le sexe.

— À mon avis, Iona et Boyle couchent ensemble à la moindre occasion.

Meara pouffa de rire.

— Ils sont fous amoureux, et bien assortis, c'est différent.

— C'est toi qui vois, bien entendu. Toi et Connor. (Et Connor, se dit Branna, aurait très probablement un autre point de vue sur la question.) Mais sache que je n'ai aucune raison de m'y opposer, au cas où ça t'inquiète. Pourquoi serais-je contre ? Je vous aime tous les deux. Et j'ajouterais même que le sexe a des pouvoirs magiques qui lui sont propres.

— Donc je devrais coucher avec Connor au nom de notre cause ?

— Tu dois faire ce qui te rend heureuse.

— Tout est trop confus dans ma tête pour que je sache ce qui me rend heureuse. Pour l'instant, je dois retourner au travail avant que Boyle ne me congédie.

— Je vais d'abord préparer ton talisman, et Kathel et Roibeard te raccompagneront. Ne t'approche surtout pas de la chaumière de Sorcha, Meara.

— Crois-moi, je vais l'éviter.

— Raconte à Iona et à Boyle ce qui s'est passé. Boyle veillera à en informer Fin, et j'en parlerai à Connor. Cabhan retrouve toute son audace, nous devons tous rester sur nos gardes.

Branna n'eut pas besoin de raconter sa mésaventure à Connor. Fin le prit à l'écart dès qu'il passa à la fauconnerie, dans l'après-midi.

— Elle va bien ? Tu es sûr ?

— Je l'ai vue il y a moins d'une heure. Elle pète le feu, comme toujours.

— J'étais très occupé, dit Connor. Je n'ai pas tout de suite remarqué l'absence de Roibeard, et je me suis dit qu'il devait être aux écuries. Il aime rester là-bas, avec les chevaux. Avec Meara. Alors je n'y ai pas prêté attention, et il ne m'a envoyé aucun signal.

— C'est parce qu'elle n'avait besoin que de lui et de Kathel. Branna lui a façonné un talisman très puissant, Meara

172

me l'a montré. Et elle est forte, elle aussi. Malgré tout, nous devons tous redoubler de prudence.

Connor marchait de long en large, les semelles de ses bottes crissant sur les graviers.

— Il l'aurait violée. Forte ou pas, elle aurait été incapable de l'en empêcher. J'ai vu ce qu'il faisait aux femmes autrefois.

— Il ne l'a pas touchée, Connor, et il ne la touchera pas. Nous allons tous veiller à ce que ça n'arrive pas.

— Je m'inquiète pour Branna. Il a soif de pouvoir, et elle en regorge. Elle a hérité du prénom de la première-née de Sorcha, et c'est la première des Trois de l'époque actuelle, celle qui a hérité de l'amulette. Et...

— C'est la femme que j'aime, qui m'aime bien qu'elle ne puisse pas être avec moi. Tu n'es pas le seul à te faire du souci.

— Et Meara est comme une sœur pour Branna. Ça risque de la rendre plus attrayante à ses yeux, estima Connor.

— Blesser Branna à travers Meara. (Fin hocha la tête.) Tout à fait son genre.

— Oui, et après ce qui s'est passé hier soir...

— Ce qu'il t'a fait ? Quel est le rapport avec Meara ?

— Il n'y en a aucun. Sauf indirectement.

Aucun homme ne doit mentir ou éluder une question face à un ami. De toute façon, il y avait trop en jeu pour craindre l'indiscrétion.

— Nous avons fait des trucs, Meara et moi, après avoir déposé Branna. Un truc ou deux dans la camionnette, sur le bas-côté.

Fin fronça les sourcils.

— Tu as dragué Meara ?

— Plutôt le contraire. Elle m'a franchement sauté dessus. Avec beaucoup d'enthousiasme. Elle s'est arrêtée net, en disant que ça n'irait pas plus loin. Elle m'a demandé de la raccompagner chez elle. J'aime les femmes, Fin. Je les aime de la tête aux pieds, leur façon de penser, leur cœur, leur corps. Leurs seins. Quoi de meilleur que la poitrine d'une femme ?

— On est obligés de développer ?

Connor éclata de rire.

— Compris. Je pourrais parler poitrine pendant des heures. J'aime les femmes, Fin, mais malgré tous mes efforts, elles sont incompréhensibles par tant d'aspects.

— Et cette discussion pourrait durer des jours qu'on ne trouverait pas les réponses.

Visiblement intrigué, Fin scruta Connor.

— Dis-moi juste si tu avais envie de poursuivre ?

— Je me suis longuement interrogé sur ses désirs cachés, et les miens, enfouis depuis si longtemps, et oui, j'avais envie de continuer. D'ailleurs j'en ai toujours envie.

— Dans ce cas, *mo dearthâir* (Fin donna une tape sur l'épaule de Connor), il ne te reste plus qu'à te décider à y donner suite.

— J'y songe. Mais maintenant, je me demande si ce n'est pas à cause de notre tête-à-tête au bord de la route que Cabhan s'en est pris à elle aujourd'hui. Juste parce que je me suis intéressé à elle. Ça me semble logique.

— Tout juste. Il t'a causé du tort hier soir. Et peut-être qu'il a voulu recommencer à travers Meara, aujourd'hui. Alors faites attention, tous les deux.

— Promis, et je veillerai à ce qu'elle soit prudente, elle aussi. Tiens, voilà mon rendez-vous qui arrive. Un monsieur et sa bobonne du pays de Galles. Tu veux venir ? Je vais te chercher un sac et un gant, si tu veux.

Fin était sur le point de décliner l'invitation quand il s'aperçut qu'il n'avait pas fait de promenade de découverte des rapaces avec Connor depuis longtemps et que cela lui manquait.

— Tout compte fait, pourquoi pas ? Mais je préfère aller chercher mon matériel.

Levant les yeux, Connor vit Merlin dans le ciel.

— Tu vas l'emmener ? Tu as confiance ?

— Ça lui plaira à lui aussi.

— Ce sera un peu comme au bon vieux temps.

Une fois Fin parti, Connor consulta l'heure d'un rapide coup d'œil. Dès qu'il aurait une minute, il irait chercher Meara. Il y avait matière à parler, que ça lui plaise ou non.

9

Comme si sa journée n'était pas suffisamment stressante, Meara reçut un coup de fil de sa mère, en larmes et affolée. À la suite de cet appel, elle partit à la recherche de Boyle.

Elle le trouva à son bureau, l'air renfrogné comme chaque fois qu'il plongeait le nez dans la paperasserie.

— Boyle.

— Pourquoi les chiffres ne coïncident jamais du premier coup ? Comment ça se fait ?

— Aucune idée. Boyle, je suis désolée, je dois partir. Il y a eu un incendie chez ma mère.

— Un incendie ?

Il se leva d'un bond comme s'il s'apprêtait à aller éteindre le feu lui-même.

— Dans la cuisine, je crois. J'ai eu du mal à obtenir des précisions, elle était quasi hystérique. Mais j'ai réussi à comprendre qu'elle était indemne et que la maison n'est pas en cendres. Par contre, j'aimerais aller constater les dégâts par moi-même…

— Vas-y, file. (Il contourna le bureau pour l'entraîner hors du bureau en l'attrapant par le bras.) Tiens-moi au courant dès que tu en sais plus.

176

— Je n'y manquerai pas. Merci. Je ferai des heures supplémentaires demain pour rattraper celles-ci.

— Dépêche-toi, nom d'un petit bonhomme !

— J'y vais.

Elle sauta dans sa camionnette.

Sûrement rien de grave, se rassura-t-elle. Sauf si ça l'était. Avec Colleen Quinn, il fallait s'attendre à tout.

Sa mère s'était montrée incohérente, passant des sanglots aux bafouillages en une minute. En boucle, elle avait évoqué la cuisine, la fumée et le roussi.

Mais elle était peut-être blessée.

L'image de Connor, de l'impressionnante brûlure noire et bulleuse sur son bras lui traversa l'esprit.

Brûlure.

Cabhan. La peur s'immisça en elle à l'idée qu'il ait pu jouer un rôle dans l'accident domestique. S'en était-il pris à sa mère parce qu'elle avait résisté à son appel malgré un moment de faiblesse ?

Meara mit les gaz, prit les virages sur les chapeaux de roue et, le cœur battant à tout rompre, fonça vers la maisonnette nichée avec quelques autres demeures juste à la périphérie de Cong.

La maison était debout – aucun dégât visible sur les murs blancs, le toit gris, le petit jardin impeccable devant l'entrée. Impeccable, étant donné que cette minuscule parcelle de terre située à l'avant et à l'arrière de la maison était le seul loisir de sa mère.

Elle franchit précipitamment le portail bas – qu'elle avait repeint elle-même au printemps dernier –, remonta l'allée en courant tout en cherchant ses clés, puisque sa mère verrouillait

177

ses portes de jour comme de nuit par peur des cambrioleurs, des violeurs et des extraterrestres.

Colleen surgit au-dehors, les mains pressées l'une contre l'autre devant sa poitrine, comme en prière.

— Oh, Meara, grâce à Dieu, tu es là ! Que vais-je faire ? Que vais-je devenir ?

Elle se jeta dans les bras de Meara, sanglota en tremblant comme si le désespoir la terrassait.

— Tu n'es pas blessée ? Tu es sûre ? Laisse-moi vérifier que tu n'as rien.

— Je me suis brûlé les doigts.

Comme une enfant, elle tendit la main pour montrer sa plaie.

Rien qui ne nécessitait plus qu'une noisette de pommade, constata Meara avec soulagement.

— Bon, très bien, ça va. (Pour l'apaiser, Meara déposa un léger baiser sur la petite brûlure.) C'est ça le plus important.

— C'est très grave ! insista Colleen. La cuisine est ravagée. Que vais-je faire maintenant ? Oh, Meara, que vais-je faire ?

— Allons d'abord voir ça et ensuite nous aviserons, d'accord ?

Elle n'eut pas de mal à faire faire demi-tour à Colleen. Meara avait hérité de la grande taille de son père absent depuis longtemps. Colleen était jolie : petite, mince, et toujours tirée à quatre épingles, fait indéniable qui donna à Meara l'impression d'être un gros ours accompagné d'un caniche pure race.

Aucun dégât à déplorer dans le salon, nouveau soulagement, bien que Meara sentît la fumée et en perçût un fin nuage.

De la fumée, constata-t-elle, *pas du brouillard*.

En trois enjambées, elle atteignit la cuisine dans laquelle la fumée s'attardait par nuages effilochés.

178

Pas en ruine, mais assurément en pagaille. Une pagaille non pas provoquée par un sorcier maléfique mais plutôt par une femme maladroite et négligente, détermina-t-elle d'emblée.

Le bras passé autour des épaules de sa mère en pleurs, elle fit le point.

Le plat de la rôtissoire et le rôti carbonisé renversés sur le sol à côté d'un torchon brûlé et trempé résumaient l'incident.

— Tu as fait brûler le rôti, conclut Meara avec circonspection.

— Je voulais faire griller de l'agneau, pour Donal et sa copine qui doivent venir manger à la maison. Je n'approuve pas le fait qu'il emménage avec Sharon avant le mariage, mais je reste tout de même sa mère.

— Qui a fait cramer le rôti, murmura Meara.

— Tu sais bien que Donal raffole du rôti d'agneau. Je suis juste sortie un instant. J'ai des limaces dans le jardin et je suis allée changer le fût de bière.

Exprimant toute sa détresse, Colleen agita les mains en direction de la porte comme pour rappeler à Meara où se trouvait le jardin.

— Elles s'en prennent à mes pensées en ce moment, j'étais obligée d'aller jeter un œil.

— Très bien.

Meara enjamba le désordre pour ouvrir les fenêtres, comme Colleen aurait dû le faire.

— Je ne suis pas sortie longtemps, mais je me suis dit que puisque j'étais dans le jardin, autant en profiter pour couper des fleurs et faire un joli bouquet pour décorer la table. J'ai besoin de fleurs pour me tenir compagnie pendant les repas.

— Mmm, fit Meara en ramassant les fleurs éparpillées sur le sol mouillé.

179

— Quand je suis revenue, il y avait de la fumée plein la cuisine. (Toujours aussi bouleversée, Colleen survola la pièce de ses yeux embués de larmes.) J'ai couru jusqu'au four et j'ai trouvé l'agneau carbonisé. Alors j'ai pris le torchon pour l'en sortir.

— Je vois.

Meara éteignit le four, trouva un torchon propre, ramassa la grille de la rôtissoire et le rôti.

— Et tout à coup, le torchon s'est enflammé. J'ai dû tout lâcher pour emporter le plat là, jusqu'à la marmite que j'avais remplie d'eau pour faire bouillir les pommes de terre.

Meara récupéra les pommes de terre pendant que sa mère se tordait les mains et jeta tout dans l'évier dans l'idée de s'en occuper ultérieurement.

— Ma cuisine est dévastée, Meara, en ruine ! Que vais-je faire ? Dis-moi, que vais-je faire ?

Comme à l'accoutumée, Meara éprouva un mélange d'agacement, de résignation et de frustration. Acceptant son sort, elle s'essuya les mains sur son pantalon de travail.

— La première chose est d'ouvrir les fenêtres du salon pendant que je lave par terre.

— La fumée va noircir la peinture, tu ne crois pas, Meara ? Et tu vas voir le sol là, tout roussi par le torchon en flammes. Je n'ose pas le dire au propriétaire, sinon il va me jeter à la rue.

— Il ne fera rien de tel, Ma. Si la peinture est endommagée, j'arrangerai ça. Et si le sol est abîmé, je m'en occuperai aussi. Ouvre les fenêtres et va mettre du baume de Branna sur tes doigts.

Mais Colleen resta figée sur place, les mains serrées, ses jolis yeux bleus larmoyants.

— Donal et sa petite amie viennent à sept heures.

— Une chose à la fois, Ma, dit Meara en commençant à nettoyer.

— Je ne peux pas l'appeler pour lui dire dans quel état catastrophique est la maison. Impossible, il est au travail.

Pourtant, tu n'as pas hésité à me téléphoner au centre équestre, songea Meara, *étant donné que tu n'as jamais compris qu'une femme puisse travailler, qu'elle travaille tous les jours, par choix ou par besoin, de la même façon qu'un homme.*

— Les fenêtres, se contenta-t-elle de dire.

Pas méchante pour deux sous, se répéta Meara en lavant le sol qui n'était pas roussi, mais seulement recouvert des cendres du torchon. *Même pas égoïste dans le sens classique du terme, mais elle se noie dans un verre d'eau dès qu'elle est seule.*

Était-ce sa faute, tout compte fait, sachant qu'elle avait toujours eu quelqu'un pour s'occuper d'elle ? Ses parents, puis son mari et à présent ses enfants.

Elle n'avait jamais appris à se débrouiller seule. Pas plus qu'à préparer un fichu rôti, se dit Meara en jetant un regard vindicatif à la rôtissoire.

Après avoir essoré la serpillière, elle s'accorda le temps d'envoyer un texto à Boyle. Inutile qu'il s'inquiète pour rien.

Pas un incendie, juste un rôti d'agneau cramé et le foutoir qui va avec. Zéro blessé.

Meara balaya ce qui restait du rôti jusqu'à la poubelle, gratta les pommes de terre et les sécha, puisqu'elles étaient encore crues, sa mère ayant oublié – par chance – d'allumer le réchaud pour les faire cuire.

Elle fit tremper les éléments de la rôtissoire dans l'évier, mit de l'eau à chauffer pour le thé, tout cela pendant que Colleen redoutait d'être expulsée de son logement.

— Assieds-toi, Ma.

— Je ne peux pas m'asseoir, je suis trop bouleversée.

— Assieds-toi ! Viens prendre du thé.

— Et Donal ? Que vais-je faire ? J'ai détruit la cuisine, et ils viennent dîner à la maison. Et le propriétaire va être furieux, j'en suis sûre.

Meara récita mentalement ses tables de multiplication – surtout celle de sept, qui lui donnait chaque fois du fil à retordre. Cela l'empêcha de crier quand elle se tourna vers sa mère.

— Commence par regarder autour de toi. La cuisine n'est pas détruite, si ?

— Mais je… (Comme si elle la voyait pour la première fois, Colleen battit des paupières.) Oh, c'est bien parti au lavage, non ?

— Oui, c'est propre.

— Ça sent toujours la fumée.

— Laisse les fenêtres ouvertes un moment, et ça ne sentira plus. Au pire, nous lessiverons les murs.

Meara prépara le thé, ajouta quelques biscuits au chocolat dans l'une des belles assiettes de sa mère – et puisque c'était sa mère, plia une serviette en tissu blanc.

— Assieds-toi, bois ton thé. Montre-moi tes doigts.

— Ça va beaucoup mieux. (Souriante, Colleen les déplia sous ses yeux.) Branna est si habile, tu ne trouves pas, pour fabriquer ses lotions et ses crèmes et ses bougies et tout ça ? J'adore faire des emplettes à la Ténébreuse. Chaque fois, je trouve quelque chose d'adorable. Sa petite boutique est absolument charmante.

— Oui, charmante.

— Elle vient me voir de temps en temps, elle m'apporte des échantillons à essayer pour elle.

— Je sais.

Cela permettait à Colleen d'avoir des tas de petites choses charmantes sans trop dépenser.

— Elle est très gentille, cette Branna, et toujours si bien mise.

— C'est vrai, approuva Meara, consciente que sa mère regrettait que sa fille ne soit pas élégante, au lieu de porter ses tenues de tâcheronne.

Autant nous habituer à l'idée que allons continuer à nous décevoir réciproquement, hein, Ma ? se dit-elle.

— Tu as bien nettoyé la cuisine, Meara, et je t'en remercie. Mais je n'ai plus rien, et de toute façon je n'ai plus le temps de préparer un bon souper pour Donal et sa petite amie. Sharon va penser quoi de moi ?

— Elle pensera que tu as eu des choses à faire à la cuisine et que c'est pour ça que tu as réservé une table pour vous trois au Ryan's Hotel.

— Oh, mais…

— Je m'en occupe et je me chargerai de l'addition. Vous partagerez un agréable dîner et reviendrez ici pour prendre le thé et un petit dessert – que je vais aller chercher au *Monk's Café* d'ici à quelques minutes. Tu serviras des gâteaux dans ta plus belle vaisselle, et tout ira bien. Vous allez passer une très bonne soirée.

Les joues de Colleen rosirent de plaisir.

— Ça me semble charmant, tout à fait charmant.

— Bon, Ma, dis-moi si tu te souviens comment réagir si jamais un incendie se déclare dans la cuisine ?

— Tu asperges les flammes d'eau. C'est ce que j'ai fait.

— Il vaut mieux les étouffer. L'extincteur est rangé dans le placard à balais. Tu te souviens ? C'est Fin qui te l'a donné, et Donal a fixé les crochets pour l'accrocher juste là, au mur du petit placard.

— Oh, ça ne m'a même pas traversé l'esprit, avec toutes ces émotions. Et comment vais-je me souvenir du mode d'emploi ?

Un vrai problème, se dit Meara.

— Si tu as oublié, tu peux jeter du bicarbonate de soude sur le feu, ou mieux, le recouvrir d'un couvercle de marmite, pour l'asphyxier. Mais l'idéal, c'est encore de ne pas sortir de la cuisine quand tu as quelque chose qui cuit. Pour le four, tu peux régler le minuteur, ça t'évitera d'être coincée à l'intérieur quand tu prépares un gâteau ou un rôti.

— J'en avais l'intention.

— J'en suis sûre.

— Je suis désolée de t'avoir dérangée, Meara, vraiment.

— Je sais, mais tout est arrangé maintenant, non ?

Elle effleura la main de sa mère.

— Ma, tu ne serais pas plus heureuse si tu vivais auprès de tes petits-enfants ?

Meara passa du temps à brosser sa mère dans le sens du poil, puis se rendit au *Monk's Café* pour acheter un joli gâteau à la crème, quelques scones et pâtisseries. Elle fit un détour par le restaurant, s'occupa du nécessaire avec le responsable – un ami d'école – et fit un dernier saut chez sa mère pour déposer le dessert.

Puisqu'elle avait déjà mal à la tête, elle rentra directement chez elle et téléphona à sa sœur.

— Maureen, il est temps que tu t'occupes de Ma.

Après une bonne heure passée à débattre, négocier, crier, rire, compatir, elle dénicha des antalgiques, les fit passer en buvant de l'eau au robinet de la salle de bains.

Ensuite, elle se contempla longuement dans le miroir. Le manque de sommeil marquait ses yeux cernés. La fatigue, toutes origines confondues, lui tirait les traits et creusait la ride du lion que, contrariée, elle frotta avec vigueur.

Un autre jour comme celui-ci, et elle aurait besoin de toutes les crèmes et lotions de Branna – mais aussi d'éclat naturel – si elle voulait éviter de ressembler à une vieille sorcière.

Elle avait besoin de tout oublier le temps d'une seule fichue nuit. Connor, Cabhan, sa mère, sa famille au grand complet. Une soirée tranquille, décida-t-elle, en pyjama – le visage badigeonné d'une épaisse couche de l'une des crèmes de Branna. Ne manquaient plus qu'une bière, des chips ou n'importe quelles cochonneries mangeables rangées dans ses placards, et la télé.

Elle ne désirait rien de plus.

Choisissant de commencer par la bière – ce ne serait pas la première fois qu'elle prendrait une bière fraîche sous une douche chaude pour se détendre après une dure journée –, elle se rendait à la cuisine quand on frappa à la porte.

— Du balai ! chuchota-t-elle, qui que vous soyez, et ne revenez jamais.

Celui qui se trouvait à sa porte frappa derechef, et elle aurait continué à l'ignorer s'il n'avait pas ajouté :

— Ouvre, Meara. Je sais très bien que tu es là.

Connor. Elle leva les yeux au plafond tout en allant ouvrir.

— J'ai prévu de passer une soirée tranquille, alors va voir ailleurs.

— Il y a eu le feu chez ta mère ?

— Ce n'était rien. Tu peux t'en aller, maintenant.

Il l'observa en plissant les yeux.

— Tu n'as pas l'air en forme.

— C'est exactement ce qu'il me fallait pour terminer cette sale journée en beauté. Merci.

Quand elle voulut lui fermer la porte au nez, il la bloqua de l'épaule. Pendant un moment, chacun poussa bêtement la porte vers l'autre. Elle avait tendance à oublier qu'il était plus fort qu'il n'en avait l'air.

— Tu as gagné, entre. Ma journée entière n'est qu'un gros fiasco, de toute façon.

185

— Tu as la migraine, tu es fatiguée et ça te rend hargneuse.

Sans lui laisser le temps de protester, il posa ses mains sur ses tempes, les fit remonter sur le dessus de sa tête, puis redescendre vers sa nuque.

Sa migraine avait disparu.

— J'avais déjà pris des cachets.

— Mes mains agissent plus rapidement. (Il massa ensuite ses épaules pour dénouer toutes ses tensions.) Assieds-toi, enlève tes bottes. Je vais te chercher une bière.

— Je ne t'ai pas invité à prendre une bière ni à bavarder.

Elle eut honte d'exprimer sa mauvaise humeur alors qu'il venait de faire disparaître ses douleurs et tensions. Et la honte ne fit qu'accroître sa mauvaise humeur.

Il inclina la tête, l'air visiblement patient et compatissant. Cette fois, elle eut envie de le frapper.

D'un autre côté, elle avait envie de poser la tête sur son épaule et de respirer.

— Tu n'as pas mangé, j'imagine ?

— Je viens de rentrer.

— Assieds-toi.

Il se rendit à la cuisine – si réduite soit-elle. Son réchaud à deux feux, le réfrigérateur encastré, l'évier ridicule, et le comptoir calé dans l'angle de son salon, et qui suffisait à ses besoins.

Elle marmonna quelques jurons, mais s'assit et enleva ses bottes tout en le regardant, les yeux plissés, fouiner dans la pièce.

— Tu cherches quoi là-dedans ?

— La pizza surgelée que tu as toujours en réserve, ça sera plus rapide, et j'en prendrai aussi car je n'ai pas dîné moi non plus.

186

Il ôta l'emballage, la mit à cuire. Et contrairement à sa mère, il n'oublia pas de régler la minuterie. Il sortit deux bouteilles de Harp du réfrigérateur, les ouvrit d'un geste sec et revint d'un pas tranquille.

Il lui tendit une bière, s'assit à côté d'elle, posa les pieds sur la table basse, comme s'il était chez lui.

— Commençons par la fin. Ta mère. Un incendie dans la cuisine, c'est ça ?

— Tu parles ! Elle a fait brûler un rôti d'agneau et à en croire sa réaction, on aurait cru qu'un sinistre avait rasé le village.

— Ta mère n'a jamais aimé cuisiner.

Meara éclata d'un rire grinçant, prit une gorgée de bière.

— Ce n'est pas un cordon-bleu, c'est sûr. Je ne comprends pas ce qui lui est passé par la tête quand elle a décidé d'inviter Donal et sa copine à dîner. Par sens des conventions, ajouta-t-elle aussitôt. Dans son monde, ça se passe comme ça et elle met un point d'honneur à tout faire dans les règles. Elle est entourée de pièces de porcelaine de Belleek et de Royal Tara et de Waterford, et elle a pendu des rideaux en dentelle irlandaise aux fenêtres. Et je te jure qu'elle se met sur son trente et un pour jardiner ou aller faire des courses. On dirait qu'elle va déjeuner dans un cinq-étoiles. Pas un cheveu qui dépasse, et son rouge à lèvres ne coule jamais. Mais elle est incapable de faire bouillir une pomme de terre sans provoquer une catastrophe.

Quand elle se tut et but, il lui tapota la cuisse sans faire de commentaires.

— Elle vit dans une maison en location à peine plus grande que l'abri de jardin de la propriété dans laquelle elle vivait avec mon père, elle verrouille toutes les portes comme si elle habitait un coffre-fort à protéger contre des hordes de cambrioleurs et de bandits qui l'épient, dans son imagination

– mais elle ne pense pas à ouvrir une maudite fenêtre quand la fumée envahit sa maison.

— Elle t'a appelée à l'aide.

— Moi, évidemment. Elle ne pouvait pas se permettre d'appeler Donal, puisqu'il était au travail, et que moi, je m'amuse avec les chevaux, bien sûr.

Elle soupira.

— Elle ne voit pas les choses ainsi, je le sais, mais c'est l'impression que ça me donne. Elle n'a jamais travaillé. Quand elle a épousé mon père, elle était toute jeune, et il l'a prise sous son aile, lui a donné une ravissante maison avec des domestiques à son service, lui a offert une vie luxueuse. Elle n'avait plus qu'à être un joli bibelot et à élever ses enfants – et recevoir, bien entendu, mais ça fait partie du rôle d'un bibelot. Et il y avait Mme Hannigan qui cuisinait et les domestiques qui se chargeaient de tout le reste.

Submergée par une nouvelle vague de fatigue, elle baissa la tête.

— Et puis tout s'est effondré autour d'elle. Ce n'est pas étonnant qu'elle ne soit pas douée pour gérer le quotidien.

— Tout s'est effondré autour de toi aussi.

— Je l'ai vécu différemment. J'étais encore en âge de m'adapter et je n'ai pas ressenti de honte comme elle. J'avais Branna et toi et Boyle et Fin. Elle l'aimait. Elle aimait Joseph Quinn.

— Pas toi, Meara ?

— L'amour meurt parfois. (Elle but une autre gorgée de bière.) Pas le sien. Elle a toujours sa photo dans un cadre en argent dans sa chambre. J'ai envie de hurler « putain de merde » chaque fois que je la vois. Il n'est jamais revenu, et d'ailleurs quelle raison aurait-elle eu de lui ouvrir les bras s'il était revenu ? Bah, elle l'aurait quand même fait !

— Ce n'est pas ton cœur mais le sien.

— Le sien s'accroche à une illusion, pas à la réalité. Cela dit, tu as raison. Il s'agit d'elle, pas de moi.

Elle cala sa tête contre le dossier, ferma les yeux.

— Tu l'as aidée à tout remettre en ordre ?

— J'ai nettoyé le fouillis – elle avait inondé le sol de la cuisine d'eau et de pommes de terre – et je me réjouis qu'elle ait oublié d'allumer le gaz sous la marmite, ça a évité d'avoir une deuxième catastrophe à régler. Elle doit être en train de dîner au Ryan's Hotel avec Donal et sa copine à l'heure qu'il est.

Il massa la cuisse de Meara d'un geste apaisant.

— À tes frais.

— L'argent est le dernier de mes soucis. J'ai téléphoné à Maureen et j'ai vidé mon sac. C'est son tour, merde alors. Mary Clare habite trop loin. Mais de chez Maureen, Ma pourrait aller voir Mary Clare et ses enfants aussi facilement qu'elle reviendrait ici de temps en temps. Et mon frère… Sa femme est super, mais ce serait plus simple pour Ma de vivre avec sa propre fille plutôt qu'avec la femme de son fils, à mon avis. En plus, Maureen a une chambre d'amis et son mari est une crème.

— Que veut ta mère ?

— Elle veut que mon père revienne, retrouver sa vie d'avant, mais comme ça n'arrivera pas, elle se contentera de la compagnie des enfants. Elle est chouette avec les enfants, elle les aime, fait preuve d'une patience infinie avec eux. Au bout du compte, Maureen est tombée d'accord avec moi, au moins pour essayer. Je crois – je jure que c'est la vérité – je crois que ce sera bien pour nous tous. Elle sera heureuse là-bas, dans une maison plus grande et plus neuve, loin d'ici où il y a trop de souvenirs de sa vie passée.

— Je pense que tu as tout à fait raison, si toutefois mon avis compte.

Elle soupira, but.

— Ton avis compte, évidemment. Elle n'est pas du genre à bien vivre la solitude. Donal a besoin de s'installer en couple. J'ai besoin de mener ma vie. Maureen est la solution, et ça ne peut que lui être utile de pouvoir confier ses enfants à sa mère quand elle voudra sortir ou vaquer à ses occupations.

— C'est une excellente idée, pour tout le monde. (Il lui tapota la main, se leva quand la minuterie sonna.) Et maintenant, c'est l'heure de la pizza pour tout le monde. Pendant qu'on mange, tu vas me raconter ce qui s'est passé avec Cabhan.

Ce n'était pas la soirée qu'elle avait prévue, mais elle se surprit à se détendre, malgré tout. La pizza, mangée sur le canapé, lui remplit l'estomac même si elle n'avait pas conscience d'avoir faim avant de croquer la première bouchée. Et la deuxième bière fut rapidement vidée.

— Comme je l'ai raconté à Branna, ça s'est passé en douceur, comme dans un rêve. Maintenant, je comprends ce qu'Iona voulait dire quand ça lui est arrivé l'hiver dernier. J'avais un peu la sensation de flotter, de ne pas habiter pleinement mon corps. Le froid, murmura-t-elle. J'avais oublié ça.

— Le froid ?

— Avant, juste avant. Le froid est tombé d'un coup. J'ai même sorti mes gants de ma poche. Et le vent s'est mis à souffler plus fort. La lumière a changé aussi. La matinée était dégagée, comme la météo l'avait annoncé, mais le ciel est devenu gris et maussade. Des nuages cachent le soleil, me suis-je dit, mais…

Elle se replongea dans ce souvenir, l'esprit clair, pour tenter de tout revoir comme sur le moment.

— Des ombres. Il y avait des ombres. Comment pourrait-il y avoir des ombres sans soleil ? J'avais oublié ça, je ne l'ai pas dit à Branna. Je n'avais pas encore retrouvé toute ma tête, j'imagine.

— Pas grave. Tu me le dis maintenant, ça suffit.

— Les ombres bougeaient avec moi, et je sentais leur chaleur – mais ce n'était pas réel, Connor. J'étais gelée, mais j'ai *cru* que j'avais chaud. Est-ce que ça a un sens ?

— Si tu veux savoir si je comprends, la réponse est oui. Sa magie est aussi froide qu'elle est noire. La chaleur était une ruse destinée à tromper ton esprit, tout comme le désir.

— Le reste, c'est comme je te l'ai raconté. Lui appelant mon nom, et moi plantée là, prête à écarter la vigne vierge de mes mains, poussée par l'envie d'entrer, si forte, par l'envie de répondre à l'appel de mon nom. Et Roibeard et Kathel ont volé à mon secours.

— Si jamais tu as l'idée d'aller à pied des écuries au cottage, ou quand tu conduiras les clients en promenade, reste à l'écart de cette zone autant que possible.

— Je ne m'en approcherai pas, évidemment. Je suis allée dans ce coin par habitude, mais les habitudes, ça se change. Branna m'a réalisé un talisman, de toute façon. Iona aussi, et Fin m'en a encore donné un autre.

Connor plongea la main dans sa poche, en sortit une petite pochette.

— Et moi aussi.

— Si ça continue, je vais avoir les poches pleines de pochettes magiques.

— Garde-les précieusement. Places-en une près de ta porte, ici, une dans ta camionnette, et une autre près de ton lit – le sommeil rend vulnérable. Et tu en gardes une dans ta poche. (Il plaça la pochette dans sa main, referma ses doigts autour.) En permanence, Meara.

— Très bien. Excellent programme.

— Et porte ça sur toi.

De sa poche, il extirpa un long lacet de cuir orné de perles polies.

— C'est joli. Pourquoi dois-je le porter ?

— Quand je l'ai fabriqué, je ne devais pas avoir plus de seize ans. C'est de la calcédoine bleue, du jaspe et du jade. La calcédoine est une bonne protection contre la magie noire, et le jade aide à se préserver des attaques psychiques – du genre de celle que tu viens de vivre. Le jaspe est globalement une pierre protectrice. Porte ce collier, tu veux ?

— D'accord. (Elle passa le bijou par-dessus sa tête.) Je te le rendrai quand tout sera fini. C'est très bien fait, ajouta-t-elle en l'examinant avec attention. Mais tu as toujours été habile de tes mains.

À peine eut-elle prononcé ces mots qu'elle s'en mordit les doigts.

— Voilà, tu sais tout des hauts et des bas de ma journée, et je te remercie pour la pizza – même si elle sortait de mon congélateur.

Elle se leva pour rassembler la vaisselle. Il posa la main sur son bras, l'attirant délicatement vers lui.

— Nous n'avons pas encore fait le tour de tout. Comme nous avons remonté le temps, nous devrions terminer par hier soir.

— Je t'ai déjà dit qu'il n'y avait rien à expliquer.

— Ce que tu m'as dit, ce sont des foutaises.

Le ton léger, presque joyeux, de sa voix lui donna envie de le couvrir d'insultes, mais elle préféra répondre d'une manière volontairement neutre.

— J'ai eu mon compte d'émotions fortes pour aujourd'hui, Connor.

— C'est sûr que nous ferions aussi bien de tout reprendre à zéro mais d'aller jusqu'au bout cette fois. Nous sommes amis, après tout, non ?

— Exactement, c'est là où je voulais en venir.

— Ce n'était pas un baiser d'amie, même pas d'une amie émue et bouleversée, que tu m'as donné. Ce n'était pas non plus un baiser amical que je t'ai rendu, une fois la surprise passée.

Elle haussa les épaules, pour montrer à quel point c'était insignifiant à ses yeux – et intima aux papillons de se calmer dans son ventre. À croire qu'elle avait englouti une nuée de papillons au lieu d'une demi-pizza surgelée.

— Si j'avais su qu'un simple baiser te ferait autant d'effet, je ne t'aurais pas embrassé.

— Seul un homme mort depuis six mois serait resté de marbre pendant un tel baiser. Et je suis prêt à parier que ça lui ferait quand même de l'effet.

— Ça veut juste dire que j'embrasse bien.

Il sourit.

— Je n'ai pas l'intention de discuter de tes talents. Je dis simplement que ce n'était pas un échange entre amis ni un élan de détresse. Pas uniquement.

— Très bien, c'est peut-être de la curiosité mal placée aussi. Ce n'est pas étonnant, si ? Nous sommes adultes, nous sommes des êtres humains, et nous vivons des choses extrêmement étranges. Nous nous sommes égarés, avec enthousiasme, mais ça s'arrête là.

Il hocha la tête, comme s'il réfléchissait à son point de vue.

— Je n'ai toujours pas l'intention de te contredire, sauf sur un détail.

— Lequel ?

Alors qu'il était affalé dans le canapé, il bougea si rapidement qu'elle n'eut pas le temps d'anticiper ses gestes. Il la cueillit dans ses bras, la fit pivoter et pressa sa bouche contre la sienne.

Leurs corps s'enchevêtrèrent dans un élan de passion d'une sensualité irrésistible. Une petite voix lui ordonnait de lui asséner un coup de poing pour lui remettre les idées en place, mais pour l'essentiel, elle était trop occupée à savourer son élan.

Ensuite, quand il tira sur sa tresse de manière affectueuse, leurs lèvres se séparèrent sans que leurs visages s'éloignent. Ils étaient si proches l'un de l'autre que ses yeux, aussi familiers que les siens, se teintèrent de reflets profonds et sombres, parsemés d'éclats dorés.

— Celui-là.

— C'est juste…

Cette fois, elle se rapprocha de lui, incapable de résister, et sentit son cœur battre la chamade contre le sien.

— Physique.

— Vraiment ?

— Vraiment.

Elle se força à s'écarter de lui, à se lever – *C'est plus sûr*, se dit-elle, *si je mets une certaine distance entre nous*.

— Surtout, Connor, nous devons réfléchir, tous les deux, réfléchir. Nous sommes amis, depuis toujours. Et maintenant que nous faisons partie d'un cercle, nous ne pouvons pas prendre de risque.

— Quel risque ?

— Celui de coucher ensemble.

— Quelle merveilleuse idée ! Je suis pour.

Secouant la tête, elle ne put qu'en rire.

— Tu serais pour le faire toutes les heures. Mais il s'agit de toi et de moi, et qu'adviendra-t-il s'il y a des complications entre nous, des tensions, comme ça arrive parfois dans ce genre de situation, comme ça arrive *toujours* lorsque le sexe change la donne ?

— Bien fait, le sexe aide à relâcher les tensions.

— Quelques légères tensions. (Bien que dans l'immédiat, avec lui, le désir en engendrât de multiples.) Mais nous risquons d'en provoquer d'autres – pour l'un comme pour l'autre, pour les autres alors que nous ne pourrons plus nous le permettre. C'est essentiel que nous restions concentrés sur ce que nous nous préparons à accomplir, sans laisser nos problèmes personnels perturber notre tâche.

Aussi détendu qu'à l'accoutumée, il prit sa bière pour la vider.

— Tu réfléchis trop, toujours à penser à la suite sans t'accorder un moment de plaisir.

— Les moments passent et s'enchaînent.

— Exactement. Alors si tu n'en profites pas avant que le moment soit passé, à quoi ça rime ?

— Le but est de voir clair, d'être paré pour affronter le suivant, et puis encore le suivant. Et nous devons prendre tout ça en compte, et même soigneusement. Nous ne pouvons pas nous permettre de nous sauter dessus juste parce que ça nous démange. Je tiens trop à toi et à tous les autres pour tout risquer.

— Quoi que tu fasses, rien n'ébranlera jamais mon amitié pour toi. Même si tu dis non ce soir alors que j'ai envie que tu dises oui au point que… enfin, plus que je ne le souhaiterais.

Il se leva à son tour.

— Réfléchissons chacun de notre côté, laissons passer un peu de temps et nous verrons bien.

— C'est mieux, tu ne crois pas ? Il est simplement question de prendre notre temps, de garder la tête froide, d'y voir plus clair afin d'éviter d'agir sous le coup d'une impulsion et de le regretter par la suite. Nous sommes assez intelligents et pondérés pour cela.

— Dans ce cas, on fait comme ça.

Il proposa une poignée de main pour conclure le marché. Meara l'accepta.

Puis ils restèrent à se faire face, et au lieu de s'écarter l'un de l'autre, ils se rapprochèrent et s'abandonnèrent.

— Et puis zut ! Nous n'allons pas du tout réfléchir, on dirait ?

Il se contenta de sourire de toutes ses dents.

— Pas ce soir.

Ils bondirent l'un sur l'autre.

10

Il bataillait rarement, mais là, c'était tellement… explosif qu'il perdit la cadence et le style qui le caractérisaient d'ordinaire. Il s'agrippa à ce qu'il put, saisit tout ce qui lui passait sous la main. Et elle était si impressionnante, sa grande amie aux courbes généreuses.

Il lui arracha quasiment sa chemise tant il avait faim d'elle.

Impossible de s'arrêter désormais, pour l'un comme pour l'autre, en cet instant dominé par les besoins impérieux et l'urgence qui avaient chassé toute prudence et toute pensée rationnelle. Seul l'instant présent comptait, et la suite devrait attendre.

Cette nouvelle faim d'elle, si vive, exigeait d'être rassasiée.

Mais pas debout dans son salon ou en se roulant par terre, se dit-il.

Il la souleva dans ses bras.

— Ouh là, n'essaie pas de me porter, tu vas te casser le dos.

— Mon dos est assez fort.

Il tourna la tête pour l'embrasser tout en se dirigeant vers la chambre.

Dingues, se dit-elle. Ils étaient tous les deux devenus complètement fous. Et elle s'en fichait complètement. Il la porta, et bien que son – leur – élan fût un peu trop hâtif, c'était très romantique.

S'il trébuchait, eh bien, ils concluraient là où ils atterriraient.

Mais il ne trébucha pas. Il tomba sur le lit tout en la déposant, faisant grincer les vieux ressorts peu habitués à recevoir un tel poids, faisant s'enfoncer le matelas dans un couinement lorsqu'ils se nichèrent au creux du duvet.

Ses mains, des mains magiques qui ne la quittaient pas, si belles.

Des siennes, elle tira et enleva plusieurs épaisseurs de vêtements jusqu'à ce que, enfin, elle puisse toucher sa peau.

Elle roula avec lui, tandis qu'il s'efforçait d'écarter toutes les barrières de tissu pour se rapprocher d'elle.

— Putains de fringues ! grommela-t-il, ce qui la fit éclater de rire pendant qu'elle se débattait avec la boucle de sa ceinture.

— Ça nous apprendra à travailler en extérieur.

— Heureusement que l'effeuillage en vaut la chandelle. Ah, vous voilà, murmura-t-il en prenant ses seins nus en coupe.

Fermes, délicats et généreux. Beaux, pleins au point qu'il se sente l'inspiration d'écrire une ode à la gloire de la poitrine de Meara Quinn. Mais pour l'instant, il désirait surtout les palper, les découvrir avec sa bouche. Sentir les battements de son cœur s'emballer pour s'élancer au grand galop quand il les effleura de ses doigts, de ses lèvres, de sa langue.

Tout ce qui manquait, c'était…

Il alluma une lampe qui diffusa une lumière aussi dorée et douce que sa peau. Quand leurs regards se croisèrent, il sourit.

— Je veux te voir, belle Meara. Tes yeux de Gitane, ton corps de déesse.

Il la caressait tout en parlant. Il n'avait plus besoin de chercher à s'agripper à ce qu'il pouvait, désormais ; il avait fini par trouver son rythme. Pourquoi hâter un moment de plaisir aussi intense alors qu'il pouvait prendre tout son temps ? Savourer ses seins pendant des décennies. Et ses lèvres, tendres et sensuelles, aussi avides que les siennes. Et ses épaules, fortes, massives. La base étonnamment lisse de sa nuque. Son point sensible, juste sous la mâchoire, qui frissonnait dès qu'il y déposait un baiser.

Il aimait toutes ses réactions – un tremblement, un souffle brisé, un gémissent rauque – au fur et à mesure qu'il apprenait à connaître son corps adorable, centimètre par centimètre.

Dehors, un ivrogne cria quelques politesses inaudibles, suivies d'un éclat de rire débridé.

Mais ici, dans le lit douillet, il n'y avait que des soupirs, des murmures et le discret grincement des ressorts sous eux.

Il avait pris les rênes, s'aperçut-elle. Elle se demandait comment c'était arrivé puisqu'elle ne les avait jamais cédées à personne avant lui. Toutefois, à un moment ou à un autre, entre la précipitation et la patience, elle les lui avait abandonnées.

Ses mains se promenaient sur elle comme s'il avait des siècles devant lui pour la caresser, la choyer, s'attarder sur sa peau. Elle eut la sensation qu'elles allumaient des feux sur leur passage, jusqu'à ce que son corps paraisse chatoyer sous la chaleur, rayonner de l'intérieur comme la lumière qu'il avait conjurée.

Elle aimait le contact de sa peau, explorer toute la longueur de son dos, ses hanches étroites, ses paumes endurcies par le travail manuel. Il sentait les bois, un parfum de terre et de liberté, et le goût de ses lèvres, de sa peau, était identique.

Son arôme était celui de sa terre natale.

Il la caressa là où elle se languissait d'être touchée, porta ses lèvres là où elle ne désirait que sa bouche. Et il découvrit d'autres lieux secrets qui, à son insu, réclamaient de l'attention. L'intérieur de son coude, l'arrière de son genou, de son poignet. Il lui murmurait des mots tendres qui l'atteignaient en plein cœur. Une autre lumière à faire étinceler.

Il parut savoir quand l'étincelle se mit à pulser, quand les pulsations redoublèrent pour devenir impérieuses. Alors il répondit à ses besoins en intensifiant le plaisir qu'elle prenait avant de la délivrer sur le seuil de l'orgasme.

Vulnérable, étourdie par les afflux émotionnels, elle resta accrochée à lui jusqu'à se ressaisir.

— Un instant. Donne-moi un peu de temps.

— C'est maintenant, dit-il. C'est le moment.

Il la pénétra. Et s'empara de sa bouche tout en s'enfonçant en elle, profondément, lentement.

C'est le moment, pensa-t-il de nouveau. Puisqu'elle était ouverte à lui. Chaude et humide, elle était prête à l'accueillir.

Son gémissement lui souhaita la bienvenue ; ses bras resserrés autour de lui comme des cordes.

Elle souleva le bassin pour aller à sa rencontre, ses longues jambes enroulées autour de lui. Ondula à son rythme comme s'ils s'étaient déjà unis des centaines de fois. Dans la lueur qu'il avait créée, dans l'éclat qui émanait de leur union, il l'observa.

Dubheasa. Beauté brune.

Il la regarda jusqu'à être submergé par un plaisir aussi profond que ses yeux. Baignant dans l'obscurité de la chambre et la lumière de leur union, il succomba comme elle s'était abandonnée. Et il accepta de la suivre.

Allongée, elle savourait l'instant. Elle s'était attendue à une partie de jambes en l'air brutale, à quelques galipettes – une fois qu'elle avait admis l'idée de coucher avec Connor. Au lieu de ça, il l'avait… dorlotée, lui avait donné du plaisir, l'avait même séduite, avec une douceur infinie.

Non pas qu'elle s'en plaignît.

Elle se sentait détendue, calme et faible, mais de la plus adorable des manières.

Si elle l'avait imaginé doué – il ne manquait pas d'entraînement –, rien ne laissait présager un moment aussi bigrement renversant.

Elle avait toutes les raisons de soupirer de satisfaction, les mains sur ses superbes fesses.

Et tout en soupirant, elle se dit qu'elle n'avait eu aucune chance d'être à la hauteur. Prise de court, elle n'avait pas fait de son mieux – pour ainsi dire.

Était-ce pour cette raison qu'il était allongé sur elle, lourd comme un âne mort ?

Elle bougea la main, cherchant ce qu'elle devait dire ou faire.

Il remua.

— Je suppose que tu préfères que je m'étende à côté ?

— Euh… d'accord.

Il roula sur lui-même, s'affala sur le dos. Comme il ne disait rien, elle s'éclaircit la voix.

— Et maintenant ?

— Je me disais, répondit-il, qu'une fois que nous aurons repris notre souffle nous pourrions recommencer.

— Je peux faire mieux.

— Mieux que quoi ?

— Que ce que je viens de faire. Tu m'as déstabilisée.

Son doigt remonta paresseusement le long de son torse.

— Si tu avais fait mieux, il me faudrait des semaines pour récupérer.

S'interrogeant sur le sens de son commentaire, elle se redressa juste assez pour distinguer son visage. Sachant reconnaître un mâle satisfait quand elle en voyait un, elle put se détendre.

— Ça veut dire que ça t'a plu.

Battant des paupières, il la regarda dans les yeux.

— Je me demande ce que je dois répondre. Si je dis la vérité, tu risques de rétorquer : « Si ça t'a plu à ce point, ça suffira pour ce soir. » Et j'ai envie de recommencer avant d'avoir récupéré.

Il glissa un bras sous elle, l'attira vers lui, si près qu'ils se retrouvèrent nez à nez.

— Et à toi, ça t'a plu ?

— Je me demande ce que je dois répondre, dit-elle, ce qui le fit sourire.

— Ça me manquait de te voir nue.

— Tu ne m'avais jamais vue nue avant ce soir.

— Tu as l'air d'avoir oublié la nuit où toi, moi, Branna, Boyle et Fin sommes sortis en douce pour aller nager dans la rivière ?

— Nous n'avons jamais… Ah, ça ! (Rassurée, elle enroula ses jambes autour des siennes.) Je devais avoir neuf ans, tout au plus, espèce d'idiot !

— Tu étais quand même nue. Je dirais que tu as bien grandi, en effet, et aussi développé de belles formes. (Sa main effleura son dos, ses fesses et s'y immobilisa.) Très, très belles, même.

— Et toi, si j'ai bonne mémoire, tu étais maigre comme un coucou. Tu as bien grandi, toi aussi. On s'est bien amusés, cette nuit-là, se rappela-t-elle. On s'est caillé les miches, tous autant que nous étions, mais c'était génial. Nous étions

202

tous innocents, sans aucun souci. Mais il nous observait déjà, à l'époque.

— Non. (Connor posa le doigt sur ses lèvres.) Ne parle pas de lui, pas ce soir.

— Tu as raison. (Elle passa la main dans la chevelure de Connor.) À ton avis, il y a beaucoup de gens qui vivent leur première fois en ayant autant de vieux souvenirs en commun ?

— Très peu, j'imagine.

— Nous ne pouvons pas le perdre, Connor. Nous ne pouvons pas perdre ce que nous représentons l'un pour l'autre, pour Branna, pour tous. Nous devons prêter serment. Nous ne perdrons pas une once de l'amitié que nous partageons depuis toujours, quoi qu'il arrive.

— Dans ce cas, je vais t'en faire la promesse et tu me la feras en retour. (Il prit sa main, entrelaça leurs doigts.) Un serment sacré, que rien ne saurait rompre. Amis nous avons toujours été et nous serons toujours.

Elle vit la lumière rougeoyer entre leurs mains jointes, sentit la chaleur en irradier.

— Je t'en fais la promesse.

— Je t'en fais également la promesse. (Il embrassa ses doigts, sa joue, et enfin sa bouche.) Il y a autre chose que je dois te dire.

— Quoi donc ?

— J'ai repris mon souffle.

Elle pouffa de rire, et il revint s'allonger sur elle.

Elle avait déjà pris le petit déjeuner avec Connor en d'autres circonstances. Un nombre incalculable de fois. Mais jamais à sa petite table, chez elle – et jamais après avoir pris sa douche avec lui.

Il pouvait s'estimer chanceux, se dit-elle, qu'elle ait ramené quelques délicieux croissants en allant acheter le dessert pour sa mère.

Pour les accompagner, elle prépara ses habituels flocons d'avoine, pendant qu'il se chargeait du thé, puisqu'elle n'avait de café sous aucune forme dans ses placards.

— Nous avons prévu de nous réunir ce soir, lui rappela-t-il avant de mordre dans un croissant. Mmm… délicieux.

— Oui, j'évite de passer devant cette pâtisserie, sinon je prends une douzaine de tout ce qu'il y a dans la vitrine. Je me rendrai au cottage directement du centre équestre, précisa-t-elle. J'aiderai Branna à cuisiner si je peux. C'est bien que nous nous réunissions aussi régulièrement maintenant, même si je ne suis pas sûre que l'un de nous ait un soudain trait de génie et sache nous dire quoi faire précisément et quand agir.

— Eh bien, nous réfléchissons, ensemble, alors on va finir par trouver une bonne idée.

Il y croyait, et les croissants ne faisaient que stimuler son optimisme.

— Je pourrais te déposer au centre équestre en chemin et passer te chercher quand nous aurons tous deux terminé notre journée de travail, non ? Ça te fera économiser de l'essence, et ça me semble inutile que nous prenions chacun notre camionnette.

— Oui mais du coup, ça t'oblige à me raccompagner chez moi ce soir.

— C'est le côté rusé de mon plan. (Il souleva sa tasse de thé comme pour trinquer à sa propre santé.) Ce soir, je te raccompagne chez toi et je reste dormir ici, si ça ne te dérange pas. Sinon, tu peux aussi rester dormir au cottage.

Elle but son thé, qu'il avait tant laissé infuser qu'il aurait eu la force de casser de la pierre.

— Que va en penser Branna ?

— Nous le saurons bientôt. Nous ne lui cacherions pas, ni toi ni moi, même si nous le pouvions. Et d'ailleurs, nous ne le pouvons pas, ajouta-t-il en haussant les épaules avec détachement, puisqu'elle saura bien vite.

— Il est nécessaire que tout le monde soit mis au courant. (*Aucun intérêt*, se dit Meara, *à faire des mystères*.) Pas seulement parce que nous sommes amis et que nous formons une famille, mais parce que nous sommes un cercle. Ces liens qui nous unissent… c'est bien ça, le cercle, non ?

Il scruta son visage pendant qu'elle repoussait ses flocons d'avoine vers les bords de son bol.

— Tu ne devrais pas t'inquiéter, Meara. Nous avons le droit de sortir ensemble tant que c'est notre désir. Parmi tous ceux qui tiennent à nous, personne n'irait s'imaginer le contraire.

— C'est exact. Mais en ce qui concerne mon autre famille, celle de mon sang, j'aime autant attendre avant de la mettre au parfum.

— Comme tu veux.

— Ne va pas croire que j'aie honte, Connor. Ne va pas te mettre ça en tête.

— Ce n'est pas ce que j'avais compris. (Les sourcils arqués, il prit une cuillerée de flocons d'avoine dans son bol pour la porter à la bouche de Meara.) Je te connais, tu ne crois pas ? Et, te connaissant, pourquoi irais-je penser une chose pareille ?

— C'est l'avantage, entre nous. Ma mère en ferait tout un plat, elle commencerait à t'inviter à dîner. Je n'aurais pas la force d'essuyer une autre catastrophe domestique aussitôt après la première. Et ma banque rejetterait une seconde addition du Ryan's Hotel. De toute façon, ma mère va bientôt partir chez Maureen. À moins que cela n'annonce un second désastre, ce sera un changement d'adresse définitif.

— Elle va te manquer.

— J'aimerais en avoir l'occasion.

Elle expira longuement, mais mangea un peu de flocons d'avoine avant qu'il se remette en tête de lui donner la becquée.

— Ça paraît peut-être méchant, mais c'est la vérité pure et simple. Je pense que nous nous entendrions mieux à distance. Et…

— Et ?

— J'ai eu un déclic, hier, pendant que je me précipitais chez elle, sans savoir ce que j'allais trouver. Tout à coup, je me suis dit : « Et si Cabhan s'en était pris à elle, comme il s'en est pris à moi ? » C'était absurde, il n'aurait aucune raison de faire ça, il n'a jamais rien fait de tel. Mais j'ai repensé à toi qui te sens plus tranquille depuis que tes parents vivent loin d'ici. Je me sentirais mieux si ma mère déménageait. Le reste est entre nos mains.

— Et nous allons nous en occuper.

Il la déposa devant les écuries, puis fit demi-tour pour aller chez lui changer sa tenue de travail de la veille.

Branna était déjà levée – pas encore habillée, mais elle prenait son café avec, une fois de plus, le livre de sortilèges de Sorcha ouvert devant elle.

— Tiens, bonjour, Connor.

— Bonjour à toi, Branna.

Elle l'observa par-dessus le rebord de sa tasse.

— Comment se porte notre Meara en cette belle matinée ?

— Elle va bien. Je viens de la déposer au centre équestre, mais je voulais me changer avant d'aller travailler. Et j'avais envie de voir comment tu te portais, toi aussi.

206

— En pleine forme, bien que je puisse affirmer que tu as encore meilleure mine que moi. Je dois en conclure que tu as déjà pris ton petit déjeuner ?

— Exact. (Mais les grosses pommes vertes brillantes qu'elle avait placées dans une corbeille lui faisaient de l'œil, si bien qu'il en prit une.) Ça t'ennuie, Branna ? Meara et moi ?

— Pourquoi veux-tu que ça m'ennuie ? Je vous aime tous les deux, et je vous ai vus vous tourner autour à petits pas, soigneusement, pendant des années, avant d'en arriver à ce qui s'est passé cette nuit, si mes fines déductions sont bonnes.

— Je n'avais jamais pensé à elle de cette façon avant... avant.

— Tu y avais pensé mais c'est une idée que tu ne t'autorisais pas, ce qui est tout à fait différent. Jamais tu ne lui ferais de mal.

— Jamais, à l'évidence !

— Et elle n'a jamais eu l'intention de te nuire. (Ce qui, se dit Branna, était tout à fait différent.) Le sexe, c'est puissant, et je pense que cela ne fera qu'accroître la force et le pouvoir du cercle.

— Apparemment, nous aurions dû coucher ensemble plus tôt.

Elle rit.

— Il fallait que vous soyez tous deux prêts et que le désir vous vienne. Coucher ensemble seulement pour gagner en pouvoir ? C'est un acte égoïste et qui finit par faire des dégâts.

— Je peux t'assurer que nous étions prêts et débordants de désir. (Il mordit dans la pomme, aussi acide et croquante qu'elle en avait l'air.) Et je ne m'aperçois que maintenant que je t'ai laissée seule cette nuit.

— Ne sois pas insultant, se récria Branna. Je suis tout à fait capable de m'occuper de moi et de notre maison, comme tu le sais.

— Je le sais, en effet. (Il saisit la cafetière pour remplir la tasse de sa sœur.) Pourtant je n'aime pas te laisser seule.

— J'ai appris à tolérer une maison pleine de monde, et même à l'apprécier. Mais comme tu me connais, tu sais que je prise aussi la solitude et le calme.

— Étant donné que l'on pourrait inverser les verbes *priser* et *tolérer* pour parler de moi, par moments, je trouve stupéfiant que nous ayons les mêmes parents.

— C'est peut-être que tu as été déposé sur le seuil de la porte et adopté par pitié. Mais j'avoue que c'est assez commode de t'avoir sous la main quand un robinet fuit ou qu'une porte grince.

Il lui tira les cheveux, croqua dans sa pomme.

— Malgré tout, tu ne peux pas nous demander trop souvent de t'offrir la solitude et le calme tant que tout n'est pas terminé.

— Bien entendu, je ne vous demanderai rien de tel. J'ai prévu de préparer un bœuf bourguignon pour la tribu, ce soir.

Il arqua les sourcils.

— C'est chic.

— Je suis de cette humeur-là, et je veillerai à ce que quelqu'un apporte un bon vin rouge, en quantité.

— Ça, je m'en charge. (Il jeta le trognon de pomme dans le seau à compost et alla lui planter un baiser sur le dessus de la tête.) Je t'aime, Branna.

— Je le sais. Va vite te changer si tu ne veux pas arriver en retard au travail.

Une fois qu'il eut quitté la pièce, elle s'assit, le regard perdu au-dehors. Elle désirait son bonheur, plus qu'elle-même n'avait jamais voulu être heureuse. Néanmoins, savoir qu'il

208

était bien parti pour découvrir quelque chose qu'elle ignorait encore la plongeait dans un abîme de solitude.

Sentant son humeur, Kathel se leva de sous la table, posa sa tête sur ses genoux. Elle resta là, à caresser le chien, et reprit son étude du livre des sortilèges.

Iona entra dans la sellerie, où Meara préparait l'équipement nécessaire à sa première balade guidée du matin.

— Il est temps de faire un sacré rangement là-dedans ! lança gaiement Meara. Je vais emmener un groupe de quatre, deux frères et leurs épouses sont venus à Ashford pour un grand mariage familial qui a lieu ce week-end. Leur nièce se marie à l'abbaye de Ballintubber, où tu vas épouser Boyle au printemps. Ils reviendront ensuite à Ashford pour la réception.

— Tu as couché avec Connor.

Meara leva les yeux et, battant exagérément des paupières, entreprit de se tâter le ventre et le dos.

— J'ai un panneau accroché quelque part ?

— Tu as souri toute la matinée, et chanté.

— Je suis connue pour sourire et chanter sans avoir besoin de sexe.

— Tu ne chantes pas en permanence quand tu ramasses les crottins à la pelle. Et tu as l'air très, *très* détendue, ce qui ne serait pas le cas si tu n'avais pas couché avec un homme, après ta journée d'hier. Puisque tu as embrassé Connor, tu as couché avec lui.

— Il paraît qu'il y a des gens qui s'embrassent et ne couchent jamais ensemble. Au fait, tu n'as pas une leçon à donner dans le manège ?

— J'ai cinq minutes devant moi, et c'est la première fois que j'arrive à te prendre à part. À moins que tu ne veuilles que ça parvienne aux oreilles de Boyle. C'était merveilleux, c'était bon, sinon tu n'aurais pas cet air heureux.

— C'était merveilleux et bon, et ce n'est pas un secret. Connor et moi sommes du même avis – puisque nous formons un cercle, et que ce genre de choses peut changer la donne, même si ça ne changera rien en réalité –, tout le monde doit savoir que nos rapports sont devenus intimes. Pour l'instant.

Elle rassembla les rênes, le mors, la selle, la couverture.

— Alors oui, nous sommes ensemble.

— Vous êtes bien assortis. Tu es heureuse, ajouta Iona, réunissant son matériel avant de sortir à la suite de Meara. Puisque vous vous sentez bien ensemble, pourquoi dis-tu « pour l'instant » ?

— Parce que le présent est ce qu'il est, et qui sait de quoi demain sera fait ? Toi et Boyle, vous pouvez vous tourner vers l'avenir – vous êtes ainsi faits. (Elle entra dans la stalle de Maggie, la jument qu'elle avait choisie pour l'une des clientes.) Dans ce domaine, je suis du genre « Un jour après l'autre ».

— Et Connor ?

— Je ne l'ai jamais vu adopter une autre attitude dans aucune situation. Ça, c'est pour Caesar. Laisse-le là, je m'en occuperai plus tard. Ton élève t'attend.

— Dis-moi au moins si c'était romantique ?

— Tu es tellement fleur bleue, Iona ! Mais je peux te dire que ça l'était. Et c'était même inattendu, et très attendrissant. (Pendant un bref instant, Meara posa la joue contre la douce encolure de Maggie.) J'ai pensé, bon, une fois que tout sera clair, ça sera rapidement terminé. Mais… il a fait rayonner la chambre. Et moi avec.

— C'est beau. (Iona serra Meara dans ses bras.) Tout simplement beau. Ça me rend heureuse, moi aussi.

Iona guida Alastar, son beau hongre massif, déjà sellé et qui attendait devant sa stalle, vers l'arène. Elle sourit en entendant Meara se remettre à chanter.

— Elle est amoureuse, murmura Iona à son cheval en frottant son cou puissant. Seulement, elle ne le sait pas encore. (Quand Alastar la poussa du bout du nez, elle rit.) Je sais, elle rayonne encore un peu. Je l'ai remarqué, moi aussi.

Meara fredonnait quand elle mena les chevaux au paddock, enroula les rênes autour de la clôture. Faisant demi-tour pour aller chercher le reste du matériel, elle vit Boyle approcher en guidant Rufus.

— Je te remercie. Comme Iona donne un cours dans le manège, je vais emmener le groupe faire le tour du paddock, et vérifier si chacun est aussi expérimenté qu'il l'affirme avant de partir en promenade.

Elle leva les yeux.

— C'est une belle journée, non ? C'est chouette qu'ils aient réservé une heure pleine.

— Et quelqu'un vient de faire une réservation pour quatre à midi. Ce mariage amène du monde.

— Je peux m'occuper d'eux aussi. (Elle avait suffisamment d'énergie pour chevaucher, nettoyer et soigner les chevaux toute la journée et la moitié de la nuit.) Je dois rattraper les heures que tu m'as si gentiment accordées hier.

— Nous ne nous devons rien ici, dit-il. Mais ça me rendrait service étant donné qu'Iona a deux cavaliers à dix heures et demie, que Mick donne un cours à onze heures, que Patti a pris sa matinée pour aller chez le dentiste et que Deborah a une réservation à treize heures. Toutefois, je peux m'occuper d'eux.

211

— Tu détestes t'occuper des promenades guidées, et moi, ça ne m'ennuie pas du tout.

Elle lui tapota la joue et il la fixa avec insistance.

— Tu es d'humeur guillerette, ce matin.

— Pourquoi serais-je de mauvaise humeur ? demanda-t-elle tandis que quatre personnes se dirigeaient vers les écuries. C'est une belle journée, ma mère va partir quelque temps chez Maureen et il y a de fortes chances pour que ce soit permanent, et j'ai passé une merveilleuse nuit avec Connor.

— C'est bien que ta mère aille chez… Quoi ?

Devant l'air ahuri de Boyle, Meara refréna son envie de glousser.

— J'ai couché avec Connor hier soir, et aussi ce matin.

— Tu…

Sans terminer sa phrase, il enfonça les mains dans ses poches. Sa réaction était tellement typique qu'elle ne put s'empêcher de tapoter sa joue une nouvelle fois.

— J'imagine qu'il est aussi gai que moi ce matin, mais tu peux lui poser la question dès que l'occasion se présentera. Vous devez être les McKinnon, je pense ? lança Meara en allant rejoindre son groupe de la matinée, le sourire aux lèvres.

En peu de temps, elle remplit les formulaires et, tout en ignorant les regards insistants de Boyle, termina d'équiper son groupe qu'elle fit monter en selle.

— Je vois que vous n'êtes pas des débutants, dit-elle après qu'ils furent allés au pas puis au trot autour de l'enclos.

Elle leur ouvrit le portail, monta Queen Bee.

— Vous avez choisi une belle matinée, et il n'y a pas mieux que le cheval pour voir tout ce que vous allez voir. Comment se passe votre séjour à Ashford ? demanda-t-elle en bavardant aimablement alors qu'elle les menait à la sortie du centre équestre.

Elle répondit à leurs questions, les laissa discuter entre eux, tournant la tête de temps à autre pour vérifier qu'ils suivaient et leur faire savoir qu'elle restait disponible en cas de besoin.

C'était très plaisant, se dit-elle, de chevaucher dans les bois, sous ce ciel bleu, les parfums de la terre et de l'automne diffusés par une douce brise. Ces odeurs qui évoquaient Connor la firent sourire de plus belle.

Alors elle le vit, accompagnant un groupe en balade de découverte des rapaces. Il portait une veste de travail, mais pas de casquette, si bien que ses cheveux virevoltaient autour de son visage comme s'ils dansaient au rythme du vent. Il lui décocha un franc sourire tout en plaçant un leurre sur le gant de son client, sous le regard de l'épouse qui se préparait à le prendre en photo.

— Ils sont de votre famille ? demanda Meara à son groupe qui salua celui de Connor.

— Des cousins, du côté de nos maris. (La femme, Deirdre, vint se placer à la hauteur de Meara.) Nous avons envie d'essayer la découverte des rapaces, nous aussi.

— Bonne idée, je vous le conseille. C'est une magnifique expérience, ça vous fera de beaux souvenirs à partager à votre retour.

— Est-ce que tous les fauconniers ressemblent à celui-ci ?

— Oh, c'est Connor, il dirige l'école. Il est assez unique en son genre.

J'ai couché avec lui avant le petit déjeuner, ajouta-t-elle dans sa tête et elle lui rendit son grand sourire tout en poursuivant son chemin.

— Connor, répéta la femme tandis qu'elle laissait Meara la devancer. Jack, nous devrions réserver une sortie de découverte des rapaces.

Dans ces circonstances, Meara ne pouvait pas le lui reprocher.

Elle les mena le long de la rivière, appréciant leur compagnie et la balade. Elle les entraîna au cœur de la végétation, là où les ombres s'épaississaient, puis les fit ressortir sous le ciel bleu.

Alors qu'elle amorçait un demi-tour, elle remarqua le loup.

Juste une ombre parmi les ombres, les pattes plantées dans la brume. Autour de son cou, la pierre luisait comme un œil alors même que sa silhouette paraissait vaciller, comme s'il n'était pas plus consistant que de la buée.

Son cheval trembla sous elle.

— Tout doux, murmura-t-elle, sans quitter le loup des yeux, caressant l'encolure de Queen Bee. Reste calme, que les autres puissent te suivre. Tu es la reine, ne l'oublie pas.

Le loup faisait les cent pas, mais sans se rapprocher.

Le chant des oiseaux s'était tu dans les bois ; les écureuils ne sautaient plus de branche en branche.

Meara saisit le collier offert par Connor sous son pull-over et le tendit de façon que les pierres capturent la lumière.

Derrière elle, le groupe bavardait tranquillement, inconscient du danger.

Quand le loup montra les crocs, Meara porta la main au couteau qu'elle portait à la taille. Elle était prête à combattre s'il osait l'attaquer. À protéger les gens qu'elle guidait, les chevaux, elle-même.

Elle se battrait sans hésiter.

L'épervier fondit sur eux, surgissant du bleu du ciel, du vert des feuillages.

Meara eut à peine le temps de cligner les yeux que l'ombre du loup s'évanouit.

— Regardez, il y a un faucon ! s'écria Deirdre en pointant du doigt la branche sur laquelle était perché l'oiseau, les ailes repliées. Il est perdu ?

— Non, pas du tout. (Meara se calma, afficha un sourire en se tournant vers eux.) C'est Roibeard, l'épervier de Connor. Il s'amuse un peu avant de rentrer à la fauconnerie.

Elle reprit son collier dans sa main et quitta les bois au petit trot.

11

Dès qu'il put s'échapper, Connor se rendit aux écuries en voiture. Trop de gens présents pour parler, constata-t-il rapidement, mais puisque Meara bavardait avec le groupe qu'elle venait de raccompagner, il savait au moins où elle était et ce qu'elle faisait.

Il trouva Boyle dans les stalles, qui brossait Caesar.

— La journée est chargée, dit Boyle. Ce mariage nous fait travailler au maximum de nos capacités.

— Pareil pour nous. Nos deux dernières sorties de découverte des rapaces de la journée sont en cours.

— Nous avons deux groupes en balade, nous aussi, mais Meara ne devrait plus tarder.

— Elle vient de rentrer. (D'un air distrait, Connor caressa la robe du gros hongre que Boyle soignait.) Tu peux la laisser partir, ou tu as encore besoin d'elle aujourd'hui ?

— Il nous reste à distribuer la nourriture et Iona donne une leçon aux grandes écuries.

— Alors tu peux la libérer ? Je vais filer à la fauconnerie pour boucler ma journée. Fin est avec Iona ?

— Il est là, si c'est ta question, et se prépare à la conduire chez toi dès qu'ils auront terminé. (Quelque chose dans la voix

216

de Connor fit poser sa brosse à Boyle.) Il y a un souci ? Que se passe-t-il ?

— Cabhan. Il était dans les bois aujourd'hui. Il épiait Meara pendant sa balade guidée. Et moi aussi, un peu. Il ne s'est rien passé de plus, expliqua Connor quand Boyle se mit à jurer. Et il n'était pas tout à fait présent, physiquement.

— Il était là ou il n'était pas là ? demanda Boyle.

— Il était là, mais sous la forme d'une ombre. C'est nouveau, et nous devons en discuter ce soir quand nous serons tous réunis. Mais je serais plus tranquille si tu restais avec elle jusqu'à mon retour.

— Je vais la garder avec moi. (Boyle prit son téléphone.) Et assure-toi que Fin reste auprès d'Iona. Et Branna ?

— Roibeard la surveille, et Merlin est avec lui. Mais j'aurai le cœur plus léger quand nous serons tous les six réunis chez moi.

Il lui fallut près d'une heure pour installer les oiseaux en prévision de la nuit et régler quelques papiers administratifs que Kyra avait posés sur son bureau dans ce but. Il prit le temps de renforcer la protection autour de l'école. Cabhan avait déjà pénétré dans les écuries une fois, et il était probable qu'il tente encore d'approcher des rapaces.

Le temps qu'il finisse tout ce qu'il avait à faire, qu'il verrouille toutes les portes, le soleil se couchait. *Les jours raccourcissent*, se dit-il en prenant le temps d'ouvrir ses sens. Il ne perçut aucune menace, aucun observateur. Il entra en contact avec Roibeard, rejoignit en pensée l'épervier – et vit clairement les écuries, les bois, le cottage, le paysage paisible à travers les yeux de l'oiseau.

Il vit Mick, trapu au possible, monter dans sa camionnette, passer le bras par la vitre ouverte pour saluer Patti qui enfourchait sa bicyclette.

Et là se déployaient à ses pieds la grande maison en pierre de Fin, les champs et les paddocks. Iona s'élança pour effectuer un saut sur Alastar.

Un bref vol plané, une montée en flèche en épousant le vent et, en dessous, Branna cueillant des herbes aromatiques dans le jardinet de la cuisine. Elle se redressa, leva les yeux vers le ciel et il eut l'impression qu'elle le regardait droit dans les yeux.

Elle sourit, salua d'un signe de la main avant de rentrer dans la cuisine avec ses plantes.

Tout va bien, constata Connor, et malgré la pointe de regret qui ne manquait jamais d'accompagner son retour sur terre, il revint pleinement. Rassuré, il monta dans sa camionnette.

Approchant du centre équestre, il ressentit une onde de chaleur réchauffer son sang lorsqu'il aperçut Meara qui sortait de la bâtisse en compagnie de Boyle. Quelle beauté, se dit-il, d'un genre truculent, même en veste et pantalon de travail, chaussée de bottes qui avaient dû parcourir des centaines de kilomètres, sur la terre ferme comme à cheval.

Plus tard, il aurait le plaisir de lui enlever ses bottes usées, son pantalon d'équitation. De dénouer sa grosse tresse pour se noyer dans ses boucles brunes.

— Boyle, tu veux que je te dépose ? cria-t-il par la vitre ouverte.

— Merci, mais ça va aller. Je te rejoins là-bas.

Se penchant en travers des sièges, il ouvrit la portière à Meara.

Elle entra d'un bond, apportant avec elle l'odeur des chevaux, des céréales et du savon.

— La vache, j'ai l'impression d'avoir abattu une journée et demie de travail en une seule. La fête des McKinnon ne nous laisse pas une seconde de répit. Nous avons des groupes d'invités qui vont s'enchaîner jusqu'à deux heures, demain, alors que le mariage est prévu à cinq heures, à ce qu'on m'a dit.

— C'est pareil pour nous.

Comme elle n'esquissait aucun geste tendre, il plaça la main derrière sa tête et l'attira vers lui pour l'embrasser.

— Bonsoir, mademoiselle.

— Bonsoir. (Elle retroussa les lèvres.) Je me demandais si tu ne serais pas mal à l'aise, après y avoir réfléchi toute la journée.

— Pas eu vraiment le temps de réfléchir, mais je suis plutôt à l'aise.

Le véhicule s'éloigna du centre équestre, suivi par celui de Boyle.

— Tu as remarqué le loup ? demanda-t-il.

— Oui, je l'ai vu. Boyle n'a pas pu me dire grand-chose, avec tout ce monde que nous avons eu jusqu'à ton arrivée, mais il m'a dit que tu l'avais vu toi aussi. Mais comme pour moi, c'était plutôt une ombre.

Elle pivota vers lui, les sourcils froncés.

— En même temps, ce n'était pas exactement une ombre puisqu'il montrait les crocs, je les ai distingués très nettement, et la pierre rouge aussi. As-tu envoyé Roibeard ?

— Je n'en ai pas eu besoin, il est allé te rejoindre sans que je lui demande. Mais à travers lui, j'ai su que le loup ne t'avait suivie que pendant une minute ou deux.

— Assez longtemps pour que les chevaux sentent sa présence. Ce que je redoutais le plus, pour être honnête, c'était qu'ils ne prennent peur. C'était possible mais par chance, c'était un groupe de bons cavaliers. Et eux ? Ils n'ont rien vu ni senti.

— Je me suis interrogé sur ce point. Pourquoi et comment c'est possible. J'aimerais avoir l'avis de Branna, de Fin et d'Iona sur le sujet. Et j'aimerais te demander de rester au cottage cette nuit.

— Je n'ai pas pris mes affaires.

— Tu as ce qu'il te faut au cottage, assez pour cette nuit. Disons que c'est chacun son tour. Reste à la maison cette nuit, Meara. Partage mon lit.

— Tu veux que je reste pour partager ton lit, ou parce que tu as peur de me laisser seule ?

— Les deux, d'une certaine façon, mais si tu ne dors pas à la maison, c'est moi qui irai dormir dans ton lit.

— Excellente réponse, dit-elle. Ça me va très bien. Je passerai donc la nuit chez toi.

Il lui prit la main, se pencha vers elle après avoir garé la camionnette devant le cottage. Leur baiser l'émut par anticipation.

La camionnette vibra comme s'il y avait un séisme, secouée par le loup qui bondit sur le capot. Il grogna férocement, ses yeux et la pierre étincelant d'une même lueur rouge, puis hurlant à la mort comme pour chanter sa victoire, il sauta à terre et disparut.

— Mon Dieu ! dit Meara dans un souffle tandis que Connor descendait précipitamment de la camionnette. Attends, ne bouge pas. Il n'est peut-être pas loin.

Elle tira sur sa poignée, donna un coup d'épaule dans sa portière qui continuait à lui résister.

— Bon sang, Connor, laisse-moi sortir !

Il lui accorda à peine un regard, accueillant Roibeard qui vint se poser en douceur sur son épaule.

En cet instant, dans ce bref coup d'œil, elle eut l'impression d'être face à un étranger, un inconnu débordant de puissance et de rage. Un flot de lumière tourbillonna autour de lui tel un courant qui enverrait des décharges à quiconque le toucherait.

Elle le connaissait depuis l'enfance, se dit-elle en emplissant ses poumons d'air, mais elle ne l'avait jamais réellement vu avant ce moment, toute la force et la fureur de ce qui coulait dans ses veines le révélant pleinement.

Branna sortit de la maison en trombe, Kathel sur ses talons. Ses cheveux, d'un noir corbeau, volaient dans son dos. Elle portait une épée courte dans une main, une boule de feu bleu se formant dans l'autre.

Meara vit leurs regards se rencontrer, leurs yeux se fixer longuement. Pendant cet échange, elle perçut un lien qu'elle ne partagerait jamais avec personne, qu'elle ne connaîtrait jamais vraiment. Ils n'étaient pas seulement unis par le pouvoir et la magie, mais par un sang, un dessein et un savoir communs.

Puis elle vit leurs profondes affinités, encore plus vastes que l'amour fraternel.

Avant qu'elle n'ait totalement repris son souffle, la voiture racée de Fin déboula derrière eux. Lui et Iona en surgirent. Ainsi, ils étaient tous les quatre présents, unis, formant un cercle d'où la lumière ondoyait et se propageait au point de lui piquer les yeux.

Quand elle finit par s'éteindre, ils redevinrent ses amis, son amant, se tenant devant la jolie maison et son flamboiement de fleurs.

Cette fois, quand elle donna un coup d'épaule dans la porte, celle-ci s'ouvrit – et elle descendit aussitôt.

Elle alla droit vers Connor, le poussa assez rudement pour le faire reculer d'un pas.

— Ne m'enferme plus jamais. Je refuse d'être mise à l'écart ou rangée au placard comme si j'étais bonne à rien !

— Je suis désolé. Je n'ai pas réfléchi. J'ai eu tort d'agir ainsi et je m'en excuse.

— Tu n'as aucun droit sur moi, pas même celui de me tenir à l'écart.

— Moi non plus, dit Boyle qui, dans une colère noire, lui emboîta le pas. Tu peux t'estimer heureux que je ne te casse pas la figure.

— Reconnaissant, je le suis, autant que je suis désolé.

Meara remarqua alors qu'Alastar était venu – il avait dû pratiquement voler depuis le centre équestre. Il y avait donc le cheval, l'épervier et le chien ; la trinité des Ténébreux ; et le sang de Cabhan, avec son propre oiseau posé sur la branche d'un arbre proche, à côté de Roibeard.

Et puis elle-même et Boyle.

— Nous sommes un cercle, ou pas ? dit-elle.

— Oui. (Connor lui prit les mains, resserra son emprise sitôt qu'elle chercha à les libérer.) Nous sommes un cercle. J'ai eu tort. J'ai cédé à la fureur, et c'était très mal de ma part, ça aussi. Imprudent, qui plus est. Je vous ai empêchés d'intervenir, tous les deux, et c'est vous manquer de respect. J'insiste, j'en suis profondément désolé.

— Bon, très bien, céda Boyle en lui tirant les cheveux. Seigneur, je meurs d'envie de boire une bière !

— Entre, lui dit Branna en considérant les autres du regard. Allez vous servir ce que vous voulez à boire. J'aimerais parler seule à seule avec Meara. Seule à seule, répéta-t-elle en voyant que Connor ne lâchait pas les mains de Meara. Va prendre une bière et le vin que Fin a peut-être apporté.

— J'en ai apporté.

Fin alla chercher trois bouteilles dans sa voiture.

— Allez, viens, Connor. Un verre nous fera du bien après la journée que nous avons tous eue.

— Bon, d'accord.

À contrecœur, Connor lâcha les mains de Meara et suivit ses amis à l'intérieur.

— J'ai toutes les raisons d'être en rogne, commença Meara alors que Branna lui prenait les mains à son tour.

— Tout à fait, tu en as le droit, mais tu ne dois pas en vouloir à Connor uniquement. Je dois te dire que dès que j'ai mis le pied dehors, j'ai compris ce qu'il avait fait, et ça m'a soulagée. Je suis désolée, mais ce n'est pas entièrement sa faute.

Stupéfaite, blessée au plus profond, Meara regardait fixement Branna.

— Tu crois que parce que Boyle et moi n'avons pas vos dons, que nous ne sommes pas ce que vous êtes, nous ne pouvons pas nous battre à vos côtés ?

— Je ne pense rien de tel, et Connor non plus. Ni Iona, et j'imagine qu'elle va faire la même confession à Boyle.

Branna expira d'une façon qui laissait deviner ses regrets.

— Tout est allé très vite, Meara, et si quelqu'un a fait preuve de faiblesse, c'est nous et pas vous. Vous avez combattu avec nous pendant le solstice, et je n'ose pas penser à ce qui serait arrivé sans toi, ou sans Boyle. Mais sur le moment, prise par l'urgence, je me suis dit qu'au moins vous étiez en sécurité. J'ai été faible, ça n'arrivera plus.

— Je suis toujours aussi furieuse.

— Je ne peux pas te le reprocher. Mais entre, nous allons prendre un verre de vin et en discuter plus longuement.

— Il n'y avait nulle faiblesse entre vous quatre, dit Meara, qui se dirigea toutefois vers la porte d'entrée. Le pouvoir qui se dégageait de vous tous était aveuglant. Et Connor seul, avant ton arrivée… Je l'ai vu le soir du solstice, mais c'était une image floue chargée de peur, d'action et de violence mêlées. Je ne l'avais jamais vu comme là. Seul, avec l'épervier perché sur son épaule, si fortement lui-même, si... *rayonnant*, c'est le mot juste, je crois, bien qu'il me paraisse trop faible. Je me suis dit que si je posais la main sur lui, je me brûlerais.

— Il n'a pas la colère facile, notre Connor, comme tu le sais. Par contre, quand ça monte en lui, c'est violent... mais jamais brutal.

Avant de refermer la porte derrière elle, Branna lança un dernier regard vers les bois, s'attarda sur la route, les massifs colorés de fleurs tout autour du cottage. Elle rejoignit Meara dans la cuisine où les bouteilles de vin étaient débouchées, et l'odeur de la sauce onctueuse et riche qu'elle avait passé une bonne partie de la journée à préparer embaumait l'air.

— C'est bientôt prêt, annonça-t-elle en acceptant le verre de vin de Fin. Alors si vous voulez vous rendre utiles, vous pouvez mettre la table.

— Ça sent délicieusement bon, dit Iona.

— Justement parce que c'est délicieux. Nous parlerons de tout ça pendant le repas. Connor, prends le pain qui est enroulé dans le torchon.

Il alla le chercher, le posa sur la table et se tourna vers Meara.

— Suis-je pardonné ?

— Je n'en suis pas encore là. Mais j'y viens tout doucement.

— Je m'en réjouis.

Branna servit le bœuf bourguignon dans un long plat, la viande de bœuf aromatisée et les légumes accompagnés de leur sauce brune, le tout entouré de pommes de terre nouvelles rôties et décoré de brins de romarin.

— C'est un véritable festin, s'émerveilla Iona. Ça a dû te prendre des heures.

— Effectivement, et d'ailleurs, il est interdit de s'empiffrer sans déguster. (Branna servit chacun dans ses jolies assiettes creuses avant de s'installer.) Alors, vous avez tous eu une journée difficile. (Elle déplia sa serviette sur ses genoux avant de prendre la première bouchée de bœuf bourguignon de la tablée.) Meara, à toi de commencer.

— Eh bien, je pense que nous savons tous où nous étions ce matin, mais nous n'avons pas eu l'occasion d'en parler au cours de la journée. J'ai guidé un groupe de quatre, et en fait, nous sommes passés à cheval devant Connor, qui s'occupait aussi d'une sortie. Je les ai emmenés sur le plus long parcours, et, comme ils étaient tous bons cavaliers, je les ai même laissés aller au trot de temps à autre. C'est au moment où nous avons fait demi-tour, quand nous sommes passés par les bois et le sentier étroit, que j'ai vu le loup entre les arbres, qui observait, nous suivait. Mais…

Elle chercha les mots justes.

— Il était comme les ombres qui apparaissent à cet endroit, quand le soleil forme des taches en dardant à travers les feuillages. Plus distinct que ça, mais pas non plus une forme définie. J'avais l'impression de voir à travers lui, même si ce n'était pas le cas. Les chevaux l'ont vu ou senti, je ne saurais le dire, mais derrière moi, les clients n'ont rien perçu. Ils ont continué à discuter, et même à rire. Ça a duré une minute à peine, et Roibeard est apparu dans le ciel. Le loup, son image s'est estompée plutôt qu'il ne s'est enfui.

— Une projection, suggéra Fin.

— Pas d'un genre classique. (Tout en mangeant, Connor fit non de la tête.) Je l'ai vu moi aussi. Il ressemblait plus à un spectre. J'avais la sensation qu'il n'était pas vraiment là. Ce n'en était pas une présence d'une forme consistante et réelle, mais il n'en était pas moins puissant.

— C'est nouveau, réfléchit Fin. Il évolue entre deux dimensions, ou il passe de l'une de l'autre, comme il le fait avec le temps aux abords de la chaumière de Sorcha.

— Ça jaillit de lui tout de même. Quand on fixe sa pierre, la source de son pouvoir, on sent le flux et le reflux.

Meara chercha confirmation auprès de Connor.

— C'est exact mais comme pour tout art, le pouvoir grandit à mesure qu'on aiguise ses compétences.

— Les McKinnon, les gens que j'ai guidés en balade, insista Meara, ils n'ont rien vu.

— Pour eux, ce n'était qu'une ombre, dit Fin. Rien de plus.

— Un sortilège fantôme. (Branna réfléchit à cette idée.) J'ai trouvé une ou deux allusions dans le livre de Sorcha qui pourraient nous être utiles.

— Et tu as aussi trouvé la recette de ce plat dans son livre ? demanda Fin sans cesser de manger. C'est magique. Un jour, j'ai commandé le même plat dans un grand restaurant parisien et ce n'était pas aussi bon.

— Le résultat est assez réussi.

— C'est succulent, dit Boyle.

— Exact, dit Branna en riant. Ça prend une éternité pour obtenir cette sauce délicate. Je ne recommencerais pas tous les jours. Mais aujourd'hui, ça m'a donné le temps de me creuser la cervelle. Il poursuit Meara comme Iona auparavant. Il prend la température, pourrait-on dire. Et s'il a choisi Meara, c'est, je pense, parce qu'à long terme, c'est Connor qu'il compte renverser.

— Il s'en est d'abord pris au garçon. (Fin sirota son vin tout en réfléchissant.) Un jeune garçon, une cible facile, il a dû se dire. Mais ensemble, le garçon et Connor l'ont blessé et repoussé. Il a dû être… déçu.

— Alors il cherche à se venger, continua Boyle. Il y a pris goût quand il s'est mesuré à Connor. Mais ça n'est pas allé plus loin. Ensuite, il a jeté son dévolu sur Meara.

— Après qu'elle et Connor se sont enflammés dans la camionnette, fit remarquer Iona. Le pouvoir d'un baiser.

— Oh, par pitié ! grommela Meara.

— Mais c'est assez juste. (Sous la table, Connor fit courir ses doigts le long de la jambe de Meara.) Et voyant les choses évoluer comme elles ont évolué, il est revenu. Par le biais d'un sortilège fantôme.

— Pourrait-il nuire sous cette forme qui n'en est pas une ? s'interrogea Meara.

— Je pense, oui. C'est un équilibre délicat, à ce que j'en sais, précisa Branna. Et l'illusionniste qui crée le sortilège doit être capable de changer de place sans briser ce fragile équilibre.

— S'il arrive à faire ça, pourquoi ne s'en est-il pas pris à moi aujourd'hui ? J'avais un couteau et je ne suis pas faible, mais il aurait eu le dessus, à mon avis.

— Il veut t'énerver plus qu'il n'a envie de te faire du mal, lui dit Fin. Te blesser lui procure de la satisfaction, bien entendu, puisque faire le mal le nourrit. Mais à ses yeux, tu as plus de valeur dans un autre domaine.

— Il te désire, déclara Connor en n'exprimant qu'un soupçon de la rage bouillonnante qu'elle avait vue déborder, parce que je te désire. Il a l'intention de te séduire en t'ensorcelant ou en te bouleversant suffisamment pour que tu cesses de lutter, pour que tu supplies…

Ses yeux étincelèrent tels des soleils noirs.

— Rien de tel n'arrivera jamais.

227

— Nous ne pouvons pas le sous-estimer, rétorqua sèchement Connor. C'est ce qu'il recherche dans le but de t'anéantir. Et t'anéantir de cette façon nous nuirait à tous. Il a compris quels liens nous unissent, mais il voit ça comme une obligation qui entretient notre pouvoir – rien de plus. En te ravissant, il briserait le cercle. Tu peux te réjouir qu'il ne comprenne pas que ce n'est pas une question d'obligation ou de pouvoir, mais que nous sommes liés par l'amour et la loyauté. S'il comprenait ça, la force de ce lien, il te traquerait sans relâche.

— Tu lui as tapé dans l'œil, résuma Fin à sa façon. Et il a une bonne compréhension du sexe, même s'il n'en perçoit pas les vrais plaisirs ou la profondeur. Pour lui, c'est une autre forme de pouvoir et il éprouve un certain désir envers l'acte lui-même.

— Alors ces deux derniers jours, il m'a joué une sorte de parade amoureuse ?

— Plus ou moins, dit Branna à Meara. Sorcha a longuement écrit sur les nombreuses semaines pendant lesquelles il a cherché à la séduire, à la soudoyer, à la menacer, à l'épuiser mentalement et spirituellement. Il voulait s'approprier son pouvoir, c'est indéniable, mais il désirait aussi son corps – et il souhaitait avoir un enfant d'elle, je crois.

— Plutôt me trancher la gorge que de le laisser me violer.

— Ne dis pas ça ! s'écria Connor dans un éclat de colère. Ne redis plus jamais une chose pareille !

— Jamais, répéta calmement Iona avant que Meara n'ait pu répliquer. Connor a raison. Ne dis pas ça. Nous te protégerons. Nous sommes un cercle, et nous nous protégeons les uns les autres. Tu te protégeras toi aussi, mais tu dois avoir confiance en nous.

— J'aimerais dire quelque chose. (Avant de poursuivre, Boyle se resservit du bœuf bourguignon.) Tous les quatre, vous ne comprenez pas vraiment ce que c'est pour Meara et moi. Nous avons nos poings, notre tête, une lame, l'instinct, la stratégie. Mais ce sont des atouts ordinaires. Je ne cherche pas à appuyer là où ça fait mal, mais si vous nous mettez à l'écart par la pensée, si vous nous écartez du jeu, le fait est qu'il ne nous reste plus que ces atouts ordinaires.

— Boyle, tu dois savoir...

Fin interrompit Iona en lui effleurant le bras.

— J'aimerais répondre à cela, en tant que membre extérieur. J'aimerais revenir en arrière, insista-t-il face à l'air attristé d'Iona. Nous n'appartenons pas à la trinité, mais nous l'accompagnons. On peut parler d'un équilibre délicat. Ce que nous apportons au cercle est aussi vital que cet équilibre. Il peut arriver aux membres de la trinité – ou à ceux qui la soutiennent – de voir les choses autrement, mais les choses sont ce qu'elles sont, et nous devons nous en souvenir et le respecter.

— Tu manges à ma table, déclara Branna d'une voix posée. La nourriture que j'ai cuisinée. Je te manifeste du respect.

— C'est vrai, et je t'en suis reconnaissant. Mais le moment est venu pour toi d'ouvrir à nouveau la porte, Branna, et de me permettre de travailler avec toi sans que j'aie besoin de la forcer. C'est de Meara que nous parlons, et tout cela pèse dans la balance.

Branna serra les doigts autour du pied de son verre, puis les détendit.

— Tu as raison, je m'excuse. Je constate qu'il nous a perturbés. C'est une victoire pour lui, et cela doit se terminer sans tarder.

— Nous ne pouvons pas comprendre ce que c'est que d'être différent de nous. Toutefois, Iona en est capable, je pense, continua Connor, étant donné qu'elle a été si longtemps privée de ce qu'elle était, de ce qu'elle avait. Mais je crois que toi – et toi aussi, Fin –, vous ne comprenez pas que pour Branna et pour moi, sachant que vous êtes avec nous, tandis que pour Fin, retourner à Paris et vers son restaurant chic serait plus facile, pour toi, Meara, et pour toi, Boyle, qui n'avez pas de pouvoir mais qui êtes avec nous, c'est de loin plus courageux que de poursuivre cette tâche, comme Branna, moi et désormais Iona, nous devons le faire. Pour nous, c'est un devoir mais pour vous trois, c'est un choix. Nous ne l'oublions pas. Ne va pas croire que nous puissions l'oublier.

— Nous ne sommes pas en quête de reconnaissance, se défendit Boyle.

— Vous l'avez pourtant, que tu le veuilles ou non. Et notre admiration aussi, même s'il y a eu des moments, et il y en aura d'autres, où nous ne le montrons pas.

Branna se leva pour aller chercher une autre bouteille de vin et remplit les verres de la tablée.

— Mais enfin, tu crois que j'ai passé des heures à cuisiner un repas comme celui-ci pour moi-même ? Seule, je me contente d'un sandwich au bacon. Alors arrêtons tous de nous apitoyer sur notre sort, ou d'être désolés pour les autres. Soyons tout simplement nous-mêmes.

Comme à point nommé, Meara se servit du bœuf bourguignon.

— C'est absolument délicieux, Branna.

— Ça, c'est sûr, et à moins que vous ne vouliez dîner d'un simple sandwich au bacon la prochaine fois que vous viendrez, ne parlons plus de ça. Alors, à votre avis, pourquoi Cabhan a-t-il bondi sur le capot de la camionnette de Connor ?

— Au risque de pencher du côté des sandwichs au bacon – qui sont plutôt bons –, je dirais que répondre à ça nous ramène à l'autre sujet, dit Fin.

— Réponds à ma question. (Branna agita la main devant elle.) Ensuite, je déciderai si je te donne à manger la prochaine fois.

— Pour voir ce qui allait se passer. Il était sous une forme pleinement incarnée.

— C'est exact, confirma Meara. Tout en muscles, en os et en sang.

— Mais il a été véloce. Il a surgi de nulle part. Connor n'a rien vu venir, tout comme moi, alors que nous n'étions pas très loin de vous. Et d'un bond, il s'est enfui vers l'endroit secret où il attend son heure. Mais pendant ce bref laps de temps, qu'a-t-il appris ?

— Je ne te suis pas, dit Boyle.

— Qu'a-t-il vu Connor faire ? Sortir de la camionnette pour l'affronter seul – volontairement seul puisqu'il vous a enfermés, toi et Meara, à l'intérieur. Par mesure de protection. Et il a vu Branna surgir en courant – armée, mais seule elle aussi – pour aider son frère.

— Aussi Iona et toi, précisa Meara.

— Il était déjà parti quand je vous ai rejoints, quand nous avons formé le cercle. Il nous épiait ? (Fin haussa les épaules.) Je ne peux rien affirmer, mais je ne sentais pas sa présence.

— Moi non plus, dit Connor pour répondre à son regard interrogateur.

— Il a donc pu constater que l'instinct a tout de suite poussé Connor à protéger… sa femme. Le terme n'est pas trop fort, ne fais pas la moue, dit Fin à Meara qui s'apprêtait à protester. Sa femme, son ami. Chasser le danger et protéger. L'instinct pousse Branna à s'allier à Connor, comme il a tendance à la soutenir. Mais elle protège aussi, puisqu'elle n'a rien fait pour libérer Meara ou Boyle, même si cela nous aurait permis d'être plus nombreux.

231

— C'était une erreur de ma part, et j'ai déjà présenté mes excuses à Meara. Je te présente aussi mes excuses, Boyle.

— Nous en avons déjà parlé, c'est oublié.

— Lui n'oubliera pas. (Iona survola la tablée du regard alors qu'elle comprenait mieux.) Et il va se servir de ce qu'il sait, ou il essaiera, pour avancer d'une façon ou d'une autre.

— Alors nous devons trouver le moyen d'utiliser ce qu'il sait, ou ce que nous pensons qu'il sait, contre lui. (Se réjouissant à cette idée, Meara sourit largement.) Comment pouvons-nous nous servir de moi pour le piéger ?

— Nous n'allons pas faire ça, affirma Connor d'un ton sans appel. Nous avons déjà essayé avec Iona, et ça n'a pas marché. Nous avons même failli la perdre et lui, la rafler.

— Quand on ne réussit pas du premier coup…

— On oublie, et on tente une autre approche, termina Connor.

— C'est mon choix. Rappelle-toi tes propres mots. Je t'ai demandé, dit-elle à Fin, s'il était possible de se servir de moi pour l'appâter ?

— Je ne sais pas – et ce n'est pas par crainte de m'opposer à Connor ou à Branna. Seulement, nous devons nous poser et retourner la question dans tous les sens. Je ne suis pas plus séduit que Connor par l'idée de prendre autant de risques qu'avec Iona, le soir du solstice.

— Je ne peux pas te le reprocher.

— Nous allons y réfléchir. Au bout du compte, il est essentiel que nous tombions tous d'accord. (Il consulta Connor du regard, qui accepta d'un signe de tête.) Ensuite, nous y travaillerons, en utilisant nos informations, en peaufinant ce que nous avons, puisque nous étions près du but.

Il regarda Branna.

— Nous étions près du but, comme Sorcha avec son poison. Mais les deux méthodes ont échoué au final. Je n'arrive pas à mettre le doigt sur ce qui manque – et oui, nous devrions travailler ensemble. Tu es habile avec les potions et les sortilèges. Nous avons jusqu'à Samhain.

— Pourquoi Samhain ? demanda Connor.

— C'est le début de l'hiver, et presque le début de l'année pour nous, les Celtes. J'y ai réfléchi en préparant le repas. Nous avons cru que le jour le plus long serait bénéfique, alors que la lumière l'emporte sur la nuit, mais c'était une erreur. C'est peut-être là que nous avons fait fausse route. Samhain, parce que nous avons besoin de temps – mais comme il s'attaque si ouvertement à l'un de nous, nous ne pouvons pas en prendre trop.

— La nuit où le Voile est plus fin, dit Connor. Et où l'on raconte que l'on peut aller d'un royaume à un autre sans mot de passe. C'est peut-être la solution, l'un des points que nous avons ratés. Il peut changer de monde aussi facilement que l'on traverse cette pièce. Ce soir-là, il est possible que nous puissions faire de même sans avoir besoin de commencer par chercher où et quand.

— La nuit où les morts cherchent à profiter de la chaleur du feu de Samhain, ajouta Fin, et à se réconforter auprès de ceux avec lesquels ils partagent le même sang.

— Les morts… les fantômes, maintenant ? s'interrogea Meara. La sorcellerie ne va plus suffire.

— Sorcha, dit simplement Branna.

— Ah, tu penses qu'elle viendrait, pour ajouter son pouvoir aux nôtres ? Sorcha, et aussi la toute première trinité ?

— C'est dans ce sens que je vais réfléchir et travailler. Si nous sommes tous d'accord.

— L'idée me plaît. (Boyle leva son verre en regardant Branna.) Le soir de Halloween ce sera.

— Si nous parvenons à le maintenir à distance aussi long-temps et à en apprendre suffisamment, précisa Branna.

— Nous le pouvons. Et c'est ce que nous ferons, déclara Connor avec détermination. J'ai toujours eu un faible pour Samhain et pas seulement pour les friandises. Un jour, j'ai eu une conversation enrichissante sur Samhain avec mon arrière-grand-mère.

— Qui était morte à ce moment-là, j'imagine.

Il adressa un clin d'œil à Meara.

— Morte des années avant ma naissance. Quand le Voile s'affine, j'arrive à voir au travers plus facilement qu'à d'autres moments. Et puisque nous pensons tous qu'il me teste, moi en particulier, c'est peut-être que je suis l'appât que nous recherchons. Tu y as pensé, Fin.

— Ça m'a traversé l'esprit. Nous allons y réfléchir longue-ment et travailler scrupuleusement. Je peux t'accorder tout le temps nécessaire, Branna. Quand tu veux.

— Pas de randonnées en vue ? demanda-t-elle d'un ton léger.

— Rien qui ne puisse être reporté. Je resterai ici jusqu'à ce que ce soit terminé.

— Et ensuite ?

Il la regarda, observa un long silence.

— Ensuite, nous verrons bien.

— Il n'a fait que nous renforcer. (Iona prit la main de Boyle.) Dans toutes les familles, il y a des disputes, des erreurs. Mais elles peuvent en ressortir plus fortes.

— Aux bisbilles et aux coups foireux !

Connor leva son verre, les autres l'imitèrent et dans un tin-tement musical, ils trinquèrent à leur pacte.

12

Il était conscient de rêver. Dans son esprit, il se voyait, lové au chaud et nu dans le lit de Meara, et, s'il s'abandonnait, il sentait les battements lents et réguliers de son cœur contre le sien.

En sécurité et au chaud dans le lit, pensa-t-il.

Mais alors qu'il parcourait les bois, le froid imprégnait la nuit, et les nuages qui planaient avec la lune aux trois quarts pleine amplifiaient les ténèbres.

— Que cherchons-nous ? demanda Meara.

— Je ne le saurai pas avant de l'avoir trouvé. Tu ne devrais pas être là. (Il s'arrêta pour prendre son visage en coupe.) Reste au lit, dors tranquille.

— Tu ne vas pas m'enfermer ni me tenir à l'écart. (D'un geste ferme, elle saisit ses poignets.) Tu m'en as fait la promesse. Et c'est autant mon rêve que le tien.

Il pouvait la renvoyer dans le lit, dans des rêves qui lui feraient tout oublier. Mais cela reviendrait à lui mentir.

— Alors reste tout près de moi. Je ne connais pas cet endroit.

— Nous ne sommes pas chez nous.

— Non.

235

Meara souleva son épée de telle façon que la lueur de la lune se refléta sur la lame.

— Tu m'as donné l'épée ou c'est moi qui l'ai apportée ?

— Ça aussi, je l'ignore. (Un reflet miroita sur sa peau, aiguisa ses sens.) Il y a quelque chose dans l'air.

— De la fumée.

— Oui, et autre chose.

Il leva la main, une boule de lumière en son centre. Elle leur servit de torche, dispersant l'obscurité afin de les aider à distinguer leur chemin.

Un cerf surgit sur le sentier grossier, ses bois telle une couronne d'argent, sa robe brillant comme de l'or. Il resta immobile un moment, figé comme une statue, comme s'il leur offrait l'occasion d'admirer sa beauté, puis il fit demi-tour et s'éloigna d'un pas royal pour s'enfoncer dans les tourbillons brumeux.

— Allons-nous suivre le cerf ? demanda Meara. Comme dans les chansons et les contes ?

— Suivons-le.

Mais Connor n'éteignit pas la source lumineuse. Les arbres s'épaissirent, et l'odeur de végétation, de terre et de fumée s'affirma tandis que le cervidé cheminait tranquillement, avec grâce.

— Ça t'arrive souvent ? De faire ce genre de rêve ?

— Pas souvent, mais ce n'est pas le premier – bien que ce soit le premier où j'ai de la compagnie. Là, tu la vois ? Une lumière droit devant.

— À peine, mais oui. Ça pourrait être un piège ? Le sens-tu, Connor ? Est-il là avec nous ?

— Il y a beaucoup de magie dans l'air.

C'était si présent qu'il s'étonna qu'elle ne la sente pas.

— Le noir et le blanc, l'obscurité et la clarté. Ils battent comme un pouls.

— Et ça me donne la chair de poule.

Ainsi, elle la sentait.

— Tu ne rebrousses pas chemin ?

— Non, je ne rebrousse pas chemin.

Mais elle resta tout près de lui pendant qu'ils suivaient le cerf en direction de la lumière.

Connor se projeta en avant, pour risquer un regard. Et il distingua la forme, puis le visage dans la faible lumière.

— C'est Eamon.

— Le garçon ? Le fils de Sorcha ? Nous sommes des siècles en arrière.

— On dirait bien. Il est plus âgé, mais encore un enfant, qui a grandi.

Alors Connor retourna près de la lumière, cette fois en parlant d'esprit à esprit. *C'est Connor des O'Dwyer qui vient. Ton sang, ton ami.*

Il sentit le garçon se détendre – légèrement. *Viens donc, sois le bienvenu. Mais tu n'es pas seul.*

Je suis venu avec mon amie, et la tienne aussi.

Le cerf disparaissait dans la nuit à mesure que les lumières émergeaient. Connor vit la maisonnette, un petit appentis pour les chevaux, un jardin bien tenu d'herbes aromatiques et de plantes médicinales.

Ils avaient refait leur vie ici, se dit-il, les trois enfants de Sorcha. Une bonne vie.

— Sois le bienvenu, répéta Eamon, et il écarta la torche pour saisir la main de Connor. Vous aussi, dit-il à Meara. Je ne pensais pas vous revoir un jour.

— Me revoir ?

Le garçon la regarda de plus près, de toute l'intensité de ses yeux du même bleu que la pierre formant l'œil-de-faucon qu'il portait autour du cou.

— Tu n'es pas Aine ?

— La déesse ? demanda Meara en riant. Non, pas du tout.

— Pas la déesse, mais la Gitane du même nom. Vous lui ressemblez beaucoup mais je vois que vous n'êtes pas elle.

— C'est Meara, mon amie, et la tienne. Elle fait partie de notre cercle. Dis-moi, cousin, pour toi, à combien de temps remonte notre dernière rencontre ?

— À trois années. Mais je savais que je te reverrais un jour. La Gitane me l'a dit, et j'ai vu qu'elle avait le don. Elle est venue faire commerce par un matin de printemps et m'a dit que la magie et les présages l'avaient conduite jusqu'à notre porte. Ensuite, elle a raconté que j'avais un parent d'un autre temps, que nous nous reverrions, en rêve et dans la réalité.

— En rêve et dans la réalité, répéta Connor.

— Elle a dit que nous rentrerions à la maison, que notre destin nous y attendait. Vous avez son visage, madame, et son allure. Vous descendez d'elle, celle qui se fait appeler Aine. Alors je vous remercie comme je l'ai remerciée de m'avoir donné de l'espoir quand j'en avais besoin.

Il regarda Connor.

— C'était après notre premier hiver ici, et le jour ne semblait jamais vouloir se lever. Je me languissais de notre maison, je désespérais de jamais y retourner.

Il était devenu grand, remarqua Connor, et avait gagné en assurance.

— Vous êtes bien installés ici.

— Nous vivons, et nous apprenons. La terre est bonne, et la nature généreuse. Mais nous, la trinité, devons rentrer chez nous pour y faire notre vie et y rester.

— Mais le moment n'est pas encore venu, c'est bien ça ? Je te fais confiance pour savoir quand il viendra. Tes sœurs vont bien ?

— Bien, je te remercie. J'espère que ta sœur se porte bien, elle aussi.

— Elle va bien. Nous sommes six. Les Trois et trois autres, et nous apprenons nous aussi. Il a quelque chose de nouveau. Un sortilège fantôme, une façon de se tenir en équilibre entre les mondes et les formes. Ta mère a écrit des textes sur ce sujet, et ma sœur Branna étudie son livre.

— Tout comme ma sœur. Je lui en parlerai. Peut-être voulez-vous entrer ? Je vais la réveiller, ainsi que Teagan. Elles seront très heureuses de vous rencontrer tous les deux.

Eamon fit un pas vers la porte de la maisonnette.

Pour Meara, tout arriva soudainement.

Connor fit volte-face en même temps qu'Eamon, comme s'ils ne faisaient qu'un. Le grand cheval gris – et ça lui fit un choc de voir Alastar, ou un étalon identique à celui qu'elle connaissait – surgit de l'appentis. Comme dans un même élan, Roibeard fondit en piqué et Kathel bondit.

Avant qu'elle n'ait eu le temps de pivoter sur elle-même, Connor la tira en arrière pour la plaquer dans son dos au moment où le loup s'élança.

Il apparut de nulle part, aussi silencieux qu'un fantôme, aussi rapide qu'un serpent.

Dans la confusion, il esquiva les coups de sabot d'Alastar et chargea. Droit sur le garçon, s'aperçut-elle, et sans réfléchir, elle poussa Eamon sur le côté et brandit son épée.

Elle fendit l'air, mais cela suffit à faire vibrer ses bras et ses épaules.

Le loup la heurta de plein fouet, la projetant en arrière. La douleur, le choc, l'amertume glacée de la collision transpercèrent tout le côté de son corps. Poussée par l'instinct de survie, elle serra les mains autour de son cou pour maintenir ses mâchoires à distance et l'empêcher de la mordre.

Là encore, tout se passa rapidement.

Le chien attaqua, et la lumière fut si vive que l'air vira au rouge. Des cris et des grognements déchirèrent ce rideau brûlant tandis que ses muscles tendus par l'effort tremblaient. Elle s'entendit hurler, sans honte puisque le loup criait en écho.

Elle vit ses yeux emplis de rage, assassins et affolés, avant qu'il ne vacille, faiblisse et disparaisse comme il était venu. Sans crier gare.

Son nom, Connor le répétant, encore et encore. Elle était dans l'incapacité de reprendre son souffle, de simplement inspirer – l'air qui empestait le soufre.

Des mains chaudes sur son côté, des lèvres brûlantes sur ses lèvres.

— Montre-moi, montre-moi. Ah ! mon Dieu ! N'aie crainte, *a ghrá**, je vais tout arranger. Reste allongée.

— Je peux t'aider.

Elle entendit la voix, vit le visage. Celui de Branna, mais plus jeune. Elle se souvint de ce visage, songea Meara malgré la douleur et son état d'hébétude. Son souvenir remontait à sa jeunesse.

— Tu ressembles à elle dans quelques années. Notre Branna est d'une rare beauté.

— Restez calme, madame. Teagan, va aller chercher… ah, elle y est déjà partie. Ma sœur va revenir avec le nécessaire. Je suis compétente, cousin, dit-elle à Connor. Tu me fais confiance ?

— Bien entendu. (Mais il prit la main de Meara.) Je suis là, ma chérie, juste là, *mo chroí*, regarde-moi. Et en moi.

Alors elle s'abandonna au songe, rêvant à travers ses yeux verts, libérée de la douleur, hors de tout sauf de lui. Lui murmurant des mots doux comme il le faisait lorsqu'ils s'aimaient.

240

Iona – non, Teagan, la cadette – Teagan porta une tasse à ses lèvres, et le goût sur sa langue, dans sa gorge lui parut délicieux.

Quand elle prit une inspiration, fluide et profonde, elle avait le même goût – celui de la verdure et de la terre, du feu de tourbe et des simples qui poussaient alentour.

— Je me sens bien.

— Encore un moment, un petit moment. Comment a-t-il pu venir ici ? demanda Brannaugh à Connor. Nous nous trouvons au-delà de son territoire.

— Mais pas moi. D'une manière ou d'une autre, j'ai dû l'amener avec moi, lui ouvrir la voie. C'était un piège, en fin de compte. Il s'est servi de moi pour t'atteindre, Eamon, ainsi que tes sœurs. Je l'ai guidé jusqu'ici, et provoqué ça.

— Non, il s'est servi de nous deux, de nos rêves.

— Et nous a attirés en même temps, dit Brannaugh. Il ne reste rien de sa magie noire en vous, madame. Voulez-vous vous rasseoir, tout doucement ?

— Je vais bien. Même mieux qu'avant qu'il ne me blesse. Tu es aussi douée qu'elle, ou elle que toi.

— Vous avez défendu mon frère. Si vous n'aviez pas pris autant de risques, il aurait été blessé, ou pis encore, car Cabhan veut son sang, sa mort.

— Votre épée.

Teagan la déposa sur les jambes de Meara.

— Il y a du sang dessus. Je croyais l'avoir manqué.

— Vous l'avez bel et bien touché.

— C'est un sortilège fantôme, déclara Brannaugh.

— En effet, approuva Connor. Tant que je reste ici, il lui est possible de revenir. Je vous cause plus de tort que je ne vous fais de bien en m'attardant.

— Acceptez-vous de prendre cela, je vous prie ? (Teagan tendit une fleur s'élevant de son bulbe.) Quand vous le

241

pourrez, voulez-vous bien la planter près de la tombe de notre mère ? Elle avait une préférence pour les jacinthes sauvages.

— Je le ferai dès que je le pourrai. Je dois partir et ramener Meara.

— Je me sens très bien, protesta-t-elle.

— Pas moi. Prenez soin de vous, tous les trois.

Il serra Meara dans ses bras, enfouit son visage dans ses cheveux.

Elle se réveilla sur son lit, assise, dans les bras de Connor qui la berçait comme un bébé.

— J'ai fait un rêve. Pas un simple rêve. Attends, donne-moi un instant.

Il déposa un baiser sur sa tête, ses tempes, ses joues, avec une lenteur délibérée.

— Montre-moi ta blessure.

— Je vais très bien. Très bien, répéta-t-elle lorsqu'il la fit pivoter pour passer ses mains le long de sa cage thoracique. En fait, j'ai senti que quelqu'un m'administrait un élixir magique. J'imagine que c'est exactement ce qui s'est passé. Comment est-ce arrivé ? Comment tout cela est-il possible ?

— Eamon a rêvé de moi et moi de lui. Il m'a amené à lui, et je t'ai entraînée avec moi. Et il est probable que Cabhan ait tout manigancé.

Ses poings se crispèrent dans ses cheveux, puis il déplia délicatement les mains.

— Dans le but de se servir de moi, de mes rêves, pour attaquer Eamon.

— Tu m'as poussée derrière toi.

— Et tu as fait la même chose avec Eamon. Ce qui est fait est fait. (Soupirant, il reposa son front contre le sien.) Ton épée l'a blessé au flanc, et ses griffes t'ont atteinte, mais comme il était encore en partie une ombre, la lame a fait couler son sang, mais sans l'arrêter. C'est du moins ma théorie.

— Il est tombé du ciel, Connor. Comment combattre ce qui vient de nulle part ?

— Comme nous l'avons fait. La lumière l'a chassé – celle d'Eamon jointe à la mienne, puis à celles des filles.

— Il a hurlé, se remémora Meara. Ce n'était pas le cri d'un animal, mais celui d'un homme.

— À cheval sur deux mondes, sur deux formes. Ça le saisit quand il se retire de l'un ou de l'autre, je pense. L'aube ne va pas tarder à se lever. Ça ne va pas être joli, mais je vais réveiller Branna. Je te laisse le soin d'appeler les autres. Nous devons partager cela avec eux au plus vite.

Mais avant de sortir, il prit son visage entre ses mains comme dans le rêve.

— Et ne sois pas aussi terriblement courageuse, la prochaine fois, car la prochaine fois pourrait signer mon arrêt de mort où que je sois.

— Ce n'était qu'un enfant, Connor, et il était pile sur son chemin. Et il te ressemble, ou c'est toi qui lui ressembles. La forme du visage, précisa-t-elle, sa bouche, son nez, et même sa façon de se tenir.

— Tu trouves ?

— C'est sûrement difficile pour toi de t'en rendre compte mais vous vous ressemblez beaucoup, oui. Je vais téléphoner à Iona et la charger de contacter Boyle qui réveillera Fin.

— Très bien. (Il caressa ses cheveux, longs et ondulés, tels qu'ils étaient lorsqu'il avait dénoué sa tresse, la veille au soir.) Le premier qui descend prépare le café.

— Ça marche. (Voyant qu'il était toujours inquiet, elle l'embrassa.) Vas-y, c'est toi qui as la tâche la plus ingrate : réveiller Branna avant le lever du soleil.

— Prépare la trousse de secours.

Roulant sur lui-même, il se leva et enfila son pantalon.

Dès qu'il quitta la chambre, Meara tendit la main vers le téléphone et vit la jacinthe des bois. Pensant à Teagan, qui ressemblait tant à la petite fille qu'Iona avait dû être, elle se leva, alla chercher un verre d'eau dans la salle de bains et y déposa le bulbe.

Pour Sorcha, se dit-elle avant de composer le numéro d'Iona.

Elle fut la première à descendre à la cuisine et fit le café comme prévu. Elle envisagea de faire des flocons d'avoine, le seul petit déjeuner qu'elle sache préparer correctement. Et Connor, quand il se chargeait du petit déjeuner, avait tendance à faire brûler les œufs.

Elle fut sauvée par l'arrivée de Branna. Son amie portait un bas de pyjama à rayures bleues et vertes, et un haut vert. Elle avait passé un gilet bleu par-dessus, assez bien assorti à ses grosses chaussettes.

Ses cheveux lui retombant librement jusqu'à la taille, Branna alla droit vers la cafetière.

— Ne me parle pas, pas un mot avant que j'aie bu mon café. Plonge des pommes de terre dans de l'eau bouillante, et quand elles commenceront à ramollir, coupe-les pour les faire frire.

Elle prit son café noir, sans ajouter de lait comme elle en avait l'habitude.

— Je fais le serment que très bientôt, je ne m'approcherai plus d'un réchaud pendant un mois.

— Ce sera mérité. Je ne parle à personne en particulier, précisa aussitôt Meara tout en lavant les pommes de terre dans l'évier. Ce n'est qu'une remarque dans le vide.

244

— Maudit Cabhan, marmonna Branna en sortant des ingrédients du réfrigérateur. Je vais le tuer de mes propres mains, et c'est un autre serment que je fais là, pour m'avoir obligée à voir le soleil se lever autant de fois. Les œufs seront brouillés, et si quelqu'un n'aime pas ça, il n'aura qu'à ne pas en manger.

Avec sagesse, Meara plongea les pommes de terre dans l'eau sans rien dire.

Sans cesser de grommeler, Branna fit cuire des saucisses, du bacon, trancha du pain à faire griller.

Et elle but une autre tasse de café.

— Je veux voir ton buste.

Meara se retint de dire qu'elle allait bien et souleva son haut.

Branna posa la main sur elle – comment connaissait-elle le point précis ? – et sonda sa peau. Meara sentit la chaleur s'immiscer en elle et ressortir.

Branna croisa son regard et la serra dans ses bras.

— La cicatrisation est parfaite. Bon sang, Meara…

— Ne commence pas. J'ai déjà eu droit à l'avis de Connor sur le sujet. À croire qu'il m'a éviscérée et pas seulement frappée à la volée.

— Que penses-tu qu'il visait, si ce n'était pas tes tripes ?

Branna s'écarta, pressa les paumes de ses mains sur ses paupières. Elle respira profondément avant de laisser retomber ses bras.

— Bon, terminons de préparer ce fichu petit déjeuner. Connor Sean Michael O'Dwyer ! Ramène tes fesses et rends-toi utile au lieu de te contenter de descendre pour t'empiffrer !

Comme il n'apparut qu'un instant plus tard, il était évident qu'il avait attendu qu'elle se calme.

— Tout ce que tu veux. Je peux m'occuper des œufs.

— Ne les touche pas. Mets la table puisqu'on dirait que je vais cuisiner pour six jusqu'à la fin de mes jours. Et quand tu auras terminé, tu pourras faire griller le pain.

Les pommes de terre rissolaient dans la poêle quand les autres arrivèrent.

— Tu n'as rien ? s'enquit aussitôt Iona auprès de Meara. Tu es sûre ?

— Je vais bien. Même mieux que cela puisque je déborde d'énergie grâce à la potion qu'ils m'ont donnée.

— Montre-moi, dit Fin en poussant Iona sur le côté.

— Vais-je devoir montrer mon ventre à tout le monde ? (Elle le fit néanmoins, fronçant les sourcils quand Fin posa la main sur elle.) Branna a déjà jeté un coup d'œil.

— Il est de mon sang. S'il y avait la moindre trace de lui, je le saurais. Il n'y a rien du tout. (Fin remit son vêtement en place d'un geste délicat.) Je ne t'aurais jamais fait de mal, *mo deirfiúr**.

— Je le sais. Bien entendu, il y a eu un moment délicat, et ça ne me dérangerait pas de le répéter, mais le reste ? C'était fascinant. Tu y es allé avec Iona, une fois, dit-elle à Boyle.

— En effet, alors je connais cette impression. C'était comme rêver mais avec la sensation de marcher, de parler, d'agir pendant que tu rêves. Ça donne un peu le tournis.

— Tu devrais t'asseoir, dit Iona. Allez, assieds-toi. Je vais aider Branna à terminer de préparer le petit déjeuner.

— Surtout pas ! riposta Branna. Boyle, tu es le seul qui n'ait pas deux mains gauches en cuisine. Prépare les œufs brouillés, veux-tu, j'ai presque fini le reste.

Il la rejoignit devant le réchaud, versa les œufs battus dans un poêlon avec du beurre fondu.

— Ça va ? demanda-t-il.

Branna se pencha vers lui.

— Ça va aller.

246

Elle éteignit le feu sous les pommes de terre et les déposa sur des serviettes en papier à l'aide d'une écumoire pour éponger le gras.

— Comment se fait-il que je n'aie rien senti ? s'interrogea-t-elle. Je dormais pendant ce temps-là, totalement inconsciente de ce qui se passait.

— Et moi ? Et Iona ? répliqua Fin. Ce n'était pas notre rêve. Nous n'y avons joué aucun rôle.

— J'étais dans la même maison, au bout du couloir. J'aurais dû sentir quelque chose.

— Je vois bien qu'en tant que centre de ce monde tu mérites de participer à tout.

La voyant sur le point de bondir, le regard menaçant, Iona s'interposa.

— Arrêtez tout de suite, tous les deux. Vous vous sentez responsables, l'un et l'autre, et c'est stupide. Vous n'êtes pas plus responsables l'un que l'autre. Le seul qui le soit, c'est Cabhan, alors laissez tomber. Mon sang, mon frère, ajouta-t-elle sans les laisser parler. Bla bla bla… Et alors ? Nous sommes tous dans le même bateau. Et si nous commencions par essayer de comprendre ce qui s'est passé avant de décider qui doit porter le chapeau ?

— Tu vas épouser une femme autoritaire, *mo deartháir*, dit Fin à Boyle. Une femme sensée, qui plus est. Assieds-toi, Iona, et Meara aussi. Je vais vous servir du café.

Iona prit place, croisa les mains sur la table.

— Voilà qui serait très gentil.

— Ne bois pas tout, l'avertit Meara en la rejoignant à la table.

Suivant les indications de Branna, Boyle déposa les œufs dans un plat, avec les saucisses, le bacon, les pommes de terre, les tomates frites et le pudding.

Il porta le tout sur la table pendant que Fin servait le café et Connor, le jus de fruits.

— Raconte-nous tout, dit Fin à Connor.

— Ça a commencé comme chaque fois, avec l'impression d'être réveillé, conscient mais ailleurs en même temps. Nous étions dans le comté de Clare, mais je l'ignorais au début. Dans le comté de Clare, et dans l'époque à laquelle Eamon a vécu.

Il raconta toute l'histoire pendant qu'ils se servaient à manger.

— Un cerf ? l'interrompit Branna. Il était réel, ou tu l'as amené avec toi ?

— Je n'y aurais pas pensé. Si j'avais voulu avoir un guide, j'aurais choisi Roibeard. C'est une bête imposante et splendide. L'allure royale, avec une robe plus dorée que brune.

— Des yeux bleus, précisa Meara.

— Exact. Bleus. Vifs et bleus, comme ceux d'Eamon, maintenant que j'y pense.

— Comme ceux de son père, souligna Branna. Dans son livre, Sorcha écrit que son fils a les yeux de son père, de la même couleur.

— Tu penses que c'était Daithi, en conclut Connor, ou qu'il le représentait. Il a pu être doté de cette forme pour vivre à proximité de ses enfants, les protéger de son mieux.

— Le cerf était peut-être l'esprit de Daithi vous guidant vers la lumière, et la lumière était Eamon. Pour lui, notre dernière rencontre remontait à trois ans. Il a grandi, et son visage s'est affiné comme cela arrive au sortir de l'enfance. C'est un beau gars.

Il sourit largement en regardant Meara.

— Il dit ça parce que je lui ai dit qu'ils se ressemblaient. Ils n'ont pas la même carnation, c'est certain, mais on voit d'emblée qu'ils sont parents.

— Il a pris Meara pour Aine – une Gitane, expliqua Connor. Elle est venue le trouver un jour pour lui apprendre qu'ils rentreraient chez eux.

— C'est intéressant. Tu as une Gitane parmi tes aïeux, fit remarquer Iona.

— C'est vrai.

— Et Fin a baptisé Aine la pouliche qu'il a choisie pour Alastar.

— J'y ai pensé, et je préfère croire que ça ne veut pas dire que je ressemble à un cheval.

— D'une beauté et d'une énergie formidables, précisa Fin. Elle portait déjà ce nom, et je n'ai pas envisagé de le changer. C'était elle, dès que je l'ai vue. Bien évidemment, c'est intéressant, tous ces points communs, ces recoupements.

— Le problème est que je n'ai rien senti pendant que nous discutions, devant la petite maison. Et lui non plus, remarqua Connor. Nous avons pris des nouvelles de nos familles respectives. Je lui ai parlé du sortilège fantôme. Et c'est quand il m'a proposé d'aller chez lui que c'est arrivé. Je ne sentais rien et tout à coup, j'ai perçu sa présence. Toute proche, juste avant qu'il ne bondisse de nulle part. Et il l'a sentie aussi bien que moi.

— Vous vous êtes retournés en même temps, comme si vous n'étiez qu'un, ajouta Meara. C'était si rapide. Connor m'a poussée derrière lui, mais ce n'était pas moi qu'il voulait ; c'était le garçon.

— Alors elle a poussé Eamon sur le côté, s'est placée en bouclier devant lui en jouant de l'épée. Tout est allé trop vite pour que j'aie le temps de lui lancer un projectile quelconque. Il l'a percutée de plein fouet, toutes griffes dehors. Leur sang a giclé. Le chien a chargé. Eamon et moi sommes passés à l'attaque, et les filles sont sorties en trombe de la maison. Ce sont elles qui ont jeté des pierres, ce qui m'a retenu de m'élancer vers lui. Elles l'ont bombardé avec tout ce qu'elles avaient sous la main. Je leur ai prêté main-forte au final, puisque c'est allé trop vite pour qu'on puisse faire autre chose. Mais avec le peu que nous avions, nous avons réussi à lui faire mal, avec le secours de Kathel, de Roibeard et d'Alastar. Il braillait comme une gonzesse.

— Oh !

Il adressa un grand sourire à Iona.

— Sans vouloir t'offenser. À nous tous, avec Kathel, les sabots d'Alastar et les serres de Roibeard, il s'est enfui aussi soudainement qu'il était arrivé. Disparu, envolé, ne laissant derrière lui qu'une forte odeur de soufre. Et Meara à terre, en sang. Tout cela en moins de deux minutes, quand j'y repense, à peine deux minutes.

— Chaque fois, c'est bref, non ? Détail intéressant, dit Branna. C'est possible que sa puissance ne lui permette que des attaques éclairs avec ce type de maléfice.

— Pour l'instant, ajouta Fin.

— Nous devons nous en tenir à ce que nous avons dans l'immédiat. Il s'est immiscé dans le rêve de Connor, s'est faufilé jusqu'à vous pour tenter d'atteindre le garçon – ou l'une des sœurs si elles étaient venues te saluer, Connor. Il ne peut pas entrer dans la maison, mais dans un rêve, oui, une fois que tu t'es éloigné de la protection que t'assure ce lieu… Ça me paraît clair. Il est incapable de les attraper dans leur époque, dans cet endroit, mais il y est parvenu par le biais du rêve.

— Là où le garçon aurait dû être vulnérable, ajouta Fin, dans le demi-monde des rêves actifs. Ensuite Cabhan attend à la lisière de ce monde, prêt à attaquer – jusqu'à ce que tu tournes le dos.

— Espèce de sale lâche, grommela Boyle.

— Tu as dit que Meara avait fait couler son sang. Où est ton épée ? demanda Branna.

— Chez moi. Je ne l'ai pas apportée. Dans le rêve, je la tenais à la main.

— Je vais aller la prendre, dit Fin. Où la ranges-tu ?

— Sur l'étagère, dans le placard de ma chambre. Je vais chercher la clé de chez moi. (Il répondit d'un sourire et elle se rassit.) Dont tu n'as pas du tout besoin, c'est ça ? Tiens, je n'avais jamais pensé à ça. N'importe lequel d'entre vous peut entrer chez moi à sa guise.

— Je la rapporte. Je fais vite.

— J'apprécie cette marque de respect, comme tu sais que je n'aime pas que l'on choisisse la facilité quand un petit effort et un tout petit peu de temps suffisent. (Branna soupira.) Mais nous n'en sommes plus là, et ce serait idiot que tu prennes ta voiture pour aller jusqu'au village et revenir.

Fin hocha vaguement la tête. Il leva la main, et en moins de temps qu'il n'en faut pour le dire, il brandit l'épée de Meara.

La jeune femme sursauta, puis émit un petit rire.

— Magnifique, et c'est tellement rare de vous voir à l'œuvre qu'il m'arrive d'oublier de quoi vous êtes capables.

— Fin est un peu plus libéré que Branna sur le sujet, fit remarquer Boyle.

— Nous n'avons pas tous les mêmes limites. (Branna se leva pour la lui prendre des mains.) C'est assez pour travailler dessus. En plus, il m'en reste du solstice. Mais comme tu l'as dit, c'est du sang frais – et c'est le sien qui a coulé d'une plaie pendant un sortilège fantôme.

— Je reviendrai dès que je pourrai pour travailler avec toi, lui dit Connor.

— Moi aussi, ajouta Iona. Nous avons un planning chargé ce matin, mais je pense que mes patrons voudront bien m'accorder un moment de liberté dans le courant de l'après-midi.

Boyle passa la main sur la tête d'Iona.

— Ils pourraient se laisser convaincre. Je reviendrai avec Meara si nous pouvons t'être utiles. Nous apporterons à manger, ce sera déjà ça.

— En quantité, dit Branna en examinant l'épée. Il ne reste pas assez de bœuf bourguignon pour nous remplir l'estomac une deuxième fois.

— Nous nous occupons des courses, dans ce cas, Meara et moi, et nous reviendrons dès que nous en aurons terminé au centre équestre. Je libérerai Iona au plus vite.

— Je viendrai la chercher, dit Connor. Je pense qu'il vaut mieux repartir du principe que personne ne doit se déplacer seul, au moins pendant un moment. Je peux jongler avec le planning pour être disponible à quinze heures, si ça te va.

— Très bien.

— Je vais rester ici. (Un silence suivit la phrase de Fin.) Si ça te va.

— Entendu. (Branna baissa l'épée.) Je vous laisse le soin de remettre ma cuisine en état. Quand tout sera propre, tu pourras me rejoindre dans l'atelier, dit-elle à Fin avant de quitter la pièce.

13

Les jours suivants, Meara passa l'essentiel de son temps libre chez sa mère, pour l'aider à terminer ses bagages avant qu'elle ne parte pour ce qu'ils avaient convenu d'appeler un séjour prolongé. Puisque faire les valises implique de faire des choix – ce qu'il faut prendre ou laisser, donner ou jeter à la poubelle –, Meara passa également l'essentiel de son temps libre avec la migraine.

Prendre des décisions, Meara le savait bien, plongeait Colleen Quinn dans un état d'anxiété alimenté par l'hésitation. Le simple fait d'avoir à décider si elle devait prendre son trio de violettes africaines chéri lui fit monter les larmes aux yeux.

— Bien sûr, tu les emportes.

Meara, qui s'appliquait à l'encourager tout en restant ferme, avait du mal à trouver le juste milieu entre ces deux pôles.

— C'est-à-dire que si je les laisse ici, toi et Donal serez obligés de venir les arroser, et si jamais vous oubliez…

— Je te promets de ne pas oublier. (Parce qu'elle les emporterait directement chez Branna, qui saurait les entretenir.) Mais ce serait mieux que tu les gardes avec toi.

— Maureen ne les voudra peut-être pas chez elle.

— Dis-moi donc pourquoi Maureen n'en voudrait pas ?

En équilibre sur la fine ligne des émotions, Meara afficha un sourire déterminé en brandissant l'une des plantes feuillues qui portaient des bourgeons violacés.

— Elles sont ravissantes !

— C'est tout de même chez elle, non ?

— Et toi, tu es sa mère, et ce sont tes plantes.

Une fois l'affaire classée, Meara les déposa avec précaution dans des cartons qu'elle avait récupérés au marché à grand renfort de supplications.

— Oh, mais…

— Elles voyageront en sécurité là-dedans. (*Sept fois sept égalent… ça m'énerve… quarante-neuf.*) Ne dis-tu pas que les plantes sont vivantes, et qu'elles réagissent à la musique, aux paroles et à l'affection ? Tu leur manquerais tellement qu'elles finiraient par dépérir, même si je m'en occupais bien.

Inspirée, Meara chanta *On the road again* en calant les pots avec des boules de papier. Au moins, cela lui valut une esquisse de sourire de la part de Colleen.

— Tu as une belle voix.

— Je la tiens de ma mère, tu ne crois pas ?

— Ton père aussi a une belle voix, qui porte, en plus.

— Mmm, fut la réponse de Meara qui reprit ses multiplications mentales. Bon, ensuite, tu dois aussi vouloir emporter des photos, pour décorer ta chambre.

— Oh…

Colleen croisa aussitôt les doigts comme lorsqu'elle se demandait si elle devait tourner à droite ou à gauche.

— Je ne sais pas, et comment veux-tu que je sache lesquelles prendre ? Et…

— Je vais choisir pour toi, et ça te fera une belle surprise quand tu déballeras tes affaires. Tiens, je prendrais bien une tasse de thé.

— Oh, je vais en faire.

— Excellente idée.

Qui lui offrait cinq minutes de tranquillité.

Sachant que Colleen se trouvait dans la cuisine, Meara décrocha rapidement quelques photos encadrées – des moments capturés du passé, son portrait, celui de ses frères et sœurs, et, même si c'était peu approprié, de ses parents ensemble.

Elle observa une image de ses parents, souriant au cœur des jardins verdoyants de la grande maison dans laquelle ils avaient vécu. Un visage séduisant, se dit-elle en s'attardant sur son père. Un gaillard bourré de charme.

Et dépourvu de cervelle.

Elle enveloppa la photo dans du papier pour protéger le verre et la rangea dans un carton. Si elle était plutôt d'avis que sa mère n'avait pas besoin d'un objet qui lui rappelle en permanence sa vie d'avant, ça ne la regardait pas.

Et sa vie actuelle, en cet instant, tenait dans deux valises, une besace et trois cartons.

Il y aurait plus d'affaires à emballer si son déménagement se révélait définitif – un mot que Colleen n'était pas prête à entendre. Plus d'affaires à ranger, mais au-delà de ça, Meara en était certaine, la promesse d'une nouvelle vie.

Une fois satisfaite, les bagages étant presque bouclés, elle retourna à la cuisine. Et trouva sa mère assise à la minuscule table, sanglotant sans bruit dans ses mains.

— Oh, Ma...

— Je suis désolée, vraiment désolée. Je n'ai pas préparé le thé. Je me sens perdue, Meara. J'ai passé toute ma vie à Cong et dans la région. Et maintenant...

— Ce n'est pas loin d'ici. Tu ne seras pas loin. (S'asseyant, Meara lui prit les mains.) À moins d'une heure de route.

Colleen leva la tête, l'air triste.

— Mais je ne te verrai plus aussi souvent ni Donal.

— Tu vas juste lui rendre visite, Ma.

— Peut-être que je ne reviendrai jamais ici. C'est ce que vous avez tous en tête.

Au pied du mur, Meara endossa la responsabilité de leur projet secret.

— C'est ce que nous pensons tous que tu souhaiteras, toi aussi, au bout d'un moment. Si tu restais à Galway chez Maureen, Sean et les enfants, nous viendrions vous voir. Évidemment, nous viendrons te voir. Et si tu n'es pas heureuse là-bas, tu reviendras ici. N'ai-je pas dit que je veillerai à ce que ta maison t'attende ?

— Je déteste cette maison. Je déteste tout ici.

Stupéfaite, Meara s'apprêta à répondre, puis se ravisa, faute de savoir quoi dire.

— Non, non, ce n'est pas vrai. (Se berçant, Colleen enfouit son visage dans ses mains.) J'aime énormément les jardins. Vraiment. J'aime les regarder, celui de devant autant que celui de derrière, et les entretenir aussi. Et je suis contente d'avoir cette petite maison, elle est adorable.

Sortant un mouchoir de sa poche, Colleen essuya ses larmes.

— Je suis reconnaissante envers Finbar Burke qui accepte de me la louer pour moins cher que ce qu'elle vaut réellement – et envers toi qui paies le loyer. Et envers Donal qui est resté vivre avec moi pendant longtemps. Envers vous tous, qui veillez à ce que l'un de vous me téléphone tous les jours pour prendre de mes nouvelles. Vous qui m'emmenez en vacances parfois. Je sais que vous vous êtes mis d'accord pour que j'aille vivre à Galway chez Maureen pour mon bien. Je ne suis pas si bête que ça.

— Tu n'es pas bête du tout.

256

— J'ai cinquante-cinq ans et je suis incapable de faire cuire un rôti d'agneau.

Comme cela provoqua de nouveaux sanglots, Meara changea de tactique.

— C'est vrai que tu es très mauvaise cuisinière. Quand je rentrais à la maison et que je sentais le repas qui mijotait, je demandais au ciel ce que j'avais fait pour mériter une telle punition.

Colleen ouvrit des yeux ronds, les larmes coulant sur ses joues. Puis elle éclata de rire. Un éclat de rire un peu forcé, mais elle rit néanmoins.

— Ma mère est pire que moi.

— C'est possible ?

— À ton avis, pourquoi ta grand-mère a-t-elle engagé un cuisinier ? Nous avons failli mourir de faim. Et Maureen, malgré l'amour que je lui porte, n'est pas meilleure aux fourneaux.

— C'est pour ça qu'on a inventé les plats cuisinés. (Espérant avoir endigué un nouveau flot de larmes, Meara alla mettre la bouilloire en marche.) J'ignorais que tu n'aimais pas vivre ici.

— Ce n'est pas vrai. Je n'aurais pas dû dire ça, c'était ingrat de ma part. J'ai un toit sur ma tête, et un jardin dont je suis fière. Mes voisins sont gentils, et toi et Donal n'êtes pas loin. Je déteste l'idée de n'avoir que ça – une maison qui appartient à quelqu'un d'autre et dont ma fille paie le loyer pour que je puisse rester dans le coin.

— Ce n'est pas tout ce que tu possèdes.

Elle devait être aveugle, se dit Meara, pour ne pas imaginer que vivre dans une location payée par sa fille puisse blesser la fierté de sa mère.

— C'est juste un logement, Ma. Une maison. Tu as tes enfants, tes petits-enfants, qui t'aiment suffisamment pour se soucier de ton bien-être. Tu t'as, toi, mauvaise cuisinière mais excellente jardinière. Tu vas être une bénédiction pour tes petits-enfants.

— Tu crois ?

— J'en suis sûre. Je sais que tu seras ultra-patiente avec eux et t'intéresseras sincèrement à tout ce qu'ils font et pensent. C'est différent du rôle de parent, j'imagine ? En tant que parents, on doit sans cesse se demander s'il vaut mieux dire oui ou non, maintenant ou plus tard. Il faut inculquer la discipline et imposer des décisions tout en aimant et en soignant les enfants. Tu n'auras qu'à donner de l'amour, et ils absorberont tout comme des éponges.

— Ça me manque de les voir souvent, d'avoir le temps de les gâter.

— Alors c'est l'occasion de recommencer.

— Et si Maureen ne me laissait pas les gâter ?

— Alors j'irais lui botter le train à Galway.

Colleen sourit pendant que Meara préparait le thé.

— Tu as toujours été ma guerrière. Si déterminée et courageuse. J'espère qu'un jour tu me donneras des petits-enfants à gâter, toi aussi.

— Ah, ça…

— Il paraît que tu fréquentes Connor O'Dwyer.

— Je fréquente Connor O'Dwyer depuis que je suis toute petite.

— Meara…

Inutile d'éviter le sujet, se dit Meara en apportant les tasses sur la petite table.

— En effet, nous sortons ensemble.

— Personne ne l'apprécie plus que moi. C'est quelqu'un de bien, un homme très séduisant en plus. Il a bon cœur, et il est profondément gentil. Il passe me voir de temps en temps, juste pour savoir comment je me porte, et il demande toujours s'il peut faire quelque chose pour moi à la maison.

— Je ne savais pas, mais c'est tout lui.

— Il a une certaine assurance, et même si je sais comment le monde fonctionne, je n'approuve pas... le sexe avant le mariage.

Sainte Mère de Dieu, pria Meara, *ayez pitié et épargnez-moi une discussion sur le sexe...*

— Message reçu.

— Je pense la même chose au sujet de Donal et Sharon, mais... Les hommes sont ce qu'ils sont, après tout, et ils ont ce genre d'exigences avec ou sans les liens sacrés du mariage.

— Comme les femmes, Ma, et ça m'ennuie d'avoir à te l'apprendre, mais je suis une femme adulte.

— Ainsi va la vie, dit bien sagement Colleen, mais tu restes ma fille. Et malgré le point de vue de l'Église sur ce sujet, j'espère que tu prends tes précautions.

— Tu peux dormir tranquille.

— Je serai tranquille quand tu seras heureuse, mariée et que tu fonderas une famille dans ta propre maison. J'aime énormément Connor, comme je l'ai déjà dit, mais tout le monde sait que c'est un coureur de jupons. Alors sois prudente, Meara.

Lorsqu'elle entendit la porte s'ouvrir, Meara aurait pu embrasser le premier venu.

— Voici Donal, prêt à t'emmener à Galway, annonça-t-elle avec entrain. Je vais chercher une tasse pour lui.

Elle envisagea de rentrer chez elle, de fixer le plafond jusqu'à ce qu'elle se sente moins épuisée, moins coupable et, plus globalement, moins perturbée. En fin de compte, elle se rendit tout droit chez Branna.

À peine avait-elle franchi la porte de l'atelier qu'elle comprit son erreur.

Branna et Fin se tenaient devant le grand plan de travail, les mains immobiles au-dessus d'un bol en argent. Ce qui infusait dans le récipient rayonnait, une lumière orange crue s'élevait en tourbillons, tournoyant telle une colonne de fumée.

Branna leva un doigt de sa main libre pour lui demander de patienter un instant.

— Toi et tiennes, moi et miennes, nos vies et nos morts s'entrelacent comme des chaînes. Sang et larmes, versé et répandues s'unissent, mélange épais et rouge. Feu et fumée bouillonneront pour de bon et scelleront votre destin par cette potion.

Le mélange d'un orange vif se mit à faire des bulles et déborda.

— Bon sang ! (Branna s'écarta de son ouvrage, les poings serrés sur les hanches.) Ça ne va toujours pas. Ça devrait virer au rouge, au rouge sang. Un rouge meurtrier, épais. Nous avons encore raté quelque chose.

— Ce n'est sûrement pas mon sang, se défendit Fin. Je t'en ai déjà donné un litre.

— Juste quelques gouttes, ne fais pas l'enfant. (Visiblement frustrée, Branna tira sur ses cheveux qu'elle avait réunis en un chignon grossier au-dessus de sa tête.) J'ai bien pris le mien, celui de Connor et d'Iona, non ?

— Et ça fait trois contre le mien.

— Plus ce qui nous reste du sien depuis le solstice – et que nous avons utilisé – et ce que nous avons prélevé sur l'épée.

— Je peux te donner le mien si tu en as besoin, proposa Meara. Sinon, j'ai l'impression d'être là pour rien.

— Pas du tout. On pourrait avoir besoin de ton point de vue, de tes idées. Mais nous allons faire une pause pour que je réfléchisse un peu, décida Branna. Prenons le thé.

— Tu es contrariée, dit Fin à Meara pendant que Branna nettoyait le plan de travail. Ta mère est partie à Galway aujourd'hui.

— Il y a peu, oui, et à grand renfort de larmes et de grincements de dents.

— Je suis désolée. (Branna fit aussitôt le tour du plan de travail pour frotter le bras de Meara.) J'étais tellement accaparée par mes frustrations que je n'ai pas pensé aux tiennes. Alors, c'était difficile ?

— À la fois plus et moins que je ne l'avais imaginé. Mais globalement épuisant.

— J'ai des choses à faire, je peux vous laisser discuter toutes les deux.

— Non, ne pars pas à cause de moi. Ça me donne aussi l'occasion de te parler de la maison que tu lui loues.

— Tu n'as pas de souci à te faire. Comme je te l'ai dit, je peux attendre qu'elle ait décidé de la suite. Ça fait bientôt dix ans que c'est chez elle.

— C'est très gentil de ta part, Fin. Sincèrement.

Sans dire un mot, Branna alla préparer le thé.

— Je pense qu'elle ne reviendra pas, ou pas pour y vivre, dit Meara. À mon avis, le changement va lui faire du bien. Les petits-enfants, surtout eux, puisqu'elle va vivre avec certains, et à proximité des autres. Qui plus est, Sean, le mari de Maureen, va se plier en quatre pour elle, comme il a toujours eu un faible pour ma mère. Et le fait est que seule, elle n'est pas heureuse. Elle a besoin de quelqu'un avec qui bavarder, mais aussi de donner un sens à sa vie, et Maureen saura lui apporter tout cela.

— Alors arrête de culpabiliser, conseilla Fin.

— Pour l'instant, je patauge dans la culpabilité. (Écrasée par ce sentiment, Meara pressa ses paupières du bout des doigts.) Elle a beaucoup pleuré, et dit des choses que j'ignorais complètement qu'elle pensait ou éprouvait. Elle t'est reconnaissante, Fin, pour la maison, pour le loyer ridiculement bas que tu lui demandes depuis tout ce temps. Et envers moi qui croyais qu'elle n'avait pas le sens de l'argent ! Mais j'avais tort, elle a de la gratitude envers toi, autant qu'envers moi.

— C'est trois fois rien, Meara.

— C'est énorme pour elle, pour moi. Je n'aurais jamais pu me payer un appartement en plus de son loyer si tu ne lui louais pas pour une bouchée de pain, même avec l'aide de Donal, et ça aurait fini en bain de sang. Bref, tu as empêché qu'elle meure étranglée et que j'aille en prison, donc tu as toutes les raisons d'accepter notre reconnaissance.

— Tout le plaisir est pour moi. (Il s'approcha d'elle, la prit dans ses bras, ce qui la fit fondre en larmes.) Allez, ça va, ma petite chérie.

— C'est juste qu'elle s'est remise à pleurer quand j'ai chargé ses affaires dans la camionnette de Donal et elle s'est agrippée à moi comme si je partais au front. C'est vrai, en un sens, mais elle l'ignore. Je suis prête à parier qu'elle a fermé les yeux sur les activités de mes trois meilleurs amis pendant toutes ces années, et maintenant, tout ce qui l'inquiète, c'est que Connor et moi couchons ensemble hors des liens sacrés du mariage.

Souriant malgré lui, Fin lui frotta le dos.

— On dirait que tu as eu une journée bien remplie.

— Que j'ai terminée en virant ma mère de chez elle.

— Tu n'as rien fait de tel. Tu l'as aidée à briser une chaîne qui la retient prisonnière ici pour s'en aller dans une maison, avec sa famille, où elle sera plus heureuse. Je suis certain qu'elle te remerciera avant la fin de l'année. Tiens, *dubheasa*, sèche tes larmes.

S'écartant d'elle, il tâta ses poches et fit apparaître un mouchoir multicolore en la faisant rire.

— C'est quoi, ça ?

— L'arc-en-ciel suit toujours la tempête. (Il cueillit ensuite une énorme pâquerette rose fuchsia dans ses cheveux.) Et les fleurs naissent de la pluie.

— Tu ferais un tabac dans les goûters d'anniversaires.

— Ça peut servir.

— Et moi, je ne suis qu'une pauvre cloche.

— Pas du tout, répondit-il en la reprenant dans ses bras. Juste à moitié cloche, au pire.

Il surprit le regard de Branna par-dessus la tête de Meara. Et son sourire lui fit l'effet d'un coup de poignard en plein cœur.

Elle but son thé, mangea trois biscuits au citron faits par Branna, et bien qu'elle n'y connût à peu près rien en livres de sortilèges et recettes de potions magiques, elle fit de son mieux pour se rendre utile.

Elle écrasa des plantes aromatiques dans un mortier, à l'aide d'un pilon – de la sauge, de l'herbe de Saint-Roch, du romarin pour le bannissement. Elle mesura la bonne dose de poussière d'un cristal de fluorite noir pilé, égalisa les tiges des tresses de cuivre, notant scrupuleusement chaque quantité dans le carnet de Branna.

Quand Connor arriva en compagnie d'Iona et de Boyle, tous les ingrédients choisis par Branna et Fin étaient fin prêts.

— Nous avons raté deux fois ce charme aujourd'hui, les informa Branna, alors j'espère que la troisième sera la bonne.

263

Mais maintenant, nous avons l'aide de Meara, ça devrait nous porter bonheur.

— Tu es devenue apprentie magicienne ? fit Connor en l'embrassant.

— Pas vraiment, mais je suis capable de broyer et de mesurer les quantités des ingrédients.

— Tu as dit au revoir à ta mère ?

— Oui, et je l'ai épongée pendant qu'elle versait toutes les larmes de son corps. Après, je suis venue ici, et Fin m'a consolée à mon tour.

— Tu peux être heureuse pour elle, puisqu'elle sera plus heureuse là-bas, dit Connor en baisant son front.

— Je commence à le croire, après le message que j'ai reçu de Donal il y a une heure pour m'informer que la famille de Maureen lui avait réservé un accueil royal, assorti de banderoles et de fleurs, avec un gâteau et même du champagne. Je devrais avoir honte d'avoir cru que Maureen était incapable d'une telle générosité, mais je sais que ça me passera la prochaine fois qu'elle me tapera sur les nerfs. Donal dit qu'elle est aussi guillerette qu'une jeune fille – Ma, pas Maureen –, alors ça fait déjà un souci en moins.

— Nous irons la voir et nous l'emmènerons dîner en ville dès que nous aurons un moment.

« Bon cœur », avait dit sa mère. Et d'une gentillesse naturelle.

— Tu prends des risques, étant donné que tu couches avec sa fille hors des liens sacrés du mariage.

— Quoi ?

— Je t'expliquerai. Je crois que Branna veut te prendre du sang.

— À tout le monde, précisa Branna. Comme pour l'envoûtement qui a précédé le solstice.

— Ça n'a pas marché jusqu'au bout. (Boyle considéra le bol les sourcils froncés tandis que Branna additionnait soigneusement divers composants.) Pourquoi serait-ce différent cette fois ?

— Nous avons son sang, ramassé par terre et sur la lame, dit Fin.

— Ça ajoute son pouvoir au charme, ça ajoute aussi sa force maléfique, et nous retournerons ce pouvoir contre lui.

— Ferme l'atelier, Connor. (Branna mesura la juste quantité de sel avant de le verser.) Iona, veux-tu prendre les bougies ? Cette fois, nous allons le faire ensemble puisque nous sommes tous là et procéder au sein du cercle.

» En dedans et en dehors, commença-t-elle, en dehors et en dedans, la queue du diable nous faisons tourner tel un ouragan. (S'emparant d'un fil de cuivre, elle le modela pour lui donner la forme d'un homme.) Dans les ténèbres il se terre, dans les ténèbres nous attendrons notre heure et le piégerons sous sa forme primaire. Là, nous l'enflammerons et le réduirons en cendres par ce sort que nous lui jetons.

Elle déposa la silhouette en cuivre sur le plateau d'argent, à côté des fioles, d'une sphère en cristal et de son plus ancien athamé.

— Nous traçons le cercle.

Meara avait assisté à ce rituel une bonne dizaine de fois, mais cela ne manquait jamais de lui donner des frissons. Un simple mouvement de la main qui suffisait à allumer toutes les bougies blanches disposées en large cercle, l'air qui semblait s'apaiser, s'immobiliser à l'intérieur de leurs limites…

Puis s'agiter.

Les trois Ténébreux et Fin se tenaient aux quatre points cardinaux, chacun convoquant un élément, le dieu et les déesses, leurs guides.

Et le feu conjuré par Branna était blanc, ses flammes s'élevant à trente centimètres du sol, le bol en argent suspendu au-dessus.

Les herbes et les cristaux, l'eau bénite qui se déversa de la main de Branna – aussitôt agitée par l'air convoqué par Connor. De la terre noire s'échappa du poing serré de Fin, humide des larmes versées par une magicienne.

Et le sang.

— D'un cœur courageux et fidèle. (Iona entailla la paume de Boyle à l'aide de son couteau rituel.) Pour mêler le mien au tien et ne faire qu'un.

Elle incisa sa main, pressa leurs paumes l'une contre l'autre.

— Vie et lumière, étincelantes et claires, dit-elle en laissant leurs sangs mêlés couler dans le bol.

Connor saisit la main de Meara, embrassa sa paume.

— D'un cœur loyal et fort. (Il entama la main de Branna, puis la sienne.) Joins-toi à moi pour que le bien l'emporte sur le mal. Vie et lumière, étincelantes et claires.

Branna se tourna vers Fin pour lui prendre la main mais il la dégagea pour déboutonner l'encolure de sa chemise et dénuder son épaule.

— Prends le sang sur la marque.

Comme elle refusait d'un signe de tête, il s'empara du poignet de sa main qui tenait le couteau.

— Sur la marque.

— Si c'est ce que tu veux.

Elle posa la lame sur le pentagramme, symbole de sa malédiction et de sa lignée.

— Sang qui coule de cette marque, mélange-toi au mien. Blanc et noir.

Au moment où elle appuya sa main entaillée sur son épaule, chair contre chair, sang contre sang, les flammes des bougies grandirent brusquement, faisant vibrer l'air.

— Noir et blanc, forts et puissants, lumière et vie, étincelantes et claires.

Un filet de sang coula le long de sa main et goutta dans le bol. La potion se mit à bouillir, à tourbillonner vigoureusement, crachotant de la fumée.

— Au nom de Sorcha, de tous ceux qui sont venus avant, de tous ceux qui sont venus après, nous unissons nos pouvoirs pour mieux combattre. Nous projetons nos pouvoirs pour vaincre les ténèbres, pour que la lumière l'emporte.

Elle jeta la figurine en cuivre dans la potion en ébullition, où elle s'embrasa dans les flammes orange, dorées et rouges, rugissantes comme mille voix appelant à travers elles.

Le silence qui s'ensuivit fut si profond qu'elle trembla.

Branna risqua un regard dans le bol et poussa un soupir.

— C'est bon. C'est réussi. Cela devrait avoir raison de lui.

— Dois-je éteindre le feu ? lui demanda Iona.

— Nous allons la laisser mijoter pendant une heure, puis nous l'enlèverons du feu pour la nuit, le temps que ça sèche. Le jour de Samhain, nous l'étoufferons avec.

— Alors nous avons terminé pour l'instant ? demanda Meara.

— Nous en avons suffisamment fait pour que je mérite de me changer les idées devant un verre de vin.

— Dans ce cas, je reviens dans une minute. J'ai juste besoin de… (Elle entraîna aussitôt Connor à l'écart.) Juste besoin de Connor un instant.

— Qu'est-ce qu'il y a ? s'enquit-il, tandis qu'elle serrait sa main de toutes ses forces pour le guider vers le fond de l'atelier, puis dans la cuisine. Ça t'a fait un choc ? Je sais que le rituel était intense, mais…

— Intense, très intense, oui, reprit-elle d'une voix chantante en lui faisant traverser le salon et monter l'escalier.

— C'est à cause du sang ? Je sais que ça peut sembler cruel mais je te promets que c'est essentiel à la préparation de la potion, pour renforcer l'envoûtement.

— Non. Oui. Je sais tout ça !

Le souffle court, elle le poussa dans la chambre puis le tira vers elle en claquant la porte.

Elle l'embrassa, leurs lèvres fusionnant presque tant elle irradiait de chaleur.

— Oh, parvint-il à articuler quand elle lui enleva son pull d'un geste impatient et qu'il comprit ce qui lui arrivait.

— Donne-moi. (Elle ôta son maillot de corps, planta ses dents dans son épaule nue.) Vas-y, donne-moi.

Il aurait aimé ralentir le cours des événements, rien qu'un peu, si elle n'avait pas déjà été en train de détacher sa ceinture. Que pouvait bien faire un homme dans ces conditions ?

Il tira sur le pull de Meara – déshabiller une femme était l'un des grands plaisirs de son existence – mais leurs mains agitées s'entravèrent. Il envisagea de le déchirer quand…

— Zut, on s'en fiche.

Meara se retrouva aussitôt nue, tout comme lui.

— Oui, oui, oui.

Elle serra les poings dans sa chevelure, plongea vers sa bouche, grommelant de plaisir quand il prit ses seins en coupe.

C'était la première fois qu'un désir aussi incontrôlable s'emparait d'elle. Jamais elle n'avait autant tremblé, eu intimement besoin d'un homme. Peut-être que les remous dans les airs, la pulsation des flammes, l'éveil stupéfiant et l'alliance des pouvoirs et des forces magiques la stimulaient.

Tout ce qu'elle savait, c'était que s'il ne la prenait pas sur-le-champ, elle perdrait la raison.

Il portait encore la saveur unique de la magie – virile, séduisante et flirtant avec le mal. Elle pouvait encore sentir les ondes ésotériques, pas tout à fait évaporées, agir sur lui.

Elle désirait cela, le désirait lui, désirait tout.

Les gestes de Connor se firent plus impatients, tout en restant gourmands et brusques.

Elle avait envie de ça aussi, désirait ardemment qu'il la touche, qu'il la prenne comme si sa vie en dépendait.

Elle avait l'impression que la sienne en dépendait.

Il la fit pivoter sur elle-même d'un geste rapide, la plaquant contre la porte. Elle eut juste le temps de le regarder dans les yeux – qui étaient en cet instant farouches et sauvages – avant qu'il ne la pénètre.

Elle avait cru perdre la tête s'il ne la prenait pas tout de suite, mais quand il s'introduisit en elle, elle devint tout simplement folle.

Elle ondula du bassin avec vigueur, le défiant de s'accorder à son rythme déchaîné. Ses ongles s'enfoncèrent dans sa chair – dans son dos, ses épaules –, ses dents mordillant et griffant. De petites douleurs, éphémères et vives, qui se muaient en autant de plaisirs insensés pour le réduire en esclavage. Dans ses veines, le sang affluait, le poussant à donner des coups de reins plus violents, plus rapides. Il alla plus loin en adoptant une cadence brutale à couper le souffle.

Elle poussa un cri, un mélange de choc et d'avidité. Elle cria encore, mais son nom jaillit de sa gorge avec émerveillement. Quand il agrippa ses hanches, la souleva, elle enroula les jambes autour de sa taille.

Il dévora sa gorge, emplit sa bouche de sa saveur tout en emplissant Meara de sa soif d'elle jusqu'à ce que la dernière attache s'effiloche et craque.

269

Il succomba, sentit l'air éclater comme du verre lorsqu'elle se contracta autour de lui, tandis que son dernier cri s'évanouissait dans un soupir tremblé.

À bout de forces, ils se laissèrent glisser sur le sol, leurs membres moites entrelacés.

— Mon Dieu ! Doux Jésus…

Elle inspira de longues bouffées d'air comme si elle refaisait surface après avoir frôlé la noyade.

Reprenant son souffle à grand-peine, il grommela en se détachant d'elle pour s'allonger sur le dos, les yeux fermés, pantelant.

— On dirait que le sol tremble, non ?

— Je ne pense pas. (Il ouvrit les yeux, fixa le plafond.) Peut-être. Non, décida-t-il. Je crois que ça vient de nous. Ou plutôt de nos vibrations. Il paraît qu'on ressent souvent des ondes de choc après un tremblement de terre.

Il tendit la main vers elle, à l'aveuglette, pour lui donner une petite tape, mais sa main atterrit sur son sein. Très bon endroit.

— Tout va bien ?

— Bof. Je suis époustouflée et stupéfaite. Comme si j'avais volé une seconde fois. C'est à cause de cet air que tu avais. On aurait dit que tu rayonnais de l'intérieur, tes cheveux volaient autour de ta tête, soulevés par le vent que tu produisais, et toute la puissance de l'instant battait comme des tambours tribaux. C'était plus fort que moi. Je suis désolée, mais je n'ai pas pu m'en empêcher.

— Tu es tout excusée. L'indulgence, c'est dans ma nature.

Elle pouffa de rire, recouvrit sa main de la sienne.

— Et nous voilà nus, lessivés, couchés par terre, dans ta chambre qui est un vrai foutoir, comme d'habitude.

Il balaya la pièce du regard. Pas tout à fait un foutoir, constata-t-il. D'accord, il y avait des chaussures, des bottes,

270

des vêtements éparpillés partout. Il n'avait jamais vu l'intérêt de faire son lit – amer sujet de discorde entre lui et sa sœur – alors qu'il revenait s'y coucher tous les soirs.

Pour lui faire plaisir, d'un geste de la main, il réunit les chaussures, les bottes, les vêtements, les livres et tout ce qui traînait par terre, et les empila dans un coin de la chambre. Il ferait le tri plus tard – un de ces jours.

Mais dans l'immédiat, il fit tournoyer sa main et des pétales de rose retombèrent en pluie. Elle rit, en saisit une poignée au vol et les éparpilla dans ses cheveux.

— Tu es bêtement romantique, Connor.

— Ça n'a rien de bête, le romantisme. (Il l'attira vers lui, reposant la tête de Meara sur son épaule.) Voilà qui est mieux.

C'était indéniable, mais quelque chose l'ennuyait.

— Nous devrions descendre. Ils vont se demander ce que nous manigançons.

— Oh, je suis prêt à parier qu'ils le savent très bien. Alors accordons-nous un petit moment à nous.

Un petit, accepta-t-elle intérieurement.

— Je vais avoir besoin de mes vêtements, où que tu les aies envoyés.

— Je vais te les rendre. Mais pas tout de suite.

Elle s'autorisa cet instant de bonheur, la tête confortablement nichée dans le creux de son épaule, les pétales de rose virevoltant autour d'eux.

14

Alors qu'octobre succédait à septembre, Branna força Connor et Iona à lui prêter la main pour récolter les légumes de son potager. Elle assigna Iona à la cueillette des petits pois, Connor à l'arrachage des pommes de terre, tandis qu'elle ramassait les carottes et les navets.

— Ça sent bon ! s'exclama Iona en redressant le dos pour humer l'air. Au printemps, quand nous avons tout planté, ça embaumait la fraîcheur et le renouveau, et c'était merveilleux. Maintenant, cet arôme de légumes à maturité est différent mais tout aussi merveilleux.

Connor considéra Iona d'un œil torve tout en bêchant.

— Tu me répéteras ça quand elle t'obligera à tout gratter, à faire bouillir ou blanchir, ou je ne sais pas quoi d'autre.

— Tu ne te plains jamais quand tu manges tous les plats que te prépare l'hiver, avec les légumes que je mets en conserve ou que je congèle. En fait...

Elle alla arracher une tomate gorgée de soleil et la huma.

— J'ai dans l'idée de préparer une soupe de tomates au bleu pour ce soir.

Sachant qu'il en raffolait, Branna sourit quand Connor la regarda de travers.

— C'est une ruse pour me faire travailler.

— Je suis une fille rusée.

La récolte la mettait d'excellente humeur. Bien qu'elle arrachât et cueillît pendant tout l'été, l'essentiel des provisions qu'elle mettait en bocaux pour l'hiver lui procurait un délicieux sentiment d'accomplissement.

Et le travail, aux yeux de Branna, participait à la satisfaction.

— Iona, tu voudras bien cueillir deux beaux concombres. Je vais en avoir besoin pour concocter mes crèmes de beauté.

— Je ne sais pas comment tu fais pour abattre autant de besogne. Entretenir la maison, le jardin, cuisiner, fabriquer les produits pour ta boutique, tenir un commerce. Comploter la destruction d'un démon…

— C'est peut-être magique. (Tout en se délectant de leur délicieux parfum, de la douceur de leur peau, Branna emplit son seau de tomates.) Mais la vérité est que j'aime ce que je fais, alors la plupart du temps, je n'ai pas l'impression de faire d'efforts.

— Va dire ça à celui qui manie la bêche, se plaignit Connor, sans obtenir de réaction.

— Tu ne rechignes pas à la tâche, toi non plus, dit Branna à Iona. Ça n'a pas l'air de t'ennuyer de passer tes journées à ramasser du crottin de cheval, à manier des balles de paille et de foin, à balader les touristes à cheval, dans les bois, des gens qui doivent poser les mêmes questions tous les jours. Plus le temps que tu as passé à étudier et à t'exercer à notre art depuis l'hiver dernier, alors que tu savais à peine produire une étincelle au bout de la mèche d'une bougie.

— J'adore tout ça, moi aussi. J'ai une maison, un endroit où je me sens chez moi, un but. J'ai une famille et un homme qui m'aime. (Tendant le visage vers le soleil, Iona prit une

273

longue inspiration.) Et j'ai la magie. Je n'avais que trois fois rien, et Nan était ma seule vraie famille avant de venir ici.

Elle marcha jusqu'au carré de concombres, en choisit deux.

— J'aimerais énormément être capable de m'occuper d'un petit potager. Si j'apprenais à faire des conserves, j'aurais l'impression d'avoir participé aux repas que Boyle cuisine seul, la plupart du temps.

— Chez Boyle, il y a assez de place pour un petit jardin. Vous avez prévu de rester vivre là quand vous serez mariés ?

— C'est parfait pour l'instant. Idéal pour nous deux, et près de tout et de tout le monde. Mais… mais nous aimerions avoir des enfants, et même assez vite.

Branna replaça correctement le chapeau de paille qu'elle portait plus par goût des traditions que pour se protéger du soleil qui jouait à cache-cache avec les nuages moutonneux par cette journée plus estivale qu'automnale.

— Dans ce cas, il vous faut une maison. L'appartement au-dessus du garage de Fin ne conviendra bientôt plus.

— Nous y réfléchissons, mais nous n'avons vraiment pas envie de nous éloigner de vous ni du centre équestre, alors ça reste à l'état de vague projet. (Courbant l'échine pour se remettre à l'œuvre, Iona cueillit une courge jaune.) Nous devons d'abord nous concentrer sur les préparatifs de mariage, et je n'ai même pas encore choisi ma robe ni les fleurs.

— Mais tu sais ce que tu veux.

— J'ai une vague idée de la robe que je recherche. Je pense… Connor, bouche-toi les oreilles, tu vas t'ennuyer ferme.

— J'ai déjà les pommes de terre qui m'ennuient.

Il en ramassa quelques-unes dans la pelletée de terre et les jeta dans le seau.

— Enfin bref, j'ai envie d'une longue robe blanche, mais plutôt de style vintage, pas d'un chic moderne. Pas de traîne

274

ni de voile, quelque chose de très simple mais de beau. Un peu dans l'esprit de l'époque de nos grands-mères, mais remise au goût du jour. Nan m'aurait donné la sienne, mais elle est ivoire et je la veux blanche, et elle est trop grande pour moi. Bon, ce n'est pas exactement ce que je cherche, même si j'adorerais porter une robe de famille.

Elle cueillit une tomate cerise, toute chaude, et l'engloutit d'un geste.

— Ah, délicieux ! J'ai cherché sur Internet, pour me donner des idées et après Samhain, j'aimerais que toi et moi et Meara nous mettions à chercher sérieusement.

— Avec plaisir. Et pour les fleurs ?

— Pour ça aussi, j'ai farfouillé, et puis finalement, je veux tes fleurs.

— Les miennes ?

— Je veux parler du style de tes fleurs, de tes jardins.

Se redressant, Iona embrassa d'un geste le gai mélange de zinnias, de digitales, de bégonias, de cresson de fontaine.

— Sans restrictions d'espèces ni de couleurs. Je les veux toutes. Des couleurs et de la joie, ta façon de les planter en donnant une impression de joyeux désordre naturel, un effet stupéfiant au premier coup d'œil.

— Alors il te faut Lola.

— Lola ?

— Elle est fleuriste et tient une boutique à Galway. C'est l'une de mes clientes. Je lui envoie des pots de crème pour les mains, puisque soigner les fleurs abîme les mains. Elle me commande souvent des bougies en quantité pour aller avec les arrangements qu'elle compose pour les mariages. Elle crée des œuvres d'art avec les fleurs, tu peux me croire. Je te donnerai son numéro de téléphone, si tu veux.

— Je veux bien. Elle m'a l'air parfaite.

Iona jeta un coup d'œil vers Connor. Accroupi, il examinait une pomme de terre comme si elle renfermait toutes les réponses à ses questions.

— Je t'avais prévenu que tu allais t'ennuyer ferme.

— Non, ce n'est pas ça. Tu m'as fait penser à la famille, aux jardins et aux fleurs. Et à la jacinthe des bois que Teagan m'a demandé de planter sur la tombe de sa mère. Je ne l'ai pas fait.

— C'est trop dangereux d'approcher de la chaumière de Sorcha en ce moment, lui rappela Branna.

— Je le sais. Mais c'est tout ce qu'elle a demandé. Elle a soigné Meara, et tout ce qu'elle voulait, c'était que je plante le bulbe.

Posant son seau, Branna marcha vers lui et s'accroupit face à lui.

— Je ne prendrais pas ce risque, sachant que je mettrais tout en péril. Mais je me sens tiraillé, Branna. Ce n'était qu'une fillette. Et elle te ressemblait, Iona. Et quand je te regarde, dit-il à Branna, comme j'ai regardé la Brannaugh de Sorcha, je la vois dans dix ans, et toi comme tu étais à son âge. Il y avait du chagrin et de la détermination dans ses yeux, comme je n'en lis que trop souvent dans les tiens.

— Quand nous aurons accompli ce que nous avons juré d'accomplir, le chagrin et la détermination disparaîtront. (Elle serra sa main calleuse.) Ils le sauront eux aussi. J'en suis certaine.

— Pourquoi sommes-nous incapables de voir, à nous deux ? Et à nous trois, avec Iona ? Pourquoi ne pouvons-nous pas voir comment tout se termine ?

— Tu connais la réponse. Tant qu'il y a le choix, la fin n'est jamais fixée. Ce qu'il a, et tout ce qui s'est passé auparavant, brouille la vision, Connor.

— Nous sommes la clarté.

Iona se leva, son seau de petits pois à la main, les genoux souillés de terre. Et la bague offerte par Boyle brillant à son doigt.

— Quoi qu'il nous réserve, quelle que soit l'apparence qu'il revêtira, nous combattrons. Et nous vaincrons. J'y crois fermement. Et j'y crois parce que tu y crois, dit-elle à Connor. Parce que tu sais que toute ta vie est le chemin qui t'a mené à ça, et tu y as toujours cru. C'est une brute, un salopard qui se cache derrière le pouvoir qu'il a obtenu en pactisant avec un démon. Ce que nous sommes ? demanda-t-elle en touchant son cœur. Ce que nous possédons provient de notre sang et de la lumière. Nous allons l'anéantir grâce à cette lumière et l'expédier en enfer. Je le sais.

— Bien dit ! (Branna donna un coup de coude à Connor.) Le discours de la Saint-Crépin[1] revu et corrigé par notre Iona.

— C'était très bien dit. Ça me taraude, c'est tout. Comme une promesse faite et pas encore honorée.

— Tu l'honoreras, dit Branna. Et ce n'est pas que ça et la récolte des pommes de terre qui te font broyer du noir, ce qui t'arrive rarement. Te serais-tu disputé avec Meara ?

— Pas du tout. Tout se passe super bien. Mais l'intérêt que Cabhan semble lui porter m'inquiète parfois. Quand il s'en prend à l'un de nous, nous avons de quoi lui rendre la monnaie de sa pièce et répondre à chacun de ses tours par la magie. Elle a du caractère et une grande force mentale, et une épée quand elle la porte sur elle.

---

1. Célèbre tirade extraite d'une pièce de William Shakespeare, *Henri V*. Le roi y évoque ce martyr du IIIe siècle, et « Quiconque aura combattu avec nous le jour de la Saint-Crépin ». (*N.d.T.*)

— Et elle sait s'en servir, sans compter qu'elle possède tes pierres protectrices, les talismans que nous lui avons fabriqués. Nous ne pouvons rien faire de plus.

— Son sang a coulé sur mes mains. (Il baissa les yeux, vit le liquide vermillon coulant des plaies de Meara à la place de la terre.) Comme je n'arrive pas à chasser cette image de ma tête, à tourner la page, je lui envoie cinq à six textos par jour, en inventant toutes sortes de prétextes rien que pour vérifier qu'elle va bien.

— Si elle le savait, ça irait mal pour ton matricule.

— J'en suis conscient.

— Je m'inquiète pour Boyle, moi aussi. Alors que Cabhan ne fait même pas attention à lui en particulier. C'est naturel, intervint Iona, de se faire du souci pour les êtres qui nous sont chers et qui n'ont pas le même arsenal que nous à disposition. Toi aussi, tu t'inquiètes, ajouta-t-elle à l'intention de Branna.

— Oui, bien sûr. Même si je sais que nous avons fait tout ce qui est en notre pouvoir.

— Si ça peut te rassurer, je passe beaucoup de temps auprès d'elle, au travail. Et quand elle emmène un groupe en balade, je tresse un talisman dans la crinière de son cheval, depuis que le loup l'a épiée.

Connor sourit.

— Tu fais ça ?

— Elle n'a rien contre, et Boyle non plus. J'en pare tous les chevaux dès que je peux. Ça m'aide à les laisser sans compagnie le soir.

— Je lui ai donné une lotion l'autre jour et lui ai demandé de l'appliquer quotidiennement pour la tester. (Branna sourit.) Je l'ai envoûtée.

— Celle qui sent l'abricot et le miel ? Adorable. (Connor déposa un baiser sur la joue de Branna.) Alors je vous remercie pour la magie et la touche romantique. J'aurais dû me douter que vous ne lésineriez pas sur les mesures de précaution, toutes les deux. De mon côté, Roibeard garde l'œil sur elle dès que je m'éloigne un peu.

— Confie-la à Merlin pendant une heure ou deux – Fin sera ravi de participer. Et va chasser au vol. (Prenant appui sur son épaule, Branna se leva.) Quand tu auras remisé les pommes de terre dans le petit cellier, va faire un tour avec ton épervier. Ça vous fera du bien à tous les deux.

— Il faut encore les faire bouillir, blanchir et tout le toutim.

— Tu es congédié.

— Et la soupe ?

Elle rit, lui donna un petit coup de poing sur la tête.

— Voici mon programme. Dis à Boyle que je vais avoir besoin de Meara dans… (levant les yeux vers le soleil, elle calcula le temps) … trois heures, ça ira. Vous autres, venez vers six heures et demie. Nous mangerons ta soupe préférée, et une salade de roquette puisque Iona va aller en cueillir, du pain bis et un gâteau à la crème.

— Un gâteau ? Que fêtons-nous ?

— Ce sera un *céili**. Ça fait trop longtemps que nous n'avons pas fait la fête.

Se frottant les mains sur son pantalon, Connor se releva.

— Si je comprends bien, je devrais être plus souvent de mauvais poil.

— Ça ne marchera pas à tous les coups. Va ranger ces pommes de terre, va retrouver ton épervier et reviens pour six heures et demie.

— D'accord, merci.

Elle repartit cueillir des tomates puisqu'elle devait désormais prévoir de la soupe pour six et regarda Iona à la dérobée une fois Connor parti.

— Il ne le sait pas encore, dit Iona. S'il savait, il te le dirait. Surtout à toi. Ce qui signifie qu'il ignore qu'il est amoureux d'elle.

— Il ne le sait pas encore, mais ça va venir. Bien entendu, il l'aime depuis toujours, alors prendre conscience qu'il s'autorise à croire en une autre forme d'amour prend du temps.

Tournant la tête vers le cottage, Branna pensa à lui, pensa à Meara.

— C'est la seule femme avec laquelle il aura jamais envie de faire sa vie, de la partager entièrement. Certaines ont éveillé des sentiments en lui, et d'autres le pourraient encore mais seule Meara pourrait lui briser le cœur.

— Elle ne ferait jamais ça.

— Elle l'aime, et depuis toujours. Et il n'y a qu'avec lui qu'elle aura jamais envie de faire sa vie, de la partager entièrement. Mais elle n'a pas sa foi en l'amour ni en ses pouvoirs. Si elle parvient à se faire confiance et à croire en lui, ils vivront heureux ensemble. Si elle n'y arrive pas, elle brisera le cœur de Connor et le sien.

— Je crois en l'amour et en ses pouvoirs. Et je crois qu'à choisir Meara ira dans ce sens, s'y accrochera et chérira ce trésor.

— Je souhaite plus que tout au monde que tu aies raison. (Branna poussa un soupir.) En attendant, ils se demandent chacun de leur côté pourquoi ils n'ont jamais rien ressenti de tel avant d'être ensemble. Le cœur, c'est quelque chose de sauvage et mystérieux. Allons porter tout ça à l'intérieur et tout gratter. Je vais te montrer comment préparer la soupe, et ensuite nous ferons des conserves jusqu'à l'arrivée de Meara.

Elle arriva, à l'heure convenue mais pas dans son assiette.

Après avoir traversé la cuisine d'un pas raide, elle planta ses poings sur ses hanches, considéra d'un air désapprobateur les bocaux pleins de légumes colorés qui refroidissaient sur le plan de travail, la soupe qui mijotait à feu doux sur le réchaud.

— À quoi tu joues ? Si tu m'as fait venir pour faire la popote, tu vas être méchamment déçue. J'ai assez bossé pour aujourd'hui.

— Nous avons presque fini, dit Branna d'une voix enjouée.

— Je prends une bière.

Toujours aussi furibonde, Meara alla ouvrir la porte du réfrigérateur pour en extraire une bouteille de Smithwick.

— Tout va bien au centre équestre ?

Meara toisa Iona, l'air hargneux.

— Tout va bien ? Plus que bien, avec ce jour estival en plein mois d'octobre et tous les gens présents à cinq kilomètres à la ronde qui ont décidé qu'ils devaient absolument faire une petite balade à cheval aujourd'hui. Quand je ne promenais pas un groupe, j'époussetais ou je transbahutais des selles.

Elle agita sa bouteille de bière avant de l'ouvrir.

— Et Caesar qui s'est mis en tête de mordre les miches de Rufus, juste après que j'ai dit à cette dame espagnole qui le montait de laisser plus d'espace entre les chevaux. Alors je me suis retrouvée avec une Espagnole hystérique à gérer, et je la comprenais à peine puisqu'elle piquait sa crise en *espagnol* et qu'elle parlait à moitié avec les mains, ce qui fait qu'elle secouait les rênes dans tous les sens, et que Caesar a cru qu'elle avait envie de prendre le galop.

— Oh, mon Dieu.

Iona voulut paraître inquiète, mais échoua en étouffant un rire.

— C'est drôle, évidemment. Pour toi.

281

— Juste un peu, parce que je sais que ça va. Si elle était mal à l'aise à cheval, tu ne lui aurais pas attribué Caesar.

— Malgré sa crise de nerfs, elle montait comme un fichu conquistador, et je la soupçonne d'avoir cherché une occasion de galoper dès le départ. Par chance, j'avais ton Alastar et je l'ai rapidement rattrapée. Elle était tout sourire, même si elle a voulu me faire croire le contraire quand j'ai empoigné la longe de Caesar pour le faire ralentir. Et je te jure…

Livide, elle poursuivit d'un ton chargé de reproches.

— … je te jure que les deux chevaux ont vécu tout ça comme une partie de franche rigolade. (Elle but de longues rasades de bière.) Et après ça, j'ai eu cinq ados. Cinq filles. Et là, je n'en parlerai pas du tout sinon c'est moi qui vais piquer une crise à l'espagnole. Et toi, dit-elle en pointant un doigt accusateur vers Iona, tu n'as pas bossé de la journée, tu as pris du bon temps dans le jardin parce que tu couches avec le boss.

— Quelle putain je suis !

— Je ne te le fais pas dire. (Meara but encore.) Et c'est pour ça que je n'aiderai ni à la cuisine ni au jardin, et s'il y a des sortilèges ou des enchantements à faire, j'exigerai une autre bière, minimum.

Branna jeta un regard vers les bocaux desquels s'échappèrent trois petits « pop », signe que les couvercles étaient scellés.

— Voilà un bruit qui me plaît. Il n'y a rien à faire. Nous prenons une journée de repos.

Cette fois, Meara but lentement.

— Est-elle sous le coup d'un enchantement ? demanda-t-elle à Iona. Ou plutôt du whisky ?

— Ni l'un ni l'autre, mais il y aura du whisky plus tard. Ce soir, c'est *céili*.

— *Céili* ?

— La première récolte est terminée, et les conserves aussi. C'est l'été en plein mois d'octobre. (Branna s'essuya les mains, posa la serviette.) Alors échauffe ta voix, Meara, et enfile tes chaussures de bal. Je suis d'humeur festive.

— Tu es sûre que ce n'est pas à cause d'un enchantement ?

— Nous avons travaillé, ressassé nos soucis, mis un plan sur pied et comploté. Nous méritons de nous détendre. Nous espérons qu'il entendra notre musique, puisque ça lui déchire les tympans.

— Rien à redire à ton plan. (Songeuse, Meara but une gorgée de bière.) C'est rare de te voir de si bonne humeur, et ça m'ennuie de jouer les rabat-joie mais je dois te dire que je l'ai vu deux fois aujourd'hui – le spectre. D'abord en homme, et ensuite en loup. Il observait, rien de plus. Mais c'est assez pour jouer avec mes nerfs.

— C'est pour ça qu'il le fait et nous allons lui montrer que ça ne nous empêche pas de vivre. En parlant de ça, j'ai besoin de vous là-haut.

— Tu es pleine de surprises et de mystère, nota Meara. Les autres savent que tu prévois de faire la fête ? demanda-t-elle tandis qu'elles grimpaient l'escalier.

— Connor va le leur faire savoir.

Branna les entraîna vers sa chambre, où, contrairement à celle de Connor, l'ordre régnait en maître.

Elle disposait de la plus grande pièce, construite selon ses indications au moment où elle et Connor avaient fait agrandir la maison. Elle avait peint les murs en vert foncé, et avec les ornements couleur d'écorce, elle avait souvent l'impression de dormir au cœur de la forêt. Elle avait choisi la décoration avec soin et poussé la fantaisie jusqu'à peindre des sirènes et des fées, des dragons et des elfes.

Elle s'était fait plaisir en choisissant son lit dont la tête et le pied étaient gravés d'une trinité celte. Une débauche de coussins s'étalait sur l'épaisse couverture blanche. Face au lit, une commode fabriquée et peinte par son arrière-grand-père contenait les instruments les plus précieux de son art.

Elle sortit un long crochet de sa penderie et, glissant l'extrémité recourbée dans une petite encoche du plafond, ouvrit la porte du grenier et déplia les marches.

— Je dois aller chercher quelque chose. Je n'en ai que pour une minute.

— C'est tellement paisible ici.

Iona alla devant les fenêtres qui donnaient sur les champs et les bois, et les collines verdoyantes qui s'étendaient au-delà.

— Ils font du bon boulot tous les deux, Branna et Connor. Je lui envie sa salle de bains attenante, sa grande baignoire et son immense meuble. C'est sûr que si j'avais une si grande surface autour du lavabo, elle déborderait de fouillis. Et sur le sien, il y a...

Meara jeta un coup d'œil à l'intérieur.

— Un joli vase de lys, des savons de forme rigolote dans une soucoupe, trois grosses bougies blanches sur de sublimes bougeoirs en argent. J'aimerais y voir l'œuvre d'une magicienne, mais je sais qu'elle est simplement très à cheval sur l'ordre.

— Si seulement c'était contagieux, dit Iona au moment où Branna redescendait les marches en portant une grande boîte blanche. Attends, je vais t'aider.

— Ça va, je la tiens, c'est léger. (Elle posa la boîte sur son lit.) Quand nous discutions mariage, robes et fleurs, j'ai eu une idée.

Après avoir ouvert le carton, elle écarta plusieurs épaisseurs successives de papier de soie, puis souleva une longue robe blanche.

Le cri de surprise émerveillé d'Iona était précisément la réaction qu'elle avait escomptée.

— Comme elle est belle ! Tout simplement magnifique.

— Oui, elle est très belle. Mon arrière-grand-mère l'a portée le jour de son mariage, et je me suis dit qu'elle devrait convenir pour le tien.

Les yeux écarquillés, Iona recula d'un bond.

— Je ne peux pas accepter. Je ne peux pas, Branna, c'est toi qui devrais la porter, le jour de ton mariage. Elle appartenait à ton arrière-grand-mère.

— C'est ton aïeule autant que la mienne. Elle ne m'irait pas, même si je la trouve ravissante. Ce n'est pas du tout mon style. Et elle était petite et fine, comme toi.

La tête penchée sur le côté, Branna tenait la robe à bout de bras devant Iona.

— J'aimerais que tu l'essaies. Fais-moi ce plaisir. Si elle ne te va pas, ou si elle ne correspond pas à tes envies, il suffira de la ranger.

— Allez, essaie-la, Iona. Tu en meurs d'envie.

— D'accord ! Oh, ce que c'est excitant ! (Elle se dévêtit en dansant.) Je ne pensais pas mettre une robe de mariée aujourd'hui.

— Tu as déjà les sous-vêtements pour ta lune de miel, dis-moi ?

Les sourcils arqués, Meara contempla l'ensemble en dentelle bleu clair d'Iona.

— J'ai renouvelé toute ma lingerie. Il se trouve que c'est un excellent investissement.

Elle rit tandis que Branna l'aidait à passer la robe.

— Tu veux bien boutonner le dos, Meara ? demanda Branna alors qu'Iona faisait prudemment glisser ses bras dans les manches de fine dentelle.

— Il y a des centaines de boutons minuscules, aussi mignons que des perles.

— Elle a appartenu à Siobahn O'Ryan, qui a épousé Colm O'Dwyer, et était la tante de ta grand-mère, Iona, si j'ai bonne mémoire. La longueur est bonne, puisque tu vas porter des talons, je pense.

Branna donna du gonflant au jupon en tulle bordé de dentelle.

— Elle te va si bien qu'on la croirait faite pour toi, commenta Meara en fermant le dos.

— Elle est si belle...

Souriant à son reflet dans le miroir en pied de Branna, Iona effleura le bustier en dentelle du bout des doigts, jusqu'à la jupe à volants.

— Voilà, terminé, déclara Meara en attachant les derniers boutons dans la nuque d'Iona. Tu es magnifique, Iona.

— C'est vrai, elle me va bien.

— La jupe est parfaite.

Hochant la tête, Branna suivait les mouvements d'Iona qui tournait sur elle-même pour faire valser les jupons.

— Douce au toucher, romantique, juste ce qu'il faut de fantaisie. Mais je crois que le corsage a besoin de quelques retouches. C'est beaucoup trop « à l'ancienne » et trop simple. Le vintage, c'est bien, mais te couvrir jusqu'au menton n'est pas nécessaire.

— Je refuse de la modifier. Tu la gardes depuis toujours.

— Si on peut la retoucher dans un sens, on peut la retoucher dans l'autre. Tourne-toi. (Elle fit pivoter Iona de façon à la replacer devant le miroir.) Ça, on les enlève.

Consultant Meara du regard, Branna fit glisser ses mains sur les manches, qui disparurent.

— C'est déjà mieux. Et le dos ? Tu crois que...

Branna retroussa les lèvres quand Meara traça une encolure plongeante en V, puis, hochant la tête, la dessina de sa main pour ouvrir le dos jusqu'à la taille.

286

— Oui, elle a un joli dos musclé, autant le montrer. Et maintenant, le corsage.

Inclinant la tête de côté et d'autre, Branna fit le tour de sa cousine.

— Peut-être ça…

Elle découpa un décolleté carré au ras de la poitrine et ajouta de fines bretelles.

Meara croisa les bras.

— J'aime beaucoup !

— Mmm, ce n'est pas encore ça.

Réfléchissant, imaginant, Branna tenta de découvrir les épaules et d'ajouter des mancherons discrets. S'écarta pour considérer la robe avec Meara.

Elles secouèrent la tête à l'unisson.

— Je peux juste…

— Non ! s'écrièrent-elles quand Iona tenta un regard par-dessus son épaule.

— La première version était de loin la meilleure.

— Oui, mais…

Branna ferma les yeux pour en retrouver le souvenir. Les rouvrant, elle fit lentement voler ses mains au-dessus du corsage.

— Comme ça ! (Meara posa la main sur l'épaule de Branna.) Ne touche plus à rien. Laisse-la regarder.

— D'accord. Si ça ne te plaît pas, n'hésite pas à le dire. Tourne-toi, regarde.

Et son avis s'inscrivit sur son visage. Au lieu d'un simple sourire ravi, elle eut l'air stupéfaite, émerveillée et radieuse.

Le haut sans bretelles était en dentelle blanche, avec un décolleté en cœur. De la taille cintrée, le tulle bordé de dentelle retombait en volants fluides et romantiques.

— Ça lui plaît, dit Meara en riant.

— Non, non. Je l'adore tellement que je ne sais pas quoi dire. Oh, Branna !

Des larmes brillaient dans ses yeux quand elle regarda sa cousine dans le miroir.

— Le dos, c'est mon idée, lui rappela Meara, ce qui fit pivoter Iona. Oh, Meara ! C'est merveilleux. Elle est magnifique. C'est la plus belle robe du monde.

Elle tournoya en faisant danser la robe, rit à travers ses larmes.

— Je suis une future mariée.

— Presque. Nous n'avons pas fini.

— S'il te plaît…

Comme pour protéger la robe, Iona croisa les bras.

— Branna, je l'aime exactement comme elle est.

— Je ne veux pas toucher à la robe, elle est parfaite pour toi. Pas de voile, tu l'as dit, et je suis d'accord. Que dirais-tu de quelque chose comme ça ?

Elle passa un doigt sur la chevelure dorée d'Iona pour faire apparaître un arc-en-ciel de minuscules boutons de rose sur un bandeau pailleté.

— Ça va bien avec la robe, et avec toi, je trouve… Quelque chose pour tes oreilles, maintenant. Ta Nan doit avoir ce qu'il faut, mais pour l'instant…

Elle ajouta de petites étoiles en diamants.

— C'est bien assorti.

Une robe, se dit Branna, *qui convient aux rayons du soleil comme au clair de lune. Parfaite pour une journée d'amour et d'échange de vœux, et une nuit de réjouissances.*

— Aucun mot ne suffirait à t'exprimer ma gratitude. Ce n'est pas seulement la robe, même si elle est encore plus belle que dans mes rêves. Mais en plus, c'est un objet de famille.

— Tu fais partie des miens, dit Branna, comme Boyle. (Elle prit Meara par la taille.) Notre famille.

— Nous formons aussi un cercle, nous trois. (Meara prit la main d'Iona.) C'est important de le savoir et d'y accorder de la valeur. En plus de tout le reste, nous sommes un cercle.

— Cela dépasse tout ce que j'espérais trouver. Le jour où j'épouserai Boyle, le jour le plus heureux de ma vie, vous serez toutes les deux à mes côtés. Nous serons ensemble, toutes les trois, les Trois parmi les six. Rien ne brisera nos liens.

— Rien ne le peut et rien ne le pourra, confirma Branna.

— Je comprends pourquoi tu voulais faire la fête. Les crises de nerfs à l'espagnole, on s'en fiche, annonça Meara. Je suis d'humeur à chanter et à danser.

15

La cuisine était emplie d'odeurs appétissantes et de celle du feu de tourbe qui se consumait dans l'âtre. Il diffusait ses éclats rougeoyants, chassant l'obscurité, célébrant la victoire de la lumière sur la nuit qui se pressait aux fenêtres. Le chien était couché devant la cheminée, sa tête massive en appui sur ses grosses pattes, et posait un regard amusé sur sa famille.

De la musique, dominée par les cornemuses et les instruments à cordes, s'échappait du petit iPod de la cuisine tandis qu'ils apportaient la dernière touche au repas. Les voix se mêlaient, chantant ou bavardant, pendant que Connor faisait tourner Iona le temps d'une danse.

— Je suis toujours aussi maladroite !

— Pas du tout. Tu as seulement besoin d'entraînement. (Il la fit tournoyer une fois, puis une seconde quand elle pouffa de rire, et la confia à Boyle dans un mouvement fluide.) Fais-lui tourner la tête, mec. Elle s'est bien échauffée avec moi.

— Je vais lui briser les orteils si je lui marche sur les pieds.

— Tu sais te faire léger quand tu veux.

Boyle se contenta de sourire et de lever sa pinte de bière.

— Je n'ai pas encore assez bu pour ça.

— Nous allons nous occuper de ça aussi.

Connor prit Meara par la main, lui fit un clin d'œil et exécuta un pas rapide et compliqué, tapant des pieds tout en faisant claquer ses bottes sur le parquet ciré.

Meara pencha la tête, signe qu'elle acceptait de relever le défi. L'imitant aussi fidèlement qu'un reflet dans le miroir, deux mesures plus tard, elle fit claquer ses talons, tapa du pied, leva la jambe en harmonie avec la musique, et observa Iona en suivant une chorégraphie dynamique qu'elle connaissait par cœur.

Elle les regarda se faire face, le dos droit et immobile, tandis que leurs jambes et leurs pieds semblaient voler en tous sens.

— On dirait qu'ils sont nés en dansant.

— Je ne sais pas comment sont les Quinn, commenta Fin, mais les O'Dwyer ont toujours eu la musique dans la peau. Les mains, les pieds, la voix. Les meilleurs *céilies* de la région sont depuis toujours ceux des O'Dwyer.

— Magique, dit-elle, le sourire aux lèvres.

Il porta son attention sur Branna et l'observa un instant.

— À tous égards.

— Et les Burke ? Ils aiment danser ?

— Ils ont la réputation d'être de bons danseurs. Mais moi, je préfère danser en tenant une femme dans mes bras. Et puisque Boyle n'a pas l'air décidé, je suis bien obligé de m'en charger à sa place.

Surprenant Iona, il la plaqua contre lui, l'encerclant rapidement de ses bras, puis prenant le train en marche, finit par adapter son pas à la musique. Après quelques mouvements malhabiles, Iona le rattrapa, se cala sur ses pas tout en se laissant guider.

— Je dirais que les Burke savent y faire.

Lorsqu'il la fit virevolter, elle se souleva à quelques centimètres du sol, ce qui fit rire Fin.

— Autant que toi, la cousine américaine. J'ai hâte de danser avec toi le jour de ton mariage. Peut-être que finalement, c'est moi qui occuperai la place du marié et qu'il restera sur la touche.

— Je vois que je n'ai pas le choix, si je ne veux pas être évincé par Finbar Burke.

Boyle entraîna Iona à l'autre bout de la pièce, résolvant la question de ses pieds malhabiles en la soulevant du sol pour la faire tourner sur place.

Et Branna se retrouva face à Fin.

Craignant sa réaction, Connor serra la main de Meara.

— Tu m'accordes cette danse ? demanda Fin.

— Je m'apprête à servir le dîner.

— Une seule fois, dit-il en la prenant par la main.

Quelle allure, se dit Connor en admirant la fluidité avec laquelle ils épousaient la musique, le tempo, enchaînant les pas et se répondant comme s'ils étaient faits pour bouger à l'unisson.

Cette image d'eux lui fit mal au cœur, sensible comme il était, car c'était de l'amour qui émanait de leurs pas de danse. Ils virevoltèrent tout autour de la cuisine, flottèrent, tournèrent sans se quitter des yeux un seul instant, aussi détendus et heureux qu'autrefois.

À son côté, Meara, figée par cette image, posa la tête contre son épaule.

Pendant ce bref instant plein de tendresse, chaque chose semblait à sa place. Tout était comme avant, et un jour prochain, tout serait de nouveau ainsi.

Quand Branna s'arrêta, malgré son sourire, le bref instant plein de tendresse vola en éclats.

— Bon, j'espère que danser vous a ouvert l'appétit.

Fin lui murmura quelques mots à l'oreille, en gaélique, mais trop doucement pour que Connor comprenne. Quand elle s'éloigna de lui, la tristesse avait gagné son visage souriant.

— Nous remettrons de la musique après le dîner et nous avons du vin en abondance. (D'un geste brusque, Branna éteignit la musique.) Ce soir, il n'y a pas de place pour le travail et les problèmes. Nous allons manger des légumes frais du jardin, et c'est notre Iona qui a préparé la soupe.

Cette annonce fut accueillie par un long silence qui dura jusqu'à ce qu'Iona éclate de rire.

— Quoi ? Je ne cuisine pas si mal que ça !

— Bien sûr que non, dit Boyle avec l'air d'un homme qui affronte une tâche difficile et peu stimulante.

Il alla vers le réchaud, prit une cuillerée dans la marmite. Il goûta, écarquilla les yeux et replongea sa cuiller dans la soupe.

— C'est bon. À vrai dire, ta soupe est même très bonne.

— Je ne sais pas si l'on peut faire confiance à un homme amoureux, s'interrogea Connor. Mais mangeons quand même.

Ils partagèrent les primeurs du jardin, bavardèrent de choses et d'autres en évitant les sujets graves. Le vin coulait à flots.

— Comment se sent ta mère à Galway ? demanda Fin à Meara.

— Je ne peux pas encore dire qu'elle va y rester, mais elle s'en rapproche. J'ai discuté avec ma sœur, qui est surprise que cet arrangement soit positif – pour l'instant, en tout cas. Ma mère s'occupe du jardin, elle le bichonne. Et elle a commencé à se lier d'amitié avec une voisine qui aime jardiner, elle aussi. Si tu veux bien lui garder la maison encore un peu…

— Aussi longtemps que nécessaire, l'interrompit Fin. J'ai dans l'idée d'effectuer quelques rénovations. Quand tu auras du temps, Connor, nous pourrions parler des changements à faire.

— Je trouve toujours du temps pour ça. Les travaux de construction, les défis de la réparation me manquent depuis que le cottage est terminé. C'est vraiment toi qui as fait cette soupe, Iona ? Elle est plus que délicieuse.

Comme pour prouver ses dires, il se resservit.

— Branna m'a surveillée d'aussi près que Roibeard et m'a guidée étape par étape.

— J'espère que tu te souviendras de toutes les étapes, car je vais te demander de la refaire à la maison.

Ravie, Iona adressa un grand sourire à Boyle.

— Nous allons devoir cultiver des tomates. Je jardine assez bien ; nous pourrions essayer l'an prochain, dans des jardinières.

— Pas de problème, et peut-être que d'ici là, nous aurons trouvé quelque chose avec un bout de jardin et tu pourras bénéficier d'un vrai potager.

— Il est possible qu'au printemps prochain vous soyez trop pris par les mariages et les lunes de miel pour planter des pieds de tomates, fit remarquer Meara.

— Et il y a assez ici pour partager, ajouta Branna. Vous n'avez rien trouvé qui vous convienne mieux que là où vous vivez ?

— Pas encore, et il n'y a pas d'urgence, dit Boyle en consultant Iona du regard.

— Aucune urgence, confirma-t-elle. Ça nous plaît de vivre à proximité de vous tous et du centre équestre. En fait, nous avons décidé de rester dans le coin, alors tant que nous n'aurons rien trouvé qui réponde à tous nos critères, nous ne bougerons pas.

— En construisant soi-même sa maison on se rapproche plus facilement de ce qu'on recherche, dit Fin en resservant du vin à tout le monde.

— Tu t'es lancé dans un grand projet en bâtissant ta maison, dit Boyle.

— C'était vraiment drôle de mettre la main à la pâte, se souvint Connor. Même si Fin était très tatillon sur tous les détails, du dessin des tuiles aux poignées des placards.

— C'est ce qui assure la réussite d'un projet, à condition de ne pas travailler dans l'urgence. J'ai un terrain derrière chez moi, continua Fin. Une maison pourrait venir se nicher entre les arbres si cette idée plaisait à quelqu'un. Et je serais prêt à en vendre une parcelle à de bons voisins.

— Tu parles sérieusement ?

La cuiller d'Iona tinta contre le bord de son assiette.

— Au sujet des bons voisins, oui. Je n'ai aucune envie d'en avoir d'horribles sur les bras, même en laissant plein d'espace entre nous.

— Une petite maison dans les bois. (Les yeux pétillants, Iona se tourna vers Boyle.) Nous serions d'excellents voisins. Nous serons même de *fabuleux* voisins.

— Quand tu as acquis cet immense terrain, tu disais que c'était pour empêcher que les maisons ne poussent comme des champignons autour de toi.

— Les étrangers, c'est une chose, dit Fin à Boyle. Les amis et la famille – et les associés –, c'en est une autre. Si ça vous intéresse, nous pouvons aller y faire un tour un de ces jours.

— J'imagine qu'on ne peut pas y aller tout de suite, dit Iona en riant. Mais en même temps, j'avoue que je n'ai aucune idée de la marche à suivre pour concevoir ou bâtir une maison.

— Ça, tu as de la chance d'avoir des cousins qui s'y connaissent, fit remarquer Connor. Et je connais de bons

295

ouvriers dans la région, si jamais vous décidez de faire construire. Ce qui m'irait comme un gant, ajouta-t-il, si mon avis vous intéresse. Quand j'irai chasser au vol dans ce champ comme ça m'arrive souvent, j'aurai l'avantage de pouvoir m'arrêter pour partager votre soupe.

— Il ne pense qu'à manger, commenta Meara. Mais je suis d'accord. C'est un endroit ravissant pour bâtir une maison, et pile là où vous avez envie de vivre. C'est une excellente idée, Fin.

— Une excellente idée, mais j'attends de connaître son prix.

Fin sourit à Boyle, leva son verre.

— Nous en discuterons après que ta fiancée aura vu le terrain.

— Il est rusé en affaires, affirma Branna. Elle va tomber amoureuse et accepter son prix, quel qu'il soit, dit-elle avec humour mais sans malice. Et c'est effectivement une excellente idée. Et puis, ça m'enlève une épine du pied, car le champ qui se trouve derrière la maison est pour Connor. Mais Iona étant de la famille, j'étais embêtée – même si... je l'ai arpenté en long, en large et en travers et il ne semblait pas appeler Iona. Je ne t'imagine pas vivre là avec Boyle, même si tu cherches ta place et que c'est un joli coin, avec une belle vue. Je n'arrivais pas à comprendre pourquoi. Maintenant, je comprends. Vous allez avoir votre petite maison dans les bois.

Elle leva son verre à son tour.

— Qu'il en soit ainsi !

Branna sortit son violon à la fin du repas. Et chanta avec Meara. Uniquement des chants joyeux et animés. Connor alla chercher son tambour irlandais dans sa chambre pour ajouter une note tribale. À la surprise d'Iona, et pour son plus grand plaisir, Boyle disparut un instant et revint avec un mélodéon.

— Tu sais jouer de l'accordéon ? demanda-t-elle, bouche bée. Je ne savais pas !

— Je ne sais pas jouer. Pas le moindre accord. Mais Fin en joue.

— Je n'ai pas joué depuis des années, se défendit Fin.

— À qui la faute ?

Boyle le força à prendre l'instrument.

— Joue, Fin, l'encouragea Meara. Faisons une vraie *seisún**.

— Ne venez pas vous plaindre des couacs.

Il jeta un coup d'œil à Branna. Elle finit par hausser les épaules, taper du pied et se lancer dans une mélodie légère et sautillante. Riant, Connor fit danser ses doigts sur la peau du tambour joyeusement coloré.

S'adaptant au tempo et à l'air, Fin se joignit à eux.

La musique retentissait, ne s'interrompant que le temps de boire du vin et de décider du morceau suivant. Iona se précipita pour aller chercher un carnet de notes.

— J'ai besoin des titres ! Je les veux pour la réception du mariage. Ils sont tellement amusants et joyeux.

S'imaginant dans sa parfaite robe de mariée, dansant sur ces rythmes entraînants avec Boyle, parmi leurs amis et leur famille, elle lui adressa un large sourire.

— Comme notre avenir à deux.

Tandis que Meara poussait un « ooooh » exagérément long, Boyle embrassa bruyamment Iona.

Dans la chaleur de la cuisine vivement éclairée, les rires et les chansons retentissaient comme une célébration provocante de la vie, de l'avenir, de la lumière.

À l'extérieur, l'obscurité s'épaississait, les ténèbres s'imposaient et la brume flottait alentour.

Furieux, envieux, il faisait tout son possible pour étouffer la maison. Mais les protections soigneusement disposées repoussaient ses attaques si bien qu'il était réduit à se cacher, comploter et enrager contre autant d'éclat – chercher, chercher la moindre fissure dans le cercle.

La gorge sèche, Meara se mit à l'eau et proposa un verre à Branna. Elle se sentait fatiguée d'un coup et un peu ivre. Elle avait besoin de prendre l'air, se dit-elle. De l'air frais et humide, celui de la nuit.

— Après Samhain, dit Connor, nous donnerons un vrai *céilie*, nous inviterons les voisins et tous les habitants de la région comme le faisaient Ma et Da. Un peu avant Noël, qu'en dis-tu, Branna ?

— Avec un sapin à la fenêtre et des guirlandes partout. Tellement de nourriture que les tables grinceront. J'éprouve une tendresse particulière pour Yule, alors cette idée me plaît.

Connor s'immisçait rarement dans ses pensées, mais il le fit en cet instant.

Il est tout près, il se rapproche peu à peu, avec détermination. Le sens-tu ?

Branna hocha la tête, mais garda le sourire. *La musique l'appelle aussi sûrement que la lumière attire les papillons de nuit. Mais nous ne sommes pas prêts à l'anéantir, pas encore.*

C'est l'occasion de tenter le coup, et nous aurions tort de la laisser passer.

Alors informe les autres, de cette façon. Nous allons essayer en espérant que l'effet de surprise suffise.

Connor vit aussi nettement que Branna que Fin ressentait déjà la pression, celle de ces doigts noirs qui grattaient à l'orée de la clarté. Il vit Iona tressaillir, au moment où il lui transmit ses pensées.

Sa main serra celle de Boyle.

Il consulta Meara du regard.

En même temps qu'il constata son absence, il la *vit* tendre la main vers la poignée de la porte du cottage.

La peur le saisit à la gorge aussi rudement que des griffes, le vidant de son sang. Il cria son nom, de toute sa force mentale, et quitta la pièce à la hâte.

Assoupie, flottant dans les ténèbres et la brume, elle mit un pied au-dehors. Voilà de quoi elle avait besoin, c'était là qu'elle devait être. Dans la nuit, dense et tranquille.

À l'instant où elle prenait une profonde inspiration, Connor l'attrapa par la taille et la tira en arrière pour la ramener à l'intérieur.

Tout se mit à trembler – le sol de la maison, la terre, l'air. Devant ses yeux ébahis, elle vit les brumes sombres juste devant la porte se presser vers l'intérieur comme si quelque chose d'imposant et de terrible les poussait de tout son poids. Boyle claqua la porte et les isola du grognement sourd – tel un ressac enragé – qui les accompagnait.

— Que s'est-il passé ? C'est quoi ?

Meara poussa Connor, qui la protégeait de tout son corps.

— Cabhan. Restez en retrait ! ordonna Branna en rouvrant la porte d'un geste sec.

Une tempête faisait rage au-dehors, les ténèbres tourbillonnant, s'emmêlant. D'en dessous s'échappèrent une sorte de hurlement haut perché et un grondement provoqué par le battement de milliers d'ailes.

— Des chauves-souris, c'est ça ? dit Branna, dégoûtée. Essaie autant que tu veux, cria-t-elle, les bras tendus de part et d'autre de son corps et les poings serrés. Essaie toutes les atrocités que tu veux, encore et encore. Mais ici, c'est *chez moi* et jamais tu n'en franchiras le seuil !

— Mon Dieu, murmura Meara devant les brumes qui se dissipèrent suffisamment pour qu'elle distingue les chauves-souris.

Dans ce mur animé qui ondulait, des yeux rouges étincelaient, des ailes pointues battaient l'air.

— Reste là, cria Connor en direction de l'infernal vacarme avant de rejoindre sa sœur d'un bond.

Iona et Fin le suivirent et se mirent en ligne.

— Dans notre lumière, tu feras des tours et des détours, commença Connor.

— Dans notre flamme, tu roussiras et brûleras, continua Iona.

— Ici fusionne le pouvoir de la trinité en un seul, ajouta Fin.

— Comme nous fusionnerons. Qu'il en soit ainsi, termina Branna.

Meara, que Boyle avait forcée à battre en retraite, vit les chauves-souris s'embraser comme des torches. S'en voulut de grincer des dents en les entendant crier au moment où elles éclatèrent, quand leurs corps s'entortillèrent avant de disparaître.

Les cendres retombèrent en pluie noire, emportées par le vent déchaîné.

Puis le calme revint.

— Tu n'es pas le bienvenu ici, murmura Branna, avant de claquer la porte.

— Tu es blessée ?

Le danger écarté, Connor s'agenouilla devant Meara.

— Non, non. Mon Dieu, c'est moi qui l'ai laissé entrer ? Je nous ai exposés à ça ?

— Rien n'est entré. (Connor la prit dans ses bras, déposa un baiser sur le dessus de sa tête.) Tu n'as fait qu'ouvrir la porte.

— Je n'avais pas le choix. J'étouffais, et j'avais envie – une envie irrépressible – du calme de la nuit. (Bouleversée, elle ferma les poings, les pressa contre ses tempes.) Il s'est encore servi de moi, il a encore essayé de me retourner contre vous.

— Et il a échoué, déclara vivement Iona.

— Il te croit faible. Regarde-moi. (Fin s'accroupit devant elle.) Il te croit faible parce que tu es une femme, pas une magicienne. Mais il fait erreur, il n'y a pas une once de vulnérabilité en toi.

— Il se sert de moi malgré tout.

— Il voulait que tu sortes, que tu t'éloignes des protections et des talismans. (Connor écarta ses cheveux de son visage.) Il a tenté de t'attirer à l'extérieur, loin de nous. Pas pour se servir de toi, ma chérie, mais pour te faire du mal. Ce que nous faisons ici le met en rage. La musique, la lumière, la joie simple que nous en tirons. Il t'aurait fait du mal, s'il avait pu, rien que pour ça.

— Tu es sûr ? La musique, les lumières ?

Le regard de Meara passa de Connor à Branna, pour revenir sur lui.

— Dans ce cas, nous allons jouer plus fort, et si vous voulez me faire ce plaisir, utilisez votre don pour que la lumière brille plus fort.

Connor l'embrassa et l'aida à se relever.

— Non, tu n'as vraiment rien d'une femme faible.

Tard dans la nuit, après qu'ils se furent aimés jusqu'à l'épuisement, Connor la tenait tout contre lui dans le lit. Cette image lui revenait sans cesse, elle dans les vapes passant de la lumière aux ténèbres.

— Il cherche à faire usage de sa force psychique, et il connaît suffisamment de ruses pour traverser les écrans de protection. (Tandis qu'il parlait, son doigt effleurait les perles qu'elle portait.) Nous travaillerons à quelque chose de plus fort.

— Il ne s'en prend pas à Boyle de la même manière. Fin a raison ? C'est parce que je ne suis pas un homme ?

— Il s'attaque plus volontiers aux femmes, non ? Il a tué le mari de Sorcha pour arriver plus sûrement à ses fins, mais il a tué Daithi pour la faire souffrir, pour lui briser le cœur et l'esprit. Et il n'a pas cessé de la tourmenter au cours de son dernier hiver. L'histoire raconte qu'il enlevait des filles au château et dans les environs.

— Pourtant, c'est le garçon, Eamon, qu'il voulait atteindre.

— Anéantir le garçon, alors qu'il voit les filles comme plus vulnérables face à lui. Il veut Brannaugh – celle qu'elle était jadis, et la nôtre. Je le sens chaque fois que je le laisse entrer.

Elle leva les yeux vers lui.

— Tu le laisses entrer ?

— Dans ma tête – un peu. Ou quand j'arrive à m'immiscer dans la sienne, comme il le fait avec moi. Il y fait froid, noir, et c'est tellement plein de luxure et de rage que j'ai du mal à y comprendre quelque chose.

— Mais c'est dangereux de le laisser entrer, ne serait-ce qu'un instant. Il pourrait lire dans tes pensées et alors… s'en servir contre nous ? Contre toi.

— J'ai mes astuces. Il n'a pas ce que j'ai, ou juste un soupçon. Ce qu'Eamon a également, et il adorerait vider le garçon de tout son pouvoir, se l'approprier.

D'un geste machinal, il caressa ses cheveux détachés. Malgré tout cela, il se sentait étonnamment heureux avec elle, blotti contre son corps nu, chuchotant dans le noir.

— Il nous embêtait rarement avant l'arrivée d'Iona. Avec Fin, il s'acharne depuis qu'il porte cette marque sur son épaule.

— Il n'en parle jamais, notre Fin, ou presque.

— À moi, il en parle, lui apprit Connor, et parfois à Boyle. Mais même à nous, finalement, c'est rare. Tout a changé depuis l'apparition de la marque de Cabhan. Et tout a encore été bouleversé quand Iona est arrivée. Il la repoussait les premières semaines, non seulement parce que c'est une femme, mais aussi parce qu'elle était nouvelle et inexpérimentée, qu'elle commençait à découvrir tout ce qu'elle avait en elle et comment l'utiliser. Elle aussi, il la croyait faible.

— Elle lui a prouvé le contraire.

— Comme tu lui as plus d'une fois prouvé ta force. (Il déposa un baiser sur son front, sa tempe.) Mais il n'aura de cesse qu'il essaie. En te faisant du mal, il nous touche tous. Il a pu le constater, même s'il ne le comprend pas, étant donné qu'il n'a jamais aimé de toute son existence. Comment est-ce possible, selon toi, de vivre aussi longtemps, de traverser des siècles sans jamais connaître l'amour, sans en donner, sans en recevoir ?

— Il y a des gens qui vivent sans, même si c'est le temps d'une seule vie, et qui ne tourmentent ni ne tuent personne pour autant.

— Je ne suis pas en train de lui chercher des excuses. (Il prit appui sur un coude pour mieux la regarder.) Il envoûte les femmes pour les posséder physiquement et leur prendre leurs pouvoirs quand elles en ont. Le désir sans amour – sans aimer rien ni personne –, c'est sinistre. Ceux qui passent leur vie ainsi ? Je trouve que ce sont des créatures tristes, voire diaboliques. C'est le cœur qui nous permet de traverser les épreuves et qui nous apporte de la joie.

— Branna dit que ton pouvoir passe par ton cœur.

D'une main légère, Meara traça une croix sur son torse.

— C'est ce qu'elle pense, et c'est assez juste. Je ne serais rien sans mes émotions. Il éprouve des choses. Du désir purement charnel, de la colère et de l'envie, sans rien pour l'alléger.

Prendre ce que nous sommes ne suffira pas. Rien ne le satisfera jamais. Il veut nous faire connaître sa noirceur, celle dont il souffre.

Au bord des frissons, elle prit sur elle pour les repousser.

— Tu trouves ça dans son esprit ?

— En partie. Le reste, je le vois. Et ce soir, brièvement, j'ai su ce qu'il ressentait – une sorte de joie horrible à l'idée de t'arracher à moi, à nous. À toi-même.

— Tu es entré en moi – dans mes pensées. Il n'a pas appelé mon nom, cette fois, mais toi, oui. Je t'ai entendu m'appeler et je me suis arrêtée un bref instant. J'avais l'impression de me tenir à la lisière d'un monde, d'être happée dans deux directions opposées. Ensuite je me suis retrouvée sous toi, par terre, sans savoir dans quel sens j'étais allée.

— Je sais, et pas seulement parce que tu es forte. Mais aussi pour ça. (Baissant la tête, il effleura ses lèvres.) Parce que nous, ça va au-delà du désir charnel.

À fleur de peau, des papillons dans le ventre.

— Connor…

— Plus que ça, susurra-t-il avant de l'embrasser.

Avec une douceur et une tendresse extrêmes, ses lèvres cajolèrent les siennes pour les inviter à donner, la séduction montant par crans vers la douleur.

Elle aurait dit non non, elle n'était pas ainsi, ne serait jamais ainsi. Mais il l'entraînait déjà dans un tourbillon de lumières de plus en plus rutilantes.

Ses mains, pareilles à des souffles, la caressaient avec une chaleur merveilleusement subtile.

Dans un silence bouleversant, il lui demandait de croire en ce qu'elle n'avait jamais cru. D'avoir confiance en ce qu'elle redoutait et niait.

En l'amour, en sa simplicité, sa force. Sa constance.

Pas pour elle. Non, pas pour elle – elle le pensa mais se laissa flotter sur ses nuages soyeux. Ce qu'il donnait, apportait, promettait, était irrésistible.

Le temps d'un instant, d'une nuit, elle s'abandonna. Se donna à lui.

Alors il prit, mais avec douceur, et donna plus en retour.

Il avait compris, pendant qu'elle se tenait entre la force maléfique de Cabhan et sa lumière, il avait compris toute l'authenticité de l'amour. Il avait perçu qu'elle était teintée de peur, qu'elle s'accompagnait de risques. Il avait su qu'il pouvait se perdre dans son dédale, accepter de traverser ses ténèbres, faire appel à sa lumière pour, toute sa vie durant, affronter ses hauts et ses bas, profiter de ses plages de bien-être et surmonter les heurts occasionnels.

Avec elle.

Leur longue amitié ne l'avait pas préparé à ce changement, ce passage radical de l'amour facile à ce qu'il éprouvait pour elle.

Elle, la seule, l'unique. Il chérirait cela.

Il n'attendait pas de réponses – elles viendraient en temps voulu. Pour l'instant, ses réactions suffisaient. Ses soupirs voilés, ses frissons, les battements irréguliers et intenses de son cœur.

Elle se redressa, épousant une vague de plaisir si absolu qu'elle sembla emplir son être d'une lumière d'un blanc pur.

Ce fut à son tour de l'emplir, de lui donner plus, toujours plus, jusqu'à ce que les larmes brouillent sa vision. Alors qu'elle atteignait le sommet, accrochée à lui pendant ce moment victorieux à l'orée de l'éblouissement, elle entendit sa voix, une fois encore, dans sa tête.

Voilà plus, lui dit-il. *C'est ça, l'amour.*

— Pourquoi ça te met autant mal à l'aise ?

— Quoi ?

Meara le regarda d'un air dur, puis scruta les environs du regard.

— Où sommes-nous ? C'est... c'est la chaumière de Sorcha ? Nous rêvons ?

— C'est plus qu'un rêve. Et l'amour dépasse le mensonge auquel tu cherches à croire.

— C'est la chaumière de Sorcha, mais elle est nichée sous la vigne vierge qui a poussé tout autour. Et le moment est mal choisi pour parler amour et mensonges. C'est lui qui nous a amenés ici ?

Elle brandit son épée, remerciant le rêve qui n'en était pas un de l'en avoir munie.

— La lumière provient de l'amour.

— La lumière provient de la lune, et nous avons de la chance qu'elle soit pleine où que nous soyons. (Elle pivota lentement en fouillant les ténèbres du regard.) Est-il là ? Tu le sens ?

— Si tu n'es pas encore prête à croire que tu m'aimes, essaie de croire que je t'aime. Je ne t'ai jamais menti de toute ta vie, hormis quand c'était sans conséquence.

— Connor. (Elle glissa son épée dans son fourreau, mais garda la poignée dans sa main gauche.) Aurais-tu perdu la tête ?

— J'ai gagné en raison. (Il lui fit un grand sourire.) C'est toi qui perds la raison parce que tu n'as pas le cran de voir les choses en face.

— Je suis armée, contrairement à toi, alors prends garde à ce que tu dis.

Il voulut l'embrasser mais elle le repoussa.

— Pas une once de vulnérabilité en toi. Ton cœur est plus puissant que tu ne l'imagines, et il va être à moi.

— Ce n'est pas ici, surtout pas ici, que je vais accepter de blablater avec toi. Je rentre.

— Ce n'est pas par là.

Connor l'attrapa par le bras alors qu'elle faisait demi-tour.

— Je connais le chemin.

— Ce n'est pas par là, répéta-t-il. Et ce n'est pas non plus le bon moment, puisqu'il arrive.

Elle serra le poing autour du pommeau de son épée.

— Cabhan...

Connor l'empêcha de dégainer, et sortit le caillou blanc de sa poche. Il brillait comme une petite lune dans sa main.

— Non, c'est Eamon qui approche.

Elle le vit arriver à cheval dans la petite clairière. Ce n'était plus un enfant, mais un homme. Très jeune, néanmoins grand et élancé. Il ressemblait tant à Connor qu'elle sentit son cœur bondir dans sa poitrine.

Ses cheveux étaient plus longs et tressés dans sa nuque. Il approcha lentement sur un robuste cheval brun qui semblait capable de traverser la moitié du pays au galop sans s'essouffler.

— Bonsoir, cousin, cria Connor.

— Bonsoir à toi et à vous, madame.

Eamon mit pied à terre en souplesse. Au lieu d'attacher le cheval, il posa les rênes sur son dos. À sa façon de rester immobile, comme une statue sous le clair de lune, il était évident qu'il ne chercherait pas à s'aventurer loin de son maître.

— Ça fait un certain temps pour toi, fit remarquer Connor.

— Cinq ans. Mes sœurs et leurs maris se sont installés à Ashford. Brannaugh a deux enfants, un fils et une fille, plus un autre fils à naître d'un jour à l'autre. Teagan attend un bébé. Le premier.

Son regard se porta sur la chaumière, puis sur la pierre tombale de sa mère.

— Nous sommes finalement rentrés chez nous.

— Pour le combattre.

— C'est mon vœu le plus cher. Mais il est dans ton temps, et c'est un fait que nous ne pouvons pas nier.

Grand et droit, l'œil-de-faucon autour du cou, Eamon se tourna une nouvelle fois vers la tombe de sa mère.

— Teagan est venue ici avant moi. Elle a vu sa descendante. L'a vue l'observer pendant qu'elle affrontait Cabhan. Nous sommes les trois Ténébreux, les premiers, mais ce que nous sommes, ce que nous avons, nous vous le transmettrons. C'est tout ce que je vois.

— Nous sommes six, l'informa Connor. La trinité plus trois autres. Ma dame, le mari de ma cousine et un ami, un ami puissant. (Puisque le garçon était devenu un homme, le temps était venu de lui en parler, décida Connor.) Notre ami Finbar Burke. Il est du sang de Cabhan.

— Il porte sa marque ?

Comme Meara, Eamon mit la main à son épée.

— Ce n'est pas lui qui l'a gravée ni désirée.

— Le sang de Cabhan…

— Je lui voue une confiance aveugle. Je lui confierais la vie de ma dame les yeux fermés alors que je l'aime plus que tout – même si elle n'y croit pas. Nous sommes six, répéta Connor, contre lui seul. Nous allons combattre Cabhan. Le vaincre définitivement. Je t'en fais le serment.

Connor dégaina l'épée de Meara et monta sur la tombe. Il s'entailla la paume, fit couler quelques gouttes de sang dans la terre.

— Par mon sang, je jure de l'anéantir.

Plongeant la main dans sa poche, sans surprise, il y trouva la jacinthe sauvage. De la pointe de l'épée, il creusa un petit trou et la planta.

— Promesse tenue.

Il fit tourbillonner l'air du bout du doigt, en exprima l'humidité et versa le sang et l'eau mêlés sur la terre.

Se reculant, il vit en même temps que ses compagnons la fleur pousser et les bourgeons se multiplier.

— Je suis parti loin d'elle, déclara Eamon, le regard rivé sur la tombe. Je n'avais pas le choix, et c'était sa volonté et son vœu. À présent, je suis un homme et je rentre chez nous. Quoi que je puisse faire, quel que soit le pouvoir qui m'est donné, je ferai et je l'utiliserai. Une promesse tenue. (Il tendit la main à Connor.) Je me méfie des descendants de Cabhan, mais je te fais confiance, à toi et aux tiens.

— Il est des miens.

Eamon considéra la tombe, les fleurs et la chaumière.

— Ainsi donc vous êtes six. (Il posa la main sur son amulette, identique à celle de Connor, puis sur le lacet de cuir orné de pierres offert par son cousin.) Tout ce que nous avons vous accompagne. J'espère que nous nous reverrons, une fois que tout sera terminé.

— Quand tout sera terminé, lui assura Connor.

Eamon remonta en selle, sourit à Meara.

— Vous devriez croire mon cousin, gente dame, car quand il parle, ses mots lui viennent du cœur. Adieu.

Faisant demi-tour, il disparut aussi silencieusement qu'il était venu.

Meara s'apprêta à ouvrir la bouche... et se réveilla en sursaut dans le lit de Connor.

Assis à côté d'elle, il examinait sa main blessée avec un demi-sourire.

— Eh bien ! On ne sait jamais ce qui va se passer quand on s'allonge à côté de gens de ton espèce. Fais attention ! Tu vas tacher les draps.

— Je vais arranger ça.

Il se frotta les mains, étancha le sang, referma la plaie superficielle.

— C'était quoi, cette histoire ? demanda-t-elle.

— Une petite visite à la famille. Questions, réponses.

— Quelles réponses ?

— Je cherche. Mais j'ai planté la fleur, comme Teagan me l'a demandé, alors ça me suffit pour l'instant. Notre Eamon avait l'air splendide et en pleine forme, tu ne trouves pas ?

— Tu dis ça parce que tu lui ressembles. Cabhan aura vent de leur retour.

— Ils ne le détruisent pas, mais il ne les anéantit pas non plus. Comme pour les fleurs, ça suffit pour l'instant. C'est à nous de l'achever, je le sais.

— Et comment le sais-tu ?

— Je le sens. (Il montra son cœur.) J'ai confiance en mon intuition. Contrairement à toi, par exemple.

Après un coup d'œil impatient, elle quitta le lit avec vivacité.

— Je dois aller travailler.

— Tu peux manger un bout. Tu n'as pas à t'inquiéter, je n'ai pas le temps de te taquiner comme je le voudrais avec mes sentiments et les tiens. Mais le moment viendra bien assez vite. Je t'aime comme un fou, Meara, et bien que j'en sois le premier surpris, je me réjouis de cette découverte inattendue.

Elle s'empara de ses vêtements.

— Tu romances tout, et tu bricoles ta version à grand renfort de magie, de dangers, de sang et de sexe. Tu vas finir par retrouver le sens commun, mais pour l'instant, je vais aller faire ma toilette et me préparer à aller travailler.

Elle quitta la pièce.

Il la regarda sortir, le sourire aux lèvres, réjoui de profiter d'une si belle vue sur son postérieur quand elle entra dans la salle de bains qu'ils partageaient avec Iona.

Il avait recouvré la raison, se dit-il – même s'il lui avait fallu une grande partie de sa vie pour y parvenir. Il attendrait qu'elle emprunte la même voie.

D'ici là… Il examina sa paume cicatrisée. Il avait besoin de réfléchir.

16

Les femmes incarnaient un casse-tête perpétuel pour Connor, mais leurs mystères et leurs secrets faisaient partie de leur charme éternel.

Il songea à la femme qu'il aimait. Courageuse et franche en tout point – sauf en matière de sentiments. Dès que son cœur était en jeu, elle devenait aussi craintive qu'un oiseau pris au piège et risquait de s'enfuir à la moindre occasion.

Pourtant son cœur demeurait fort, loyal et sincère.

Une énigme.

Il l'avait effrayée, à n'en pas douter, en lui déclarant sa flamme. Il l'aimait, et pour lui le grand amour était unique et impérissable.

Toutefois, comme il préférait que le petit oiseau soit libre de voler – pour le temps présent – plutôt qu'il se blesse contre les barreaux de la cage, il réveilla Boyle.

Si Boyle se rendait au centre équestre en même temps que Meara – c'est-à-dire plus tôt que nécessaire – d'une part, elle aurait un ami avec elle et, d'autre part, ils auraient le temps de parler tous les trois avant l'arrivée des autres.

La pluie battait à travers les arbres et les collines, crépitait aux fenêtres. Il fit sortir le chien, sortit aussi, fit le tour du

cottage – comme ils l'avaient fait la veille au soir – pour vérifier qu'il ne restait aucune trace du sortilège jeté par Cabhan.

Les fleurs de sa sœur arboraient leurs couleurs vives comme
pour défier le temps morose, protégées par l'herbe grasse qui
s'étalait autour d'elles telle une épaisse couverture verte. Dans
l'air, il ne sentit rien d'autre que la pluie, le vent, la magie
blanche qu'il avait participé à disperser autour de leur territoire.

Quand il s'arrêta devant l'appentis de Roibeard, l'épervier
l'accueillit en frottant sa tête contre sa joue. C'était de l'amour,
simple et spontané.

— Tu vas rester aux aguets, dis-moi ? (Connor caressa
le poitrail du rapace de ses phalanges repliées.) Bien évidemment, tu vas rester vigilant. Prends un peu de temps
pour toi, va chasser au vol avec Merlin puisque nous allons
tous bien.

En réponse, l'oiseau déplia ses ailes, décolla. Il vola en
cercles au-dessus de Connor, puis fila vers les bois où il disparut.

De nouveau, Connor fit le tour de la maison et entra par
la porte de la cuisine qu'il tint ouverte pour laisser passer
Kathel à sa suite.

— La patrouille est terminée ? La mienne aussi. (Il caressa
longuement le chien, le gratta derrière les oreilles.) Dis, ça
serait trop te demander d'aller donner des coups de museau
à notre Branna pour m'éviter d'avoir à préparer le petit déjeuner ?

Kathel lui répondit d'un regard dur, aussi dur que possible
pour un chien de meute.

— C'est ce que je pensais, mais j'ai tenté le coup.

Se résignant à son sort, Connor nourrit le chien, changea
l'eau de son bol. Il alluma le feu dans la cheminée de la cuisine

et du salon, et ensuite de l'atelier puis, comprenant qu'il ne pouvait plus se permettre de repousser l'inévitable, il se mit à l'œuvre.

Il fit frire le bacon, trancha du pain, battit les œufs.

Il versait les œufs dans la poêle quand Iona et Branna entrèrent – Iona en tenue de travail, Branna encore en chemise de nuit, avec l'air renfrogné qu'elle avait toujours avant d'avoir pris son café.

— Vous vous êtes tous levés de bonne heure. (Connaissant la règle, Iona laissa Branna se servir en premier du café.) Et Boyle et Meara qui sont déjà partis.

— Elle voulait se changer, et elle a promis à Boyle de lui préparer un petit déjeuner pour le remercier de lui servir de chauffeur.

— Surveille les œufs, Connor, ça va brûler, dit Branna, sachant ce qu'il se passait dès qu'il se mettait aux fourneaux.

— Mais non…

— Explique-moi pourquoi tu pousses la flamme à fond quand tu fais cuire quelque chose ?

— Parce que ça va plus vite.

Et, bon sang, il faillit les laisser brûler à cause d'elle.

Il les disposa dans un plat à côté du bacon, ajouta une pile de toasts et déposa le tout au milieu de la table.

— Si tu t'étais levée plus tôt, tu les aurais préparés à ton goût. Comme tu as traîné, tu es obligée de les manger comme ils sont… De rien !

— Ça a l'air délicieux, dit gaiement Iona, qui s'assit en coiffant avec les doigts sa chevelure claire.

— Ah, ne le flatte pas juste parce qu'il a fait à manger pour la première fois depuis des semaines !

Branna s'attabla, gratta Kathel derrière les oreilles.

— Ce n'est pas de la flatterie, j'ai faim, dit Iona en remplissant son assiette. Nous allons avoir des annulations aujourd'hui. (Elle fit un geste en direction de la pluie incessante.) Il pleut, et en plus il fait froid. En temps normal, ça me désolerait, mais aujourd'hui, ça nous fera du bien d'avoir du temps libre.

Elle se servit en œufs. Ils étaient très... cuits à point, décida-t-elle.

— Si on travaille aussi peu que je le pense, reprit-elle, je pourrai sûrement partir de bonne heure. Je peux venir travailler avec toi, Branna, si tu veux.

— Je dois remplir le stock car je n'y ai pas travaillé hier et aller le déposer au magasin. Mais je serai revenue avant midi, je pense. Fin et moi avons terminé de modifier la potion que nous avons utilisée le soir du solstice. Elle est plus forte qu'avant, je crois, mais on doit encore peaufiner le sortilège, et le déroulement des opérations. Tout ce fichu projet, en fait.

— Nous avons le temps.

— Le jour se rapproche à grands pas. Et il devient de plus en plus audacieux. Ce qu'il a tenté hier soir...

— N'a pas marché, si ? argumenta Connor. Ses chauves-souris diaboliques ne sont plus que des cendres emportées par le vent, dissoutes par la pluie. Et ça m'a donné une idée ou deux.

— Ah, tu as une idée ?

Branna prit sa tasse de café.

— Oui, et j'ai également une histoire à vous raconter. J'ai cherché Eamon dans mes rêves, et il m'a cherché aussi. Et nous nous sommes trouvés.

— Tu l'as revu.

Il hocha la tête à l'intention d'Iona.

— Oui, et j'ai emmené Meara avec moi. C'était un homme, d'environ dix-huit ans, puisqu'il a dit que notre dernière visite avait eu lieu cinq ans plus tôt. Sa Brannaugh a eu deux enfants, et elle attend le troisième, et Teagan est enceinte de son premier.

— Elle était enceinte, Teagan, ajouta Iona, quand je l'ai vue en rêve.

— Je m'en souviens. Donc j'ai dû me trouver dans leur monde la même année que toi. Ça s'est passé, pour moi comme pour toi, devant la chaumière de Sorcha.

— Tu sais qu'il ne faut pas aller là-bas, rétorqua Branna, même en rêve.

— En toute honnêteté, je ne peux pas te dire si c'était de mon fait ou du sien, et je te promets que même à présent, je l'ignore. Mais je savais que nous ne courions aucun danger, à ce moment-là, sinon j'en serais parti. Je n'aurais pas mis Meara en danger.

— Très bien. D'accord.

— Ils étaient rentrés chez eux, poursuivit-il en étalant de la confiture sur du pain grillé, mais leur retour avait un goût doux-amer. Ils savent qu'ils vont devoir affronter Cabhan, et qu'ils ne vont pas l'emporter ni l'anéantir, qu'il existe dans notre temps, notre lieu de vie. Je lui ai dit que nous étions six, et que l'un de nous était du même sang que Cabhan.

— Et la pilule est bien passée ? interrogea Branna.

— Il me connaît. (Connor se tapota le cœur.) Et il me fait confiance. Par conséquent, il fait confiance aux miens, et Fin est des miens. Il porte le pendentif que je lui ai donné ainsi que l'amulette que nous avons en double. J'avais la petite pierre qu'il m'a offerte, et quand je l'ai sortie de ma poche, elle luisait dans ma main. Tu avais vu juste, Branna. Elle renferme un pouvoir.

— Je n'irais pas jusqu'à en faire une fronde et jouer à David et Goliath avec Cabhan, mais c'est bien que tu la gardes sur toi.

— C'est pour ça que je l'ai toujours dans ma poche. Et surtout, j'avais la jacinthe.

— La fleur de Teagan, précisa Iona.

— Je l'ai semée, arrosée de mon sang et d'eau que j'ai extraite de l'humidité ambiante. Et les fleurs ont aussitôt éclos sur la sépulture de Sorcha.

— Tu as tenu parole. (Iona posa la main sur son bras.) Et tu leur as donné quelque chose d'important.

— Je lui ai dit que nous l'achèverions, car je suis convaincu de notre réussite. Et je crois que je sais ce que nous avons dû oublier le soir du solstice. De la musique, et la joie qu'elle apporte.

— De la musique, répéta Iona tandis que Branna s'adossait dans sa chaise, l'air pensif.

— Ce qui l'a attiré ici hier soir, l'a enragé et rendu aussi hardi ? Notre clarté, oui, et nous en aurons. Nous-mêmes, bien entendu. Mais nous avons joué de la musique, et les notes diffusent leur propre lumière.

— Un joyeux tintamarre, dit Iona.

— C'est bien ça. Elle l'aveugle, parce qu'il oppose sa colère à la gaieté. Mais pourquoi ça ne suffit pas à le retenir ?

— La musique. Nous avons joué de la musique, ce soir-là, au printemps, tu te souviens, Iona ? Rien que toi et moi et Meara, ici. J'ai sorti mon violon, et nous avons joué et chanté, et il nous épiait dehors, alors que tout était ténèbres et brouillard. Ça l'attirait, expliqua Branna. La musique l'a alléché bien qu'il la déteste. Il a haï le fait que nous prenions plaisir à en jouer.

— Je m'en souviens.

— Tiens, je peux travailler à partir de ça. (Branna plissa les yeux, fit la moue.) Oui, c'est à incorporer à la recette. Bonne idée, Connor.

— Excellente, même, dit Iona.

317

— Je suis plutôt d'accord avec toi.

Tout sourire, Connor termina ses œufs d'une bouchée.

— Je suis certaine que c'est aussi l'avis de Meara.

— Sans doute, sauf que je ne le lui ai pas encore dit. Je n'y ai pas pensé tout de suite, ajouta-t-il, et elle était terriblement pressée de commencer sa journée.

— Comment ça se fait ? J'ai encore une petite demi-heure devant moi avant d'aller bosser. (Et puisqu'elle avait le temps, elle alla remplir sa tasse de café.) Si elle avait attendu, Boyle et moi aurions pu… Oh… (Elle écarquilla les yeux.) Vous vous êtes disputés ?

— Disputés, non. Elle s'est repliée sur elle-même dès que je lui ai dit que je l'aimais, mais je m'y attendais. Comme je connais Meara, il va lui falloir un peu de temps pour s'y faire.

— Tu as compris ça. (Dansant dans le dos de Connor, Iona passa les bras autour de son cou.) C'est merveilleux.

— Ce n'était pas très difficile à comprendre… Enfin, si. Il lui faut un peu plus de temps que moi pour accepter l'évidence. Elle sera plus heureuse dès qu'elle l'aura admise, et moi aussi. Mais pour l'instant, je tire un certain plaisir à la voir mal à l'aise.

— Sois prudent, Connor, déclara sagement Branna. Si elle résiste, ce n'est pas parce qu'elle est bornée ou aveugle. C'est à cause de ses cicatrices.

— Elle ne peut pas passer toute sa vie à nier ses sentiments juste parce que son salopard de père n'avait pas de cœur.

— Sois prudent, répéta Branna. Quoi qu'elle dise, quoi qu'elle pense croire, elle l'aimait. Elle l'aime toujours, et c'est pour cela que ses blessures ne se sont pas pleinement refermées.

L'agacement s'empara de lui.

— Je ne suis pas son père, et elle me connaît suffisamment bien pour savoir que je ne suis pas comme lui.

— Oh, non, mon frère chéri, ce qu'elle craint... c'est plutôt d'être comme son père.

— Foutaises !

— Bien sûr. (Branna se leva pour s'expliquer clairement.) Mais c'est son fardeau. Malgré tout l'amour que j'ai pour elle, et qu'elle a pour moi, je n'ai jamais réussi à la soulager de ce poids, pas complètement. C'est à toi de le faire.

— Tu vas y arriver. (Iona s'écarta de la table pour lui prêter main-forte.) Parce que l'amour, tant qu'on ne baisse pas les bras, est plus fort que tout.

— Je ne baisserai pas les bras.

Iona prit le temps de déposer un baiser sur le sommet de sa tête.

— Je le sais. Tes œufs étaient bons.

— Je n'irai pas jusque-là, dit Branna, mais nous allons faire la vaisselle puisque tu as tout préparé... tant bien que mal.

— Alors c'est d'accord, d'autant que je dois rappeler Roibeard et aller travailler.

Il décrocha sa veste de la patère et prit un bonnet pendant qu'elles débarrassaient la table.

— Je l'aime vraiment, dit-il du fond du cœur, je l'aime entièrement.

— Ah, Connor, grand benêt, tu l'aimes depuis toujours.

Il sortit sous la pluie en se disant que sa sœur avait raison : il l'aimait depuis toujours.

Son humeur massacrante, sa nervosité exacerbée et sa propension à tout critiquer lui valurent d'être assignée au retournement du tas de fumier pour favoriser le compostage.

À journée merdique, boulot merdique, se dit Meara en passant ses bottes les plus usées et l'un des épais manteaux de fermier

319

à la place de son blouson. En même temps, elle se sentait plutôt sale. Et comme elle ne pouvait pas nier le fait qu'elle avait cherché des poux dans la tête de Boyle – après avoir adressé des reproches à Mick, grogné en voyant Iona et ruminé tout le restant de la matinée –, elle ne pouvait pas reprocher à Boyle de l'avoir punie en la chargeant des tâches ingrates.

C'est ce qui s'était passé, quoi qu'elle en dise.

Il avait confié ses promenades guidées à Iona – des gens robustes des Midlands que cette saleté de pluie ne rebutait pas. Comme Mick donnait une leçon sur la piste, cette saleté de pluie n'avait pas la moindre importance pour lui. Pas plus qu'elle ne perturbait Patty, occupée à nettoyer la sellerie, ou Boyle, enfermé dans son bureau.

Alors c'était à elle que revenait l'honneur de patauger sous cette saleté de pluie et de retourner la majestueuse pile de merde.

Elle enroula une écharpe autour de son cou, rabattit sa capuche sur son front et sortit d'un pas lourd – tirant derrière elle une fourche et une longue barre métallique – pour se rendre derrière les écuries vers ce qui était surnommé sans aucune tendresse la Montagne de Merde.

Toute écurie engendre en abondance ce genre de déchets, et ces produits dérivés, pour utiliser un terme technique, devaient être traités. Et les êtres sages et soucieux de l'environnement faisaient plus que s'en occuper. Ils s'en servaient.

Elle approuvait ce genre de pratique, d'ordinaire. Les jours où elle n'en voulait pas à la terre entière. Les jours où il ne pleuvait pas comme vache qui pisse.

Le fumier, dès lors qu'on l'entretenait correctement, se transformait en compost. Et le compost enrichissait la terre. Alors Fin et Boyle avaient aménagé une zone, assez éloignée pour que les odeurs ne parviennent pas au centre équestre, dans ce but précis.

Lorsqu'elle atteignit la Montagne de Merde, elle pesta en s'apercevant qu'elle avait oublié son iPod et ses écouteurs à l'écurie. Même pas de musique pour la distraire.

Pour seul divertissement, elle grommela entre ses dents pendant qu'elle enlevait les anciens sacs de nourriture vides de la grosse pile et retournait le fumier à la fourche.

Un bon compost avait besoin de chaleur pour tuer les germes, les parasites, pour que le fumier se transforme en fertilisant de qualité. Comme elle avait déjà fait ce boulot un nombre incalculable de fois, elle l'effectua d'un geste automatique, ajoutant de l'engrais naturel pour favoriser la transformation du fumier, retournant les couches supérieures vers le cœur et la chaleur, formant un second tas, ventilant à l'aide de la barre qu'elle enfonçait le plus profondément possible.

L'avantage étant qu'elle n'avait pas besoin de tirer le tuyau d'arrosage jusque-là puisque cette saleté de pluie ajoutait toute l'eau nécessaire à un mélange boueux.

Un mélange boueux, se dit-elle en se remettant à l'ouvrage. C'était exactement ce dans quoi Connor les avait jetés.

Pourquoi avait-il fallu qu'il y ajoute l'amour ? L'amour et les promesses et les projets d'avenir à deux et une famille à fonder et l'éternité ? Tout ne se passait-il pas bien ? N'étaient-ils pas parfaitement heureux avec le sexe et l'amusement en plus de l'amitié ?

Mais non, il avait fallu qu'il prononce tous ces mots – et la plupart en gaélique. Un complot préparé d'avance, se dit-elle en retournant et en étalant. Un complot destiné à lui vriller le cœur. Un complot qui la faisait soupirer et succomber.

Il avait fait d'elle une femme faible – oui, tout à fait – et elle ne savait pas quoi faire de ses faiblesses. La faiblesse était

321

un ennemi, un ennemi qu'il avait retourné contre elle. Pis encore, il l'avait effrayée.

C'est elle qui avait commencé, non ? Elle était la seule à blâmer, la seule responsable de la situation et des ennuis qui en découlaient.

Elle l'avait embrassé la première, elle ne pouvait pas le nier. Elle l'avait attiré dans son lit, transformant par ce geste la nature de leur relation passée.

Connor était un romantique – elle le savait, ça aussi. Mais vu comme il papillonnait, personne ne pouvait lui reprocher d'avoir été surprise quand il lui avait déclaré sa flamme.

Ils avaient assez à faire, non ? Le soir de Halloween approchait à grands pas, et s'ils avaient un vrai plan bien ficelé, elle n'en avait pas encore entendu parler.

L'optimisme de Connor, la détermination de Branna, la rage intérieure de Fin, la foi d'Iona. Ils avaient tout ça, et la loyauté de Boyle en plus de la leur.

Mais c'étaient de piètres stratégies et de pauvres tactiques face à la magie noire.

Et au lieu de rester concentré sur l'élaboration de ces stratégies et de ces tactiques, Connor O'Dwyer passait son temps à lui répéter qu'elle faisait battre son cœur, qu'elle était l'amour de toutes ses vies.

En gaélique. En gaélique, tout en faisant des choses inimaginables à son corps.

Ne l'avait-il pas regardée dans les yeux au réveil, après avoir quitté cet étrange monde onirique, pour lui dire purement et simplement qu'il l'aimait ?

Il lui avait *souri de toutes ses dents*, se souvint-elle en fulminant. Comme si mettre sa vie sens dessus dessous était une bonne blague amusante.

Elle aurait dû le pousser, le faire tomber du lit, sur les fesses. Voilà ce qu'elle aurait dû faire.

Elle allait lui mettre les points sur les *i*, elle s'en faisait la promesse. Parce qu'elle n'était pas faible, pas plus avec lui qu'avec quiconque. À l'avenir, elle ne serait ni faible ni craintive. Pas prête à faire des promesses qu'elle ne tiendrait pas.

Elle ne se laisserait pas attendrir, ne serait pas sotte comme sa mère. Si désemparée qu'elle ne savait pas s'occuper d'elle. Déshonorée et pleurant la perte d'un homme qui l'avait trahie avec la violence d'un coup de hache.

De plus, et surtout, elle refusait de devenir aussi imprudente et égoïste que son père. Un homme qui avait fait des promesses et ne les avait tenues que pendant l'âge d'or du couple. Pour les bafouer ensuite impitoyablement, brisant le cœur de ceux qui l'aimaient, dès les premiers nuages.

Non, elle ne serait ni l'épouse, ni le fardeau d'un homme, ni celle qui faisait battre son cœur. Surtout pas celui de Connor O'Dwyer.

Parce qu'elle l'aimait beaucoup trop pour ça.

Brutalement, elle ravala les sanglots qui lui serraient la gorge.

Un truc temporaire, se promit-elle en replaçant les sacs sur le tas de compost. Cette sensation de brûlure au cœur ne pouvait pas durer.

Personne ne pouvait y survivre.

Bientôt, elle redeviendrait comme avant, elle-même, et Connor aussi. Et tout cela serait comme l'un de ces étranges rêves qui n'étaient pas des rêves.

Elle se trouva plus calme, rassérénée par le travail manuel. Retourner à l'écurie, calmer le jeu avec Mick, en particulier, mais avec les autres aussi.

— Tu as fait pénitence, déclara-t-elle à haute voix, puis elle recula et se retourna.

Et son père lui sourit.

— Te voilà, ma princesse.

— Quoi ?

Un oiseau pépia dans le mûrier, et les roses fleurirent comme dans un pays enchanté. Elle aimait ce jardin féerique, ses couleurs, ses parfums, le chant des oiseaux, le murmure de l'eau de la fontaine qui s'écoulait d'une amphore tenue par une femme gracieuse dans le bassin rond.

Elle aimait tous ses recoins et ses tonnelles ombragées où elle pouvait se cacher de son frère et de ses sœurs dès qu'elle avait envie de solitude.

— Encore perdue dans tes rêves, tu ne m'as pas entendu t'appeler.

Il rit, et ce brusque éclat lui fit retrousser les lèvres malgré les larmes qui lui montaient aux yeux.

— C'est impossible que tu sois ici.

— J'ai le droit de prendre une journée de congé pour passer du temps avec ma princesse. (Sans se départir de son sourire, il se tapota l'aile du nez avec l'index.) Le temps viendra bien assez vite où tous les gars de la région demanderont après toi, et tu n'auras plus de temps pour ton vieux papa.

— J'en aurai toujours pour toi.

— Ma fille chérie… (Il lui prit la main, l'attira dans le creux de son bras.) Ma belle princesse gitane.

— Ta main est glacée.

— Tu vas me la réchauffer. (Il se mit à marcher avec elle, empruntant le chemin pavé, passant devant les roses et les corolles veloutées des lys calla, le bleu vif des lobélies illuminé par le soleil qui étincelait comme le cœur d'une perle.) Je suis venu exprès pour te voir, expliqua-t-il sur le ton de la confidence, lui adressant ce petit clin d'œil rusé auquel il avait

324

recours pour annoncer un secret. Tout le monde est à l'intérieur.

Elle jeta un coup d'œil vers la maison de brique, avec ses trois étages et sa façade blanche fidèle aux volontés de sa mère. Un autre jardin entourait la vaste terrasse et menait à une prairie verdoyante où sa mère aimait prendre le thé avec des amis l'été.

Plein de mini-sandwichs et de gâteaux nappés de sucre glace.

Sa chambre, là, repéra Meara en levant la tête. Oui, sa chambre se trouvait juste là, avec sa porte-fenêtre ouvrant sur un petit balcon. Son balcon de Juliette, l'appelait-il.

Elle était sa princesse.

— Pourquoi tout le monde est à l'intérieur ? C'est une si belle journée. Nous devrions pique-niquer ! Mme Hannigan pourrait préparer des *bridies*[1] et nous pourrions manger du fromage et du pain, et aussi des tartelettes à la confiture.

Elle s'apprêta à courir vers la maison, à inviter sa famille à les rejoindre, mais il l'entraîna sur le chemin.

— Ce n'est pas le bon jour pour pique-niquer.

Elle crut entendre la pluie tambouriner sur le sol et, levant les yeux, il lui sembla voir une ombre passer devant le soleil.

— C'est quoi ? Dis-moi, Da ?

— Ce n'est rien du tout. Tiens, c'est pour toi.

Il coupa une rose d'un buisson, la lui tendit. Elle la sentit, sourit quand les doux pétales blancs caressèrent sa joue.

— Si on ne pique-nique pas, on pourrait quand même goûter, faire la fête, puisque tu es à la maison ?

Il secoua lentement la tête, l'air triste.

— Je crains qu'on ne puisse pas faire la fête.

---

1. Sortes de chaussons ou *empanadas* à pâte épaisse proches de la *calzone* italienne. (*N.d.T.*)

— Pourquoi ?

— Personne ne veut te voir, Meara. Tout le monde sait que c'est ta faute.

— Ma faute ? Quoi donc ? Qu'ai-je fait ?

— Tu fraies et tu conspires avec des magiciens.

Il se retourna pour la prendre durement par les épaules. Alors que l'ombre obscurcissait son visage, elle sentit son cœur bondir de peur.

— Je conspire ? Je fraie ?

— Tu manigances des plans, tu t'associes aux créatures du diable. Tu as couché avec l'un d'eux, comme une putain.

— Mais… (Confuse, elle eut le tournis.) Non, non, tu ne comprends pas.

— Mieux que toi. Ils sont maudits, Meara, et toi avec eux.

— Non. (Suppliante, elle posa les mains sur son torse. Froid, comme ses mains.) Comment peux-tu dire une chose pareille ? Tu ne le penses pas vraiment ?

— Si je le dis, c'est que je le pense. Pourquoi suis-je parti, à ton avis ? C'était à cause de toi, Meara. C'est toi que j'ai quittée. Une traînée égoïste et diabolique qui brûle d'envie de posséder un pouvoir qu'elle ne pourra jamais avoir.

— C'est faux ! (Le choc la frappa si durement au ventre qu'elle recula en vacillant.) C'est faux !

— Tu m'as fait tellement honte que je ne pouvais plus te regarder en face.

Elle fut prise de sanglots, puis hoqueta quand la rose blanche qu'elle tenait à la main se mit à saigner.

— C'est ta force maléfique, dit-il quand elle la jeta loin d'elle. Qui détruit tous ceux qui t'aiment. Tous ceux qui t'aiment saigneront et dépériront. Ou s'enfuiront, comme moi. Je t'ai quittée, tant la honte me rendait malade.

» Entends-tu ta mère qui pleure ? demanda-t-il. Elle pleure toutes les larmes de son corps à cause de sa fille qui préfère l'engeance du diable à son propre sang. C'est ta faute.

Les larmes coulaient sur ses joues – des larmes de honte, de culpabilité et de chagrin. Quand elle baissa la tête, elle vit la rose noyée dans la mare formée par son sang.

Et la pluie tombait à verse, remarqua-t-elle.

La pluie.

Elle chancela légèrement, entendit l'oiseau pépier dans le mûrier, et l'eau de la fontaine clapoter gaiement.

— Da...

Le cri d'un rapace déchira l'air.

Connor, pensa-t-elle. *Connor*.

— Non, je n'ai rien à me reprocher.

Trempée de pluie, libérée par le cri de l'épervier, elle prit de l'élan, lança la fourche qu'elle tenait à la main. Malgré la surprise, il recula d'un bond, si bien qu'elle frôla son visage.

Un visage qui n'était plus celui de son père.

— Va en enfer.

Elle frappa encore, mais le sol parut se soulever sous ses pieds. Au même instant, une douleur lui transperça le cœur.

Alors qu'elle poussait un cri, Cabhan montra les dents dans un sourire haineux. Et il fondit pour se changer en brume.

Tremblante, elle parvint à faire un pas, puis un autre. Le sol continuait de se soulever, le ciel tournoyant au-dessus d'elle.

Dans le lointain, à travers la pluie et la brume, elle entendit son nom.

Elle se pressa. Un pas, puis un autre.

Elle entendit l'épervier, vit le cheval, sa silhouette floue et grise traversant précipitamment les brumes, et le chien qui le suivait au pas de course.

Elle vit Boyle accourir comme s'il était poursuivi par une meute enragée.

Tandis que tout tournait autour d'elle, elle vit, émerveillée, Connor bondir à cru sur Alastar.

Il cria quelque chose, mais les rugissements qui résonnaient dans sa tête étouffaient les sons.

Les ténèbres, se dit-elle. *Le monde des ténèbres.*

Elles se resserraient autour d'elle, assombrissant tout.

Elle nagea dans la brume, étouffant, au bord de la noyade. Elle entendit le rire de son père, cruel, terriblement cruel.

C'est ta faute, égoïste, fille sans cœur. Tu n'as rien. Tu n'es rien. Tu es dénuée d'émotions.

Je te donnerai le pouvoir, promit Cabhan d'une voix aussi douce qu'une caresse. *C'est ce que tu souhaites, au fond de toi, ce que tu convoites et désires ardemment. Apporte-moi son sang et je te donnerai le pouvoir. Ôte-lui la vie et je t'offrirai l'immortalité.*

Elle se débattit, tenta de déchirer le brouillard pour avancer, retrouver la lumière, mais ne parvint pas à bouger. Elle se sentait ligotée, écrasée au cœur des ténèbres qui allaient s'épaississant, qu'elle inhalait à chaque respiration.

À chaque souffle, l'air se faisait plus froid. Plus sombre.

Fais ce qu'il te demande, l'incita son père. *Ce magicien n'est rien pour toi ; tu n'es rien pour lui. Juste deux corps qui copulent dans le noir. Tue le magicien. Protège-toi. Je reviendrai auprès de toi, ma princesse.*

Soudain, Connor lui prit la main. Il étincelait dans les ténèbres, ses yeux aussi verts que des émeraudes.

Viens avec moi. Reviens auprès de moi. J'ai besoin de toi, a ghrá. Reviens auprès de moi. Prends ma main. Il te suffit de prendre la main que je te tends.

Elle en était incapable – il ne le voyait donc pas ? –, elle ne pouvait pas. On gronda et on claqua des dents dans son dos, mais Connor lui souriait.

Bien sûr, tu le peux. Ma main, ma chérie. Ne te retourne pas. Prends juste ma main. Reviens vite auprès de moi.

C'était douloureux de lever ce bras lourd, de tirer sur ces liens invisibles. Mais il y avait de la lumière en lui, de la chaleur et elle en avait désespérément besoin.

Pleurant à chaudes larmes, elle leva le bras, tendit la main vers lui. Elle eut l'impression qu'on la tirait par le bout des doigts pour l'extraire de la vase. D'en sortir centimètre par centimètre, douloureusement, pendant qu'une force contraire la tirait en arrière.

Je te tiens, dit Connor, sans la quitter des yeux un seul instant. *Je ne te laisserai pas partir.*

Alors elle eut l'impression d'exploser, comme un bouchon qui saute d'un goulot, pour être projetée vers la clarté.

La poitrine en feu, comme si son cœur avait été changé en braise. Quand elle voulut inspirer, il lui monta dans la gorge.

— Doucement, doucement. Respire… Tu es revenue. Tu ne crains plus rien. Tu es là. Chut, tout va bien.

Quelqu'un sanglotait, des larmes déchirantes, à fendre l'âme. Il lui fallut plusieurs minutes pour comprendre que ces pleurs étaient les siens.

— Tu es avec moi. Avec nous.

Elle enfouit son visage au creux de l'épaule de Connor – mon Dieu, son odeur aussi bienfaisante que de l'eau fraîche sur une brûlure. Il la souleva.

— Je la reconduis à la maison.

— Chez moi, c'est plus près, dit Fin.

— Elle va s'installer au cottage jusqu'à ce que tout soit terminé, mais merci. Je la ramène à la maison. Tu veux bien venir ? Quand tu pourras, viens.

— Tu sais bien que je vais venir. Nous allons tous venir.

— Je suis avec toi, Meara. (Elle entendit la voix de Branna, sentit sa main lui caresser les cheveux, la joue.) Je suis tout près de toi.

Elle voulut parler, mais seuls des sanglots déchirants sortirent de sa bouche.

— Va avec eux, dit Boyle. Accompagne-les, Iona. Les Trois doivent être à ses côtés. Je vais m'occuper d'Alastar. Prends la camionnette et va avec eux.

— Viens vite.

Meara tourna suffisamment la tête pour voir Iona courir vers la camionnette de Boyle, s'installer au volant. Courir sous la pluie, dans la brume, pendant que tout tournait, se balançait d'avant en arrière comme le pont d'un navire en pleine tempête.

Sa poitrine, sa gorge, chaque partie de son corps la brûlait aussi vivement que les flammes de l'enfer.

Elle se demandait si elle était morte. Si elle était morte comme l'avait annoncé celui qui prétendait être son père.

— Tout va bien maintenant, répétait Connor. Tu es vivante, hors de danger, tu es avec nous. Repose-toi, ma chérie. Dors.

Elle sombra aussitôt dans un sommeil réconfortant.

17

Elle entendait des voix, des murmures – doux, apaisants. Elle sentait des mains, des caresses – légères, tendres. Elle avait l'impression de flotter sur un courant d'air chaud imprégné du parfum de la lavande et de la cire de bougie. Baignant dans la lumière, elle était en paix.

Les murmures devinrent des mots, confus et indistincts, comme s'ils étaient prononcés dans l'eau.

— Elle a besoin de repos. De repos et de calme. De temps pour guérir.

La voix de Branna, inquiète.

— Elle a repris des couleurs, non ?

Et celle de Connor, anxieuse, tremblante.

— En effet, et son pouls a de nouveau un rythme régulier.

— Elle est forte, Connor. (Celle d'Iona, éraillée par le sommeil ou les larmes.) Nous aussi.

Elle retomba dans le sommeil, flottant, flottant dans un silence réconfortant.

Se réveillant, elle se crut dans un rêve.

Elle vit Connor assis à côté d'elle, les yeux fermés, son visage illuminé par la lueur des bougies disposées çà et là dans la pièce. Comme s'il était recouvert de peinture dorée lumineuse et pâle.

Sa première pensée consciente fut qu'il était ridicule d'être aussi séduisant pour un homme.

Elle voulut prononcer son nom mais avant qu'elle n'ouvre la bouche, il battit des paupières et la regarda droit dans les yeux. La couleur, l'intensité du vert de ses pupilles l'éclairèrent davantage que les bougies alentour.

— Te voilà. (Quand il sourit, l'intensité s'estompa, et ne restèrent plus que Connor et la lueur des bougies.) Ne bouge pas, reste tranquille un moment.

Il passa la main sur le visage de Meara, referma les yeux tout en glissant vers son cœur pour remonter jusqu'à son front.

— C'est bien. Tout va très bien maintenant.

Il ôta quelque chose de son front, de son cou, laissant un léger picotement sur sa peau.

— C'est quoi ?

Était-ce vraiment sa voix ? Ce coassement de grenouille ?

— Des pierres guérisseuses.

— J'ai été malade ?

— Oui, mais tu vas bien à présent.

Il la souleva légèrement, enleva les pierres glissées sous son dos, sous ses mains, les rangea dans une pochette qu'il ferma avec soin.

— Combien de temps ai-je dormi ?

— Oh, presque six heures… pas tant que ça, finalement.

— Six heures ? Mais j'étais… j'étais…

— Ne cherche pas à te souvenir tout de suite. (Son ton brusque mais enjoué l'intrigua.) Tu vas te sentir vaseuse, faible et tremblante pendant un petit moment. Mais ça va passer, je te le promets. Tiens, bois ça. Branna l'a préparé pour que tu le boives, en entier, à ton réveil.

— C'est quoi ?

— Quelque chose qui va te faire du bien.

332

Il l'aida à se redresser, lui cala le dos contre les oreillers avant d'enlever le bouchon d'une bouteille remplie de liquide rouge.

— Tout ça ?

— Tout. (Il plaça la bouteille entre ses mains, les entoura des siennes pour la porter à ses lèvres.) Bois doucement, mais jusqu'à la dernière goutte.

Elle s'attendait à un mauvais goût de médicament, mais découvrit une saveur rafraîchissante.

— On dirait du jus de pomme, avec les bourgeons.

— C'est en partie de la pomme. Termine, ma chérie. Tu as besoin de chaque goutte.

Ses joues reprenaient des couleurs, remarqua Connor. Et malgré ses paupières lourdes, elle avait le regard clair. Pas vide et fixe comme lorsqu'elle avait succombé au sortilège de Cabhan, ou lorsqu'elle était étendue, inerte, dans l'herbe trempée.

Cette image lui revint à l'esprit, fit trembler ses mains. Alors il la chassa, et la regarda telle qu'elle était dans l'instant présent.

— Ensuite, tu mangeras. (Il dut faire appel à toute sa volonté pour s'exprimer calmement, avec un brin de gaieté.) Branna a préparé un bouillon de viande, mais attendons d'abord de voir si la potion et un thé passent bien.

— Je crois que je meurs de faim, mais je n'en suis pas sûre. J'ai l'impression de ne pas être tout à fait là. Mais ça va mieux. Cette boisson m'a fait du bien.

Elle lui rendit la bouteille, qu'il posa aussi délicatement que si c'était une bombe.

— Apportez le repas !

Il s'efforça de sourire avant de poser ses lèvres sur son front. Là, il fut tout simplement incapable de bouger.

Elle le sentit trembler et lui prit la main. Il la serra si fort qu'elle dut ravaler un cri.

— C'était si grave que ça ?

— Ça va, maintenant. Tout va bien. Mon Dieu.

Il l'attira contre lui, l'étreignit de toutes ses forces. Il l'aurait fait entrer en lui s'il avait pu.

— Tout va bien, c'est fini, répéta-t-il en boucle, pour se réconforter lui autant qu'elle.

— J'ignore comment il a réussi à passer malgré le collier qui te protège. Il n'est pas assez fort. Je ne l'ai pas fait assez fort. Il t'a pris le bijou, alors que je n'aurais jamais cru cela possible. Il l'a emporté et tu as failli étouffer. J'aurais dû faire plus. Je vais faire plus.

— Cabhan. (Ses souvenirs étaient confus.) J'étais en train… de retourner le tas de fumier. Le compost. Et d'un coup… je n'étais plus là. Tout est confus dans ma tête.

— Ne t'énerve pas. (Il passa la main dans ses cheveux, sur ses joues.) Ça te reviendra dès que tu auras repris des forces. Je vais te fabriquer un autre collier, plus puissant. Les autres vont m'aider, puisque le précédent n'a pas suffi.

— Le collier. (Elle porta la main à son cou. Se rappela.) Il est dans ma veste. Je l'ai enlevé, je crois.

Alors qu'elle fouillait dans ses souvenirs, Connor se détendit lentement.

— Tu l'as enlevé ?

— Pour dire à quel point j'étais de mauvais poil. Je l'ai enlevé, je l'ai fourré dans la poche de ma veste. J'ai été odieuse avec le pauvre Mick – et avec tout le monde, d'ailleurs, même Boyle… Oui, et Boyle m'a envoyée retourner le tas de compost. J'ai enfilé une veste de travail et laissé la mienne à l'écurie.

— Tu ne le portais pas ? Et les talismans que je t'ai faits ?

— Dans ma poche. Celle de la veste que j'ai laissée à l'écurie. Je n'y ai pas pensé parce que... Connor...

Il se leva brusquement, son visage n'exprimant qu'une colère froide.

— Tu l'as enlevé, et tu es sortie sans, uniquement parce qu'il vient de moi.

— Non. Oui. (Quel méli-mélo dans sa tête !) Je n'avais pas les idées claires, tu ne comprends pas ? J'étais dans une colère noire.

— Parce que je t'aime, ça t'a mise suffisamment en rogne pour que tu sortes sans les pierres protectrices.

— Je n'ai pas vu les choses sous cet angle, sur le moment. Je n'ai pas réfléchi. J'ai agi bêtement. Pire que ça. Connor...

— Bon, c'est fait, et tu es à l'abri maintenant. Je vais demander à Branna de t'apporter à manger.

— Connor, reste avec moi. S'il te plaît, laisse-moi...

— Tu as besoin de calme pour guérir complètement, coupa-t-il. Je n'arrive pas à garder mon calme dans l'immédiat, alors je ne peux pas rester avec toi.

Il quitta la pièce, referma la porte entre eux.

Elle voulut se lever mais ses jambes refusèrent de lui obéir. Alors elle, une femme qui se flattait d'être forte, en bonne santé, dut se recoucher comme une invalide.

Allongée, respirant mal, la peau moite, le cœur et l'esprit perturbés par les conséquences d'un acte imprudent accompli sous le coup de la colère...

Quand Branna entra en portant un plateau, sa frustration était si vive qu'elle avait envie de pleurer.

— Où est-il ?

— Connor ? Il avait besoin de prendre l'air. Il est demeuré des heures à ton chevet.

Branna disposa le plateau – le plateau d'une impotente avec des pieds, conçu pour être posé à cheval sur les jambes des malades et des faibles. Meara le fixa avec un dégoût profond.

— Le bouillon et l'infusion vont te redonner des forces. C'est normal que tu te sentes faible.

— J'ai l'impression d'avoir passé la moitié de ma vie malade.

Elle leva les yeux, domina suffisamment son mécontentement pour s'apercevoir que Branna paraissait épuisée et soucieuse.

— Je suis chiante, hein ? Jamais été malade plus de quelques heures. Tu y veilles, depuis toujours. Je suis vraiment désolée, Branna. Je m'en veux pour tout ça.

— Ne dis pas de bêtises. (Le regard las, les cheveux rassemblés à la hâte, Branna posa une fesse sur un coin du lit.) Allez, mange. C'est l'étape suivante.

— Vers quoi ?

— Vers tes retrouvailles avec toi-même.

Puisque c'était son souhait – comment pourrait-elle se rabibocher avec Connor alors qu'elle avait du mal à soulever une cuiller ? –, elle commença à manger. La première cuillerée lui fit l'effet du nectar.

— Je croyais que j'étais affamée, mais en fait je ne sentais pas grand-chose. C'est merveilleux de sentir la faim, et c'est délicieux. Je n'arrive pas à assembler les pièces du puzzle. Je me rappelle l'essentiel, assez clairement jusqu'à ce que je décide de retourner aux écuries. La suite est floue.

— Une fois que tu seras remise sur pied, tes souvenirs te reviendront. C'est un réflexe de protection.

— Mon Dieu.

Meara ferma les yeux, les paupières serrées.

— Tu as mal quelque part ? Trésor…

— Non, non… pas physiquement. Branna, j'ai fait quelque chose d'absurde. J'étais bouleversée, tellement de mauvaise humeur que j'étais incapable de raisonner. Connor... il a dit qu'il m'aimait. D'un amour qui conduit au mariage et aux bébés et à la maison accrochée à la colline, et ça m'a chamboulée. Je ne suis pas faite pour ce genre de vie, tout le monde le sait.

— Personne ne sait rien de ce genre, mais je ne conteste pas le fait que tu le penses. Tu as besoin de calme, Meara. (Branna passa la main sur la jambe de Meara.) Repose-toi si tu veux récupérer vite.

— Comment veux-tu que je garde mon calme alors que Connor est parti, furieux contre moi comme jamais ? Et il y a pire, bien pire.

— Pourquoi serait-il furieux contre toi ?

— Je l'ai enlevé, Branna. (Ses doigts effleurèrent son cou, à l'endroit où le collier aurait dû se trouver.) Je n'ai pas réfléchi, je te jure. J'ai agi sous le coup de la colère. Alors j'ai enlevé le collier qu'il m'a donné et l'ai fourré dans ma poche.

La main apaisante se figea.

— La calcédoine bleue avec les perles de jade et de jaspe ? avança prudemment Branna.

— Oui, celui-là. Je l'ai mis dans ma poche, avec les talismans. Et je me suis disputée avec tous ceux qui croisaient ma route jusqu'à ce que Boyle en ait sa claque de moi. Il m'a envoyée retourner le compost, et comme c'est un boulot salissant et qu'il pleuvait des cordes, j'ai troqué mon caban pour une veste de travail. Je n'ai pas réfléchi. J'avais oublié que j'avais enlevé le collier, tu comprends. Sinon je ne serais jamais sortie sans. Je te le promets, même furieuse, je ne l'aurais jamais fait délibérément.

— Tu as enlevé ce qu'il t'a donné par amour, ce qu'il t'a offert pour te protéger du mal, toi, celle qu'il aime. Tu lui as brisé le cœur, Meara.

— Oh, Branna, je t'en prie ! (Elle sanglota tandis que Branna allait se poster devant la fenêtre, scrutant la nuit.) S'il te plaît, ne me repousse pas.

Branna pivota soudain vers elle, les yeux brillants de colère.

— Tu dois être insensible et cruelle pour me dire ça.

Meara blêmit.

— Non, non, je…

— Insensible, cruelle et égoïste. Aussi loin que mes souvenirs remontent, tu as été toujours été mon amie, ma sœur de cœur. Et tu imagines que je serais capable de te tourner le dos ?

— Non. Je ne sais pas. Je suis perdue, complètement chamboulée…

— Pleurer te fait du bien, déclara sèchement Branna en soulignant sa phrase d'un hochement de tête. Tes larmes sont rares, et tu as besoin de les laisser couler. Pour te purger, en quelque sorte. Nous sommes cinq dans cette maison. Non, c'est faux, puisque Iona et Boyle sont partis dès ton réveil. Ils sont allés chercher tes affaires.

— Chercher mes…

— Tais-toi, je n'ai pas terminé. Ces cinq personnes t'aiment, et aucun de nous ne mérite que tu imagines qu'on puisse se détourner de toi dès que tu te montres blessante.

— Je suis désolée. Excuse-moi.

— Je sais que tu regrettes. Mais je suis là, Meara, entre toi et Connor, et je vous aime tous les deux. Il s'en veut, tu sais, de ne pas t'avoir offert de protection suffisamment forte.

— Je sais. (Sa voix se brisait et tremblait à chaque mot.) Il me l'a dit. Je m'en souviens. Je lui ai dit. Il m'a quittée.

— Il a quitté *la pièce*, Meara, pauvre sotte. Nous parlons de Connor O'Dwyer, l'homme le plus généreux, loyal et fidèle que la terre ait jamais porté. Ce n'est pas ton maudit père ni même un homme qui lui ressemble de près ou de loin.

338

— Je ne voulais pas…

Tout remonta à la surface, avec une limpidité si vive qu'elle étouffa.

— Du calme. Reste calme. (Branna accourut auprès d'elle, lui prit les mains, enrayant une crise de panique par la seule force de sa volonté.) Tout va bien se passer, respire profondément. Mes yeux, regarde-moi dans les yeux. Il y a de la sérénité, il y a de l'air.

— Je me souviens maintenant.

— Retrouve d'abord ton calme. La souffrance n'entre pas ici ni le mal. Nous avons allumé des bougies, disposé des herbes médicinales et des pierres un peu partout. Ceci est ton refuge.

— Je me souviens, répéta-t-elle, d'une voix plus apaisée. Il était là.

— Laisse ton être intérieur retrouver la paix. J'ai beau souhaiter que tu te souviennes de tout, nous attendrons d'être tous réunis pour cela. De cette façon, tu n'auras pas besoin de te répéter.

Et Connor, se dit Branna, méritait d'entendre toute l'histoire.

— Que m'a-t-il fait ? Ça au moins, tu peux me le dire ? À quel point c'était horrible ?

— Bois d'abord ton bouillon.

Impatiente, reprenant déjà des forces, Meara porta le bol à ses lèvres et but tout son contenu d'un trait.

Branna eut un petit rire.

— Voilà qui est fait.

— Raconte-moi… oh !

Elle eut l'impression de recevoir une décharge électrique, d'avoir un orgasme soudain, ou d'être frappée par la foudre. Traversée par une onde d'énergie, elle se laissa retomber contre les oreillers.

— C'était quoi ?

— Quelque chose qui se boit lentement, mais tu n'en fais qu'à ta tête.

— Je me sens pousser des ailes. Je pourrais courir jusqu'à Dublin. Je te remercie.

— De rien. Nous allons garder ça pour plus tard.

Prudente, Branna posa l'infusion hors de sa portée.

— Je pourrais manger un sanglier que j'aurais encore une petite place pour le dessert. (Elle serra la main de Branna.) Je suis désolée. Sincèrement.

— Je le sais. Sincèrement.

— Raconte-moi, si tu veux bien, ce qu'il m'a fait. Il m'a empoisonnée, comme Connor ?

— Ce n'était pas du poison, non. Tu étais disponible et sans défense, et il l'a bien senti. Il a eu recours aux ténèbres, et je pense que ça t'a coupée du monde pendant un moment. Mais elles se sont suffisamment dissipées au bout du compte. Comme dit Connor, il ne peut pas garder sa cage fermée trop longtemps. Nous étions tous en chemin. Ça aussi, il a dû le sentir, alors il a agi rapidement, et avec cruauté. Le sortilège qu'il t'a jeté ressemble un peu à celui de la Belle au bois dormant, mais en moins joli et moins féerique. Ça s'apparente à la mort.

— Je... il m'a tuée ?

— Non, ce n'est pas aussi simple. Il t'a privée de ta respiration. Il a arrêté ton cœur. C'est un état similaire à la paralysie, de sorte que le premier venu t'aurait crue morte. Si personne n'intervient, ça peut durer plusieurs jours, plusieurs semaines. Voire des années. Mais tu aurais fini par te réveiller.

— Un peu comme... quoi ? Un zombie ?

— Tu te serais réveillée, Meara, dans une rage folle. Tu aurais creusé la terre avec tes ongles, ou tu aurais déliré jusqu'à ce que mort s'ensuive. Ou... il serait venu te

340

rejoindre, au moment de son choix, et il aurait fait de toi sa créature.

— Alors je serais morte, déclara Meara. Tout ce que je suis aurait disparu. Il n'aurait jamais pu me faire ça si j'avais porté le collier protecteur que m'a donné Connor.

— Non. Il aurait pu te nuire, essayer de t'attirer à lui. Mais il ne peut pas te jeter un tel sort quand tu es protégée. (Elle se tut un instant.) C'est Connor qui t'a ramenée à la vie. Il t'a retrouvée en premier. Il t'a ranimée, t'a insufflé de l'air dans les poumons, a relancé ton cœur. Ensuite, nous sommes tous arrivés en même temps, alors qu'il t'extirpait du sommeil. Et même pendant ces quelques minutes, Meara, tu n'avais toujours aucune force. Tu sanglotais, et tu tremblais, c'est tout. Il a dû te rendormir, te plonger dans un sommeil réparateur pour que tu sois calme et qu'il puisse agir sur toi.

— Les bougies, les pierres, les herbes. Les mots. Je vous ai entendus… toi, Connor et Iona.

— Fin aussi, un petit moment.

Cinq personnes qui l'aimaient, se dit Meara, toutes mortes de peur à cause de son imprudence.

— Il aurait pu nous détruire, juste parce que j'ai été puérile.

— Ce n'est pas faux.

— J'ai honte, je regrette, Branna, et c'est ce que j'aimerais dire à tout le monde. Mais je me demande si je pourrais d'abord parler à Connor seul à seul.

— Bien sûr, bonne idée.

— Tu pourrais m'aider à m'arranger un peu ? (Elle esquissa un sourire hésitant.) Je reviens d'un bref séjour chez les morts, ça doit se voir.

Comme la pluie ne se calmait pas, Connor s'était réfugié dans l'atelier de Branna, où il buvait sa deuxième bière en broyant du noir au coin du feu.

Quand Fin entra, il le regarda de travers.

— Tu devrais faire demi-tour. Je ne suis pas d'humeur à bavarder.

— C'est bien dommage.

Fin se laissa tomber sur une chaise, une bière à la main.

— Tu as dit qu'elle s'était réveillée et qu'elle allait mieux – mais c'est tout. Branna n'est pas encore descendue, et comme Iona et Boyle viennent de rapporter ses affaires, j'aimerais savoir ce qu'il en est. Elle va mieux, comment ?

— Réveillée, consciente. Elle a bu la potion, et elle avait repris des couleurs lorsque je l'ai quittée.

— Tant mieux.

Fin but une gorgée, dans l'attente de précisions. Devant le silence de Connor, il s'apprêtait à lui tirer les vers du nez quand Boyle entra.

— J'ai apporté des fringues, des bottes et tout un tas de trucs, assez pour un mois à mon avis mais d'après Iona, c'est juste l'essentiel. On m'a viré de la chambre, et je ne m'en plains pas.

Comme Fin, il s'assit, une bière à la main.

— Branna dit qu'elle a bien récupéré, qu'elle prend une douche. Tu parles d'un choc, une frayeur pareille… Un putain de choc. (Il but de longues gorgées.) C'est moi qui l'ai envoyée dehors. Elle était hargneuse, elle cherchait des noises à tout le monde. J'en ai eu ma claque, je l'ai expédiée à la Montagne de Merde. J'aurais dû lui trouver du boulot dans l'écurie, à la sellerie peut-être. J'aurais dû…

— Ce n'est pas ta faute, dit Connor en se levant pour marcher de long en large. Tu n'as pas à te sentir responsable, tu n'y es pour rien. Elle l'a enlevé. Je lui ai dit que je l'aimais.

Quand je pense que ça m'a amusé de la voir sortir en trombe en affirmant qu'elle devait filer au centre équestre de si bonne heure.

— C'est donc pour ça que j'ai perdu une heure de sommeil, ce matin ! Et, ajouta Boyle, c'est ce qui lui a mis les nerfs en pelote.

— Elle a enlevé quoi ? demanda Fin, en revenant à l'explication de Connor.

— Le collier, la calcédoine bleue avec les pierres de jaspe et de jade que je lui ai offert pour la protéger. Elle l'a enlevé, elle est sortie sans, parce que je lui ai dit que je l'aimais.

— Ah, non... (Fin leva les yeux au ciel.) Les femmes ! Elles vont finir par nous rendre dingues, et pour quoi faire ? La question devrait être, pourquoi voulons-nous être avec elles alors qu'elles nous diabolisent à la moindre occasion ?

— Parle pour toi, suggéra Boyle. Avec la mienne, ça se passe à la perfection.

— Tu vas voir, avec le temps, dit sombrement Fin.

— Va te faire voir. Elle était de mauvais poil, ajouta Boyle en observant Connor. C'était imprudent et irréfléchi, mais comme n'importe qui, quand on est mal vissé, on se comporte bêtement, sans réfléchir.

— Nous aurions pu la perdre.

— Ça n'arrivera jamais, promit Fin.

— Elle était morte, pendant un moment... ça m'a semblé durer des années. (Cette seule idée lui remuait les tripes.) Tu l'as vue de tes yeux, Boyle, tu n'es arrivé que quelques secondes après moi.

— Et pendant ces quelques secondes, j'ai eu l'impression que la vie me quittait, moi aussi. J'étais sur le point de lui faire un massage cardiaque mais tu m'as repoussé.

343

— Je suis désolé d'avoir été brusque.

— Tu n'as pas à être désolé. Tu savais ce qu'il fallait faire et je te gênais. Tu lui as insufflé de la lumière. Je n'avais jamais rien vu de tel.

Revivant tout, Boyle prit une longue inspiration.

— Tu étais à califourchon sur elle, par terre, tu en appelais aux dieux et aux déesses, et tes yeux, tu peux me croire, étaient presque noirs. Le vent qui tourbillonnait, les autres qui arrivaient en courant, et tu as levé les bras au ciel comme si tu t'accrochais à une bouée de sauvetage. Tu as extrait de la lumière de la pluie, de la pluie vers toi, tu t'es enflammé comme une torche. Et tu la lui as insufflée. Tu as fait ça à trois reprises, de plus en plus brûlant chaque fois, tant et si bien que j'ai cru que tu allais partir en flammes.

— Il faut répéter l'action trois fois, dit Fin, avec le feu et la lumière.

— Alors je l'ai vue respirer. Sa main a bougé, juste un peu, dans la mienne. La vache.

Boyle but une longue gorgée de bière.

— Je te dois tout, dit Meara, sur le pas de la porte. (Les mains serrées devant elle, ses cheveux retombant librement, les yeux débordants d'émotion.) J'aimerais pouvoir parler seul à seul avec Connor. Juste un petit moment, si ça ne vous dérange pas.

— Bien entendu. (Boyle se leva d'un bond et alla la serrer dans ses bras.) Tu as l'air en forme.

S'écartant d'elle, il lui tapota affectueusement le dos et disparut.

Fin se leva plus lentement, observant ses yeux s'emplir de larmes. Il ne dit rien du tout, mais l'embrassa sur la joue avant de sortir à son tour.

Connor ne bougea pas.

— Branna t'a donné son feu vert pour que tu te lèves ?

— Oui. Connor...

— C'est mieux que tu parles devant tout le monde, pour t'éviter d'avoir à tout répéter.

— Je vais le faire. Connor, je t'en prie, pardonne-moi. Il faut que tu me pardonnes. Sinon, je ne le supporterais pas, comme je ne supporterais pas d'avoir tout fichu en l'air. J'ai eu tort, de toutes les façons possibles, et je ferai n'importe quoi, tout ce dont tu as besoin, tout ce que tu veux ou me demandes pour que tout s'arrange entre nous.

Sa honte, son chagrin se déversèrent dans des torrents de larmes. Et pourtant, il ne se résignait pas à faire un pas vers elle.

— Alors réponds à une question sans mentir.

— Je ne te mentirai pas, même si la vérité me coûte. Je ne t'ai jamais menti.

— As-tu enlevé ce que je t'ai donné parce que tu croyais que je m'en étais servi pour te retenir, pour te garder auprès de moi, pour te laisser croire que tu étais à moi ?

Sous le choc, elle marcha vers lui en vacillant.

— Oh, non. Mon Dieu, sûrement pas ! Tu ne ferais jamais ça. Jamais je ne pourrai imaginer de telles choses, pas venant de toi. Jamais, Connor, je te le jure.

— Très bien. (Alors, enfin, son cœur meurtri trouva de l'apaisement.) Ne t'énerve pas.

— C'était de la colère, dit-elle. Un coup de sang et... de la peur aussi. (*Honnête, sois honnête*, s'ordonna-t-elle.) De la peur avant tout, et c'est ce qui m'a fait perdre mon sang-froid, et ceci s'ajoutant à cela, je n'avais plus les idées claires. Je te le jure, je jure que je n'ai pas fait exprès de sortir sans. J'ai oublié. J'étais dans tous mes états quand Boyle m'a envoyée dehors, j'ai changé de veste sans penser que toutes mes protections étaient dans ma poche.

345

Se taisant, elle pressa ses paupières.

— Lis dans mes pensées. Entre dans ma tête… (Ses doigts se placèrent sur ses tempes.) Fouille mes pensées, car tu y trouveras la vérité.

— Je te crois. Je sais reconnaître la vérité quand je l'entends.

— Me pardonnes-tu ?

Avait-elle autant de mal à l'implorer que lui à accorder son pardon ? se demanda-t-il. Possible. Pourtant, ils devaient tout clarifier avant qu'il ne puisse répondre.

— Je t'ai donné un objet auquel je tiens parce que je tiens à toi.

— Et je l'ai négligé, tout comme je me suis peu souciée de toi. Ma négligence nous coûte cher à tous. (Elle esquissa un pas vers lui.) Pardonne-moi.

— Je te donne mon amour, Meara, comme je ne l'ai jamais donné à personne. Mais tu n'en veux pas.

— Je ne sais pas quoi en faire, mais c'est une autre question. Et surtout j'ai peur. (Elle posa ses deux mains sur son cœur.) J'ai peur parce que je ne peux pas contrôler ce qui se joue en moi. Si tu ne me pardonnes pas, si tu ne peux pas m'accorder ton pardon, je crois qu'une partie de moi mourra de chagrin.

— Je te pardonne, bien sûr.

— Je ne te mérite pas.

— Meara… soupira-t-il. L'amour n'est pas une récompense accordée aux plus méritants. On ne le reprend pas à la première erreur. C'est un don, autant pour celui qui donne que pour celui qui reçoit. Le jour où tu lui ouvriras les bras, où tu l'accepteras pleinement, tu n'auras plus peur.

Il secoua la tête sans lui laisser le temps de répondre.

— Arrêtons là. Tu ne te rends pas compte à quel point tu es fatiguée, et tu dois encore nous raconter ce qui s'est passé.

Tu devrais t'asseoir un moment, puis nous verrons ce que Branna nous a préparé à manger. Le petit déjeuner remonte à loin.

Alors qu'il traversait l'atelier, elle lui prit la main.

— Merci. Pour la lumière. Pour l'air. De m'avoir sauvé la vie. Et merci, Connor, pour ce que tu me donnes.

— C'est un bon début, dit-il en l'accompagnant vers la cuisine.

Elle leur fit son récit sans marquer de pause, tout en dévorant ses spaghettis aux boulettes de viande, plat qu'elle appréciait particulièrement. Plus elle mangeait et buvait, plus elle avait faim et soif – même si la tête lui tourna après quelques gorgées de vin.

— Tu ferais mieux de t'en tenir à l'eau pour ce soir, conseilla Branna.

— Une partie de moi sait que ce n'était pas réel, mais ça avait l'air si vrai. Tout ce que je voyais, les sensations, les odeurs, les bruits. Les jardins, la fontaine, les chemins, exactement comme dans mes souvenirs. La maison, le costume de mon père, sa façon de se tapoter l'arête du nez du bout du doigt.

— C'est parce qu'il a créé ce sortilège à partir de tes pensées et de tes souvenirs visuels.

Fin lui remplit son verre d'eau.

— Il m'appelait « sa princesse ». (Meara hocha la tête.) J'avais l'impression d'être une princesse à la moindre preuve d'attention de sa part. Il était…

L'évoquer lui était pénible.

— Vous savez, il était la touche de fantaisie de la famille. Son rire bruyant, sa façon de nous glisser un billet ou du chocolat dans la main comme s'il partageait un secret avec nous.

Je l'adorais, et tout est revenu, ces sentiments, pendant que nous nous baladions dans le jardin, avec l'oiseau qui chantait dans le mûrier.

Elle se tut le temps de se ressaisir.

— Je l'adorais, répéta-t-elle, et il nous a quittés – il m'a abandonnée, sans même se soucier de moi. Parti sur la pointe des pieds comme un voleur, et au bout du compte, c'est bien ce qu'il était puisqu'il a emporté tous les objets de valeur. Mais là, dans le jardin, c'était exactement comme au bon vieux temps. Le soleil brillait, et toutes ces fleurs, j'étais si heureuse…

» Et puis il a retourné sa veste, tout à coup. Il a affirmé qu'il était parti à cause de moi, parce que j'étais amie avec vous. Que je lui ai fait honte en frayant, en conspirant, pour reprendre ses termes, avec des magiciens. Que j'étais maudite à cause de ça.

— C'est une ruse. Il a puisé dans ton esprit et distordu tes pensées, expliqua Branna.

— Mes pensées ? Mais je n'ai jamais cru qu'il était parti parce que nous étions amis.

— Mais tu as pensé, plus souvent qu'à ton tour, que tu étais responsable de son départ. Je n'ai pas besoin de m'immiscer dans ta tête pour le savoir, ajouta Connor.

— Je sais que c'est faux. Je veux dire que je sais qu'il n'est pas parti à cause de moi.

— Pourtant, ça suffit à te faire douter de toi-même, dit Iona, compréhensive. Quand tu n'as pas le moral, ça te pousse à te demander ce qui, en toi, empêche les autres de t'aimer. Je sais ce que c'est, et je sais que c'est dur d'accepter que quelqu'un qui devrait te vouer un amour inconditionnel ne t'aime pas. Ou pas assez. Mais ça ne vient pas de moi ni de toi. Le problème, c'est eux, un vide en eux.

348

— Je le sais, mais tu as raison. Parfois… La rose qu'il m'a donnée a commencé à saigner et il m'a traitée de putain parce que je couchais avec un sorcier. Mais avant le départ de mon père, c'est certain que ça ne m'était jamais arrivé. Et à bien y réfléchir, mon père était trop lâche pour dire ce genre de choses en face.

Elle se tut, la tête baissée vers son assiette.

— Il était si faible, mon père. Ce n'est pas facile d'admettre qu'on a aimé quelque chose… quelqu'un d'aussi faible.

— On ne choisit pas nos parents, dit Boyle, pas plus qu'ils ne nous choisissent. Nous ne pouvons que nous débrouiller tant bien que mal pour avancer.

— Et aimer… (Connor s'interrompit le temps qu'elle lève la tête vers lui.) On ne doit jamais en avoir honte.

— Ce que j'aimais n'était qu'illusion, tout comme ce que j'ai vu aujourd'hui. Mais j'ai cru aux deux, un moment. Et aujourd'hui, j'ai eu un déclic quand il m'a dit ces horreurs, si dures, car malgré tous ses défauts, mon père n'aurait jamais dit ça. Alors j'ai de nouveau entendu la pluie tomber, et Roibeard crier, et j'ai compris qu'il n'était que mensonge. J'avais la fourche à la main. Je ne l'avais pas pendant notre promenade, mais elle est réapparue. Je la lui ai lancée, il a vite réagi et elle n'a fait que lui frôler l'oreille. Puis tout s'est mis à tourner autour de moi. Et toi, Connor, tu as surgi comme un démon sur le dos d'Alastar, et Boyle est accouru, et Kathel et… Il m'a souri. C'était bien Cabhan à ce moment-là, plus du tout mon père.

Elle le revoyait clairement, son sourire cruel et charmeur.

— J'ai eu l'impression qu'on me transperçait le cœur. Une douleur vive et froide, pendant qu'il souriait et s'évanouissait en virevoltant avec le brouillard.

— Un éclair noir, déclara Boyle. Pour moi, ça ressemblait à ça, un flash qui a jailli de la pierre qu'il porte au cou.

— Je ne l'ai pas vue. (Meara prit son verre d'eau et le vida d'un trait.) J'ai essayé de marcher, mais j'avais l'impression de nager dans de la boue. J'avais la nausée, le tournis, et je ne sentais plus la pluie à cause des ténèbres denses qui se refermaient autour de moi.

» Je n'arrivais pas à en sortir, je n'avançais pas, j'étais incapable de crier à l'aide. Il y avait des voix dans les ténèbres. Celle de mon père, celle de Cabhan. Des menaces, des promesses. Je… il a dit qu'il me donnerait des pouvoirs. Que si je tuais Connor, il m'offrirait l'immortalité.

Elle tendit la main vers celle de Connor et fut rassurée qu'il la prenne.

— Je n'arrivais pas à me sortir de là, et il faisait de plus en plus noir. Je ne pouvais ni parler ni bouger, comme si j'étais attachée, et le froid était mordant ! D'un coup, tu es apparu devant moi, Connor, tu me parlais, et il y avait de la lumière. Tu étais la lumière. Tu m'as demandé de te donner la main. Je ne savais pas comment faire, mais tu répétais de te prendre ta main.

— Tu l'as prise.

— Je ne pensais pas y arriver, je souffrais trop. Mais tu répétais que j'allais y arriver. Tu répétais : « Prends ma main et viens avec moi. »

Elle entrelaça leurs doigts, les serrant plus fort.

— Quand j'ai saisi ta main, j'ai eu l'impression que tu me tirais hors d'une fosse pendant que quelque chose me retenait en arrière. Tu tirais, tirais, et la lumière, c'était aveuglant. Et j'ai de nouveau senti la pluie. C'était douloureux, tout l'était : mon corps, mon cœur, ma tête. Les ténèbres, c'était atroce, mais j'avais envie d'y replonger pour ne plus souffrir.

— C'est en partie dû au choc, dit Branna. Et à ce qu'il a utilisé pour te prendre. Et à la brutalité du retour. C'est pour cela que Connor t'a plongée dans le sommeil.

— Je vous dois tout.

— Nous sommes un cercle, se récria Boyle. Pas de dettes entre nous.

— Au contraire. Je vous suis reconnaissante d'être venus à mon secours. Mais c'est vrai, nous sommes solidaires. Et je vous dois des excuses pour mon comportement insensé qui lui a donné l'occasion de m'enlever. En agissant de la sorte, je nous ai tous mis en danger.

— Ce qui est fait est fait.

Boyle lui poussa gentiment l'épaule.

— Tout à fait, confirma Branna. Maintenant, tu vas boire une infusion et rester au calme, dans ton lit.

— J'ai assez dormi.

— Je ne pense pas, mais tu peux prendre ton infusion devant la cheminée si tu n'es pas encore prête à aller te coucher.

— Je vais t'aider à t'installer.

Meara regarda Fin, les sourcils froncés.

— Je peux encore marcher jusque-là.

— Après toutes ces excuses, le moment est mal choisi pour chipoter.

Sans lui en laisser l'occasion, il fit le tour de la table pour la soulever de sa chaise.

— Tu es une fille robuste, Meara Quinn.

— Tiens, tiens, je suis robuste, maintenant !

Il adressa un grand sourire à Connor par-dessus son épaule et alla la déposer sur le canapé. D'un claquement de doigts, il attisa les flammes et étala un plaid sur elle pendant qu'elle le considérait d'un œil torve.

— Je déteste qu'on s'occupe de moi.

351

— Moi aussi, ça me répugne autant que le poison. C'est pour ça que je le fais. Tu mérites qu'on t'embête un peu.

— Ne te gêne pas pour me faire culpabiliser un peu plus.

— Pas la peine. (Il s'assit à la hauteur de sa taille, l'examina un court instant. Et sortit la calcédoine bleue de sa poche.) Je me suis dit que tu le voulais peut-être.

— Oh ! Comment as-tu...

— J'ai juste fait un saut à l'écurie, récupéré ta veste et sorti ça de ta poche. (Il laissa le cordon pendre au bout de ses doigts.) Tu n'en veux pas ?

— Mais si, je le veux !

Il le lui passa autour du cou.

— Prends-en grand soin, et de lui aussi.

— D'accord. (Elle plongea les yeux dans les siens.) Je t'en fais la promesse. Merci. Merci, Fin.

— De rien. Je vais voir si je te trouve quelques biscuits pour accompagner ton infusion.

S'éloignant, il jeta un coup d'œil vers elle. Elle tenait les pierres dans sa main, les caressait d'un doigt délicat.

L'amour..., se dit-il. Un sentiment capable de changer quiconque en idiot ou en héros. Ou les deux à la fois.

18

Meara se réveilla dans le lit de Connor. Seule. Trois bougies blanches étaient allumées sous des dômes en verre, sur sa commode. Certainement une méthode de guérison magique, se dit-elle – tout comme l'odeur de la lavande, dont des brins glissés sous son oreiller à côté de cristaux favorisaient le rétablissement et le sommeil.

Fouillant sa mémoire, elle se souvint de s'être allongée sur le canapé, au salon, de Fin qui la dorlotait, et d'avoir attendu que les autres la rejoignent pour prendre une infusion.

Elle se demanda s'ils étaient venus.

Ça lui déplaisait de s'être encore endormie comme une enfant malade. Et ça l'ennuyait encore plus d'être seule dans ce lit.

Se levant, elle s'aperçut que ses jambes tremblaient un peu, troisième sujet d'agacement. Elle avait eu un regain d'énergie après avoir avalé le bouillon, mais alors qu'elle prenait conscience qu'elle n'était pas complètement rétablie, elle sentit ses forces diminuer.

Quelqu'un l'avait déshabillée pour lui passer une chemise de nuit, et ça aussi, c'était démoralisant.

Elle fit quelques pas, titubant comme si elle était ivre, et alla jusqu'à la salle de bains pour se regarder dans le miroir accroché au-dessus du lavabo. En toute honnêteté, elle avait déjà eu meilleure mine, mais elle avait aussi connu pire.

Étonnée, elle découvrit sa brosse à dents, ses crèmes et autres produits de beauté rangés soigneusement dans un panier, près de la vasque.

Tout indiquait qu'ils l'avaient installée ici pendant qu'elle dormait. Ils avaient déménagé et déballé ses affaires sans lui demander sa permission.

Quand elle se souvint pourquoi, elle soupira.

Elle le méritait, et n'avait rien à dire pour sa défense. Elle s'était mise en danger, et les autres avec elle. Par sa faute, ils avaient enduré des heures d'inquiétude. Non, elle n'avait rien à redire à leur décision ; elle ne se plaindrait pas.

Mais où diable était Connor ?

Elle entrebâilla la porte donnant dans la chambre d'Iona. Si Boyle et Iona passaient la nuit chez lui, comme la plupart du temps, il se pouvait que Connor dorme dans cette chambre. Même si elle aurait préféré qu'il couche dans la sienne, avec elle.

Il pleuvait des cordes, et à défaut d'un clair de lune, elle laissa ses yeux s'adapter à l'obscurité avant de pénétrer dans la pièce sur la pointe des pieds. Elle perçut des bruits de respiration, s'aventura plus avant. Elle avait dans l'idée de se glisser sous les draps, juste à côté de Connor, et on verrait bien ce qu'il en dirait.

Au moment où elle se pencha au-dessus du lit, elle vit distinctement Iona, blottie contre Boyle, la tête sur son épaule.

Une image attendrissante, se dit-elle… et intime. Mais avant qu'elle n'ait eu le temps de s'éloigner, Iona murmura :

— Tu es malade ?

— Non, pas du tout, désolée, chuchota Meara. Toutes mes excuses. Je me suis réveillée et je pensais trouver Connor dans ce lit. Je ne voulais pas vous réveiller.

— C'est pas grave. Il est sur le canapé, en bas. Tu as besoin de quelque chose ? Je peux te préparer une infusion pour t'aider à te rendormir ?

— J'ai l'impression d'avoir dormi une semaine.

— Et il y en a d'autres qui n'ont pas dormi depuis des jours, marmotta Boyle. Sors d'ici, Meara.

— Je m'en vais. Désolée.

Elle ressortit par la porte ouvrant sur le couloir, entendit Boyle gronder et Iona pouffer de rire avant de la refermer derrière elle.

Ils étaient bien, se dit-elle, blottis dans les bras l'un de l'autre, au chaud, alors qu'elle parcourait la maison le plus discrètement possible, en pleine nuit, à la recherche de son homme.

Elle avait descendu la moitié des marches quand un détail la frappa.

Son homme ? Depuis quand pensait-elle à Connor comme à « son homme » ? Elle avait l'esprit embrouillé, voilà tout. Confuse, à cause de ces histoires de magies noire et blanche. Somme toute, puisqu'elle n'avait pas les idées claires, mieux valait retourner se coucher.

Et compter sur la nuit qui porte conseil.

Mais elle avait envie de sa présence. La barbe ! Poser sa tête sur son épaule, comme Iona avec Boyle.

Elle poursuivit jusqu'au bas de l'escalier.

Il s'était enveloppé dans le plaid, allongé sur le canapé trop court pour lui, si bien que ses pieds dépassaient d'un accoudoir et que son visage s'enfonçait dans un oreiller calé contre l'accoudoir opposé.

Seul un homme passablement alcoolisé pouvait se satisfaire d'une position aussi inconfortable. Elle secoua la tête, les mains sur les hanches, se demandant comment il faisait pour être aussi craquant, même dans cette position.

Ils avaient chargé l'âtre de sorte que les braises d'un rouge vif se consument lentement. La lueur des flammes dansait sur son visage, ajoutant une touche diabolique à cette image adorable.

Toutefois, elle avait deux ou trois choses à lui dire, et il allait devoir les entendre.

Elle se rapprocha sans le quitter des yeux et trébucha sur les bottes qu'il avait dû lancer en travers de la pièce.

Elle s'étala de tout son long sur lui et reçut son coude dans le ventre comme pour la punir. Le premier mot qu'elle lui dit fut donc « ouille ».

Et, en réponse, elle reçut un « Putain, c'est quoi ? » qu'il murmura en se redressant pour la saisir par les épaules comme s'il s'apprêtait à la repousser loin de lui. Puis il ajouta « Meara ? » et écarta les cheveux de son visage.

— Je me suis pris les pieds dans tes bottes de géant et je me suis enfoncé ton coude osseux dans le ventre.

— J'ai cru que tu m'avais perforé un poumon. Attends.

Il la déplaça, réussit à s'asseoir tout en la gardant à demi affalée sur ses genoux.

Ce n'était pas du tout ce qu'elle avait prévu.

— Pourquoi tu t'es levée ? Tu ne te sens pas bien ?

Lorsqu'il voulut vérifier si son front était chaud, elle repoussa sa main.

— Pourquoi vous me croyez tous malade ? Je ne suis pas malade. Je me suis réveillée, un point c'est tout. C'est normal que je sois debout puisque j'ai passé la journée et une partie de la nuit à dormir.

— Tu en avais besoin, dit-il avec raison. Tu veux une infusion ?

— J'irais m'en faire une si j'étais d'humeur à boire cette saloperie.

— Je vois bien que quelque chose te trotte dans la tête, mais quoi...

Irritée, elle sentit les larmes lui monter aux yeux. Mais se laisser aller à pleurer ? Hors de question !

— Tu as dit que tu me pardonnais.

— C'est vrai. Je t'ai pardonné. Tiens, tu as froid.

Quand il voulut draper la couverture autour de ses épaules, elle se débattit encore.

— Arrête ça, arrête d'être aux petits soins pour moi.

Ses larmes tenaces remontèrent par vagues, la prenant à la gorge, l'humiliant, la stupéfiant.

— Laisse tomber, répéta-t-elle.

Elle tenta de lui échapper, roulant d'un côté puis de l'autre, mais il la prit dans ses bras, resserra son étreinte.

— Calme-toi, Meara Quinn, d'accord ? Reste tranquille un petit moment. Calme.

S'entêter à lui échapper l'avait épuisée, la laissant essoufflée et au bord des larmes.

— C'est bon, je suis calme.

— Pas encore, mais ça ne va pas tarder. Respire une fois ou deux.

Tout en la berçant lentement, il porta son regard sur la cheminée, et les flammes s'intensifièrent.

— Cesse de me dorloter, Connor. Ça me donne envie de chialer.

— Chiale autant que tu veux. C'est naturel après ce qui t'est arrivé, Meara. Une réaction normale aux agressions que tu as subies, et à ce qu'il était nécessaire de faire pour te défendre.

— Quand ça va s'arrêter ?

— C'est déjà moins terrible que dans la journée, non ? Et ça sera encore mieux demain matin avec du calme, du repos. Sois un peu patiente.

— Je déteste la patience.

Il rit, déposa un léger baiser dans ses cheveux.

— Ça, je le sais mais tu sais aussi attendre. Je l'ai vu de mes yeux.

Sauf qu'elle devait puiser au fin fond d'elle-même pour trouver les ressources nécessaires, se dit Meara. Pour Connor, c'était naturel. C'était inscrit en lui comme la couleur de ses yeux, le timbre de sa voix.

— Je ne déteste pas ton côté patient, murmura-t-elle.

— C'est bon à savoir, car j'aurais du mal à m'en défaire, même pour te faire plaisir. Bon, dis-moi, quelque chose t'a tirée du sommeil ou tu t'es réveillée naturellement ?

— Je me suis réveillée d'un coup et tu n'étais pas là.

Elle l'entendit, la pétulance dans sa voix. Elle ne pouvait qu'espérer que c'était dû au contrecoup, sans quoi elle finirait par se détester.

— Si tu m'as pardonné, pourquoi dors-tu sur le canapé, avec tes pieds qui dépassent de l'accoudoir ?

— Tu avais besoin de calme et de repos, c'est tout.

Comme il la sentait plus tranquille, il les installa l'un contre l'autre, face au feu de tourbe.

— Tu dormais déjà quand nous avons servi le thé, et tu n'as pas bougé quand je t'ai portée dans la chambre. Branna t'a mis ta chemise de nuit. Tu te rétablis, ma chérie, le sommeil est réparateur, et ton esprit et ton corps, même ton âme en ont tiré ce dont ils avaient besoin.

— J'ai cru que tu n'avais pas envie d'être avec moi, et en descendant, j'avoue que je m'attendais qu'on se dispute.

— Alors je suis ravi que tu te sois pris les pieds dans mes bottes. Ce câlin est plus sympa qu'une prise de bec.

— Je suis désolée.

— Tu n'as plus de raison d'être désolée.

Son doigt se promena le long de sa clavicule.

— Fin est allé le chercher à l'écurie.

— Je sais.

— Je ne l'enlèverai plus.

— Je sais.

Confiance, patience, pardon. Non, elle ne le méritait pas, se dit-elle avant d'enfouir son visage dans son cou.

— Je t'ai fait de la peine.

— Oui, c'est vrai.

— Comment fais-tu pour avoir l'amour aussi facile, Connor ? Tu aimes librement et naturellement. Je ne parle pas de ce que nous avons toujours éprouvé l'un pour l'autre ni de l'amour que tu ressens pour Branna.

— Eh bien, pour moi aussi, c'est nouveau, alors je ne sais pas vraiment. Mais c'est comme si j'avais gardé quelque chose en moi pendant longtemps et que ça faisait simplement partie de moi. Et qu'ensuite j'avais légèrement réorienté ce truc. Tu sais, comme lorsqu'on tient un morceau de verre, qu'il se met à refléter le soleil dès qu'on l'incline un peu, qu'il réfléchit la lumière ? On peut allumer un feu de cette façon, rien qu'en plaçant un bout de verre dans l'axe. Quelque chose dans ce goût-là…

— Mais si l'axe change, le morceau de verre ne reflète plus rien…

— Pourquoi bougerait-il alors que la lumière est tellement agréable ? Tu vois le feu, là ?

— Oui, évidemment.

— Il suffit de s'en occuper un peu, de remuer les braises, d'ajouter des bûches pour qu'il brûle jour et nuit, jour après jour, et diffuse de la lumière et de la chaleur.

— On peut toujours oublier de remuer les braises, ou tomber à court de bois.

Riant, il enfouit le nez dans son cou.

— Ce serait de la négligence, quelle honte ! L'amour a besoin d'attention, c'est là où je voulais en venir. Il faut faire des efforts pour entretenir la lumière et la chaleur, mais qui aurait envie de grelotter de froid dans le noir ?

— Personne n'en a envie, mais c'est facile d'oublier d'être prévenant.

— J'imagine qu'il y a des périodes où les amoureux s'occupent l'un de l'autre, qu'à d'autres moments l'un est plus attentionné que l'autre, quand il oublie d'entretenir la flamme, et puis les rôles s'inversent.

Question d'équilibre, se dit-il, *à condition que l'on fasse des efforts et que l'on y mette du cœur.*

— La voie facile ne mène pas toujours à ce qui est juste, et on a parfois besoin d'être rappelé à l'ordre. Mais surtout, Meara, je ne t'ai jamais vue céder à la facilité. Tu n'as jamais rechigné à la tâche.

— Pour déplacer, porter, nettoyer ou me casser le dos, ça va. Mais l'affectif, c'est un autre sujet.

— Dans ce domaine non plus, tu ne te dérobes pas facilement. Tu as tendance à te sous-estimer. L'amitié s'entretient aussi, non ? Comment as-tu fait pour rester une si bonne amie non seulement pour moi mais pour Branna, Boyle, Fin et maintenant Iona ? Et puis, il y a la famille, poursuivit-il sans lui laisser l'occasion de le contredire. Et avec la famille, il faut faire beaucoup d'efforts. Tu as fait plus pour les tiens qu'aucun de nous n'aurait fait pour les siens.

— Oui, mais…

— Peu importe que tu rouspètes, dit-il en anticipant sa réaction. Seuls les actes importent au bout du compte.

Il l'embrassa entre les deux yeux.

360

— Aie confiance en toi.

— C'est le plus difficile.

— Eh bien, entraîne-toi. Tu n'as pas appris à monter à cheval en restant à terre, à craindre de chuter.

— Je ne suis jamais tombée de cheval de toute ma vie.

— Voilà, tu as compris où je voulais en venir.

Ce fut à son tour de sourire.

— Serais-tu le plus futé de nous deux ?

— Ça fait de toi la plus chanceuse, puisqu'un homme futé est amoureux de toi. Assez patient pour te donner le temps de t'entraîner jusqu'à ce que tu arrives à son niveau.

— Ça me fait trembler quand tu dis ça, avoua-t-elle. Ça me fait si peur que j'ai le cœur qui tremble.

— Alors tu me diras quand il arrêtera de trembler pour produire de la chaleur. Essaie de dormir, maintenant.

— Ici ?

— Nous sommes ici, et plutôt bien installés, non ? Le feu est agréable. Tu vois les histoires dans le feu ?

— Je vois le feu.

— Il y a des histoires dans les tisons, dans les flammes. Je vais t'en raconter une…

Il évoqua un château à flanc de colline et un chevalier courageux sur un étalon blanc. Un soldat de la reine habile au tir à l'arc et à l'épée qui parcourait le ciel sur un dragon doré.

Quelle imagination ! se dit-elle. C'était si joli que son récit prenait presque vie devant ses yeux.

Alors quand le sommeil la gagna, elle avait le sourire aux lèvres et la tête abandonnée contre son épaule.

Il lui fallut trois jours pour réussir à passer plus de temps debout et réveillée qu'alitée et endormie. Le premier jour, entre les moments où elle était au lit ou sur le canapé, elle réussit à effectuer quelques tâches que Branna voulut bien lui confier. Dès le second jour, elle se sentit la force de retourner un peu au centre équestre, et aida à étriller les chevaux et à les nourrir.

Elle en profita pour présenter ses excuses à ses collègues.

Et le troisième jour, elle avait pleinement récupéré.

C'était si bon qu'elle chantait en déplaçant des pelletées de fumier.

— Écoute-toi chanter ! Adele n'a qu'à bien se tenir.

— Cette chanteuse a une voix incroyable. (Meara s'arrêta le temps de sourire à Iona qui était accoudée sur le rebord de la porte basse de la stalle.) C'est vrai que je n'ai jamais compris ce qu'on entend par le bonheur d'être en bonne santé. Jamais eu d'arrêt maladie de toute ma vie. Grâce à une bonne constitution et une amie magicienne dotée de talents de guérisseuse hors du commun. Mais maintenant que j'ai vu ce que c'était d'être clouée au lit, j'apprends à me réjouir d'être debout.

— Tu as une mine superbe.

— Et je me sens merveilleusement bien.

Meara poussa la charrette à bras hors de la stalle, et Iona y entra aussitôt pour balayer les dernières salissures. Une fois dans l'allée, Meara vérifia à droite puis à gauche qu'il n'y avait personne en vue.

— Comme je vais mieux, tu veux bien me dire dans quel état j'étais ?

— Tu ne t'en souviens pas ? Tu as pourtant tout raconté en détail, à ton réveil.

— Non, je me souviens de ça. Ce que je ne sais pas, c'est si j'étais vraiment dans un sale état, s'il était sur le point de m'anéantir. Je n'ai pas trouvé le bon moment pour poser la question à Branna ou à Connor, ajouta-t-elle en voyant Iona hésiter. Mais je suis en forme maintenant, et je te pose la question à toi. Parce que je crois que tout savoir m'aiderait à guérir totalement.

— C'était terrible. Jamais rien vu de pareil. Enfin, les autres non plus à mon avis, mais ils sauront mieux te le dire que moi. D'après ce que m'a expliqué Branna, les premiers instants sont cruciaux. Plus tu t'enfonces, plus c'est délicat de te ramener à la surface, et plus il y a de chances pour... qu'il y ait des lésions cérébrales.

— La folie.

— D'une certaine manière, oui. Une amnésie, une psychose. Branna a dit que le fait que Connor t'ait sortie de là aussi vite a fait pencher la balance du bon côté.

— Alors il m'a sauvé la vie, mais aussi ma santé mentale.

— Oui. Après ça, les deux heures qui ont suivi étaient déterminantes. Branna savait exactement quoi faire, ou alors elle a donné le change en nous aboyant des ordres, à Connor et à moi. Une fois que tout a été terminé, j'ai compris à quel point j'avais eu peur. Sur le moment, j'étais concentrée sur l'action, l'urgence. Quand Fin est arrivé, ça a aidé. Et Boyle. Il s'est assis, t'a tenu la main pendant tout le rituel. Ça a duré plus d'une heure, et tu étais livide, blanche comme un linge, paralysée. Peu à peu, tu as repris des couleurs, pas beaucoup, mais un peu quand même.

— Je te fais pleurer. Je ne voulais pas.

— C'est pas grave. (Iona essuya ses larmes d'un geste, et ensemble, elles coupèrent les liens d'une balle de paille fraîche.) Tu as repris des couleurs et Boyle a dit qu'il sentait tes doigts bouger dans sa main. Et c'est là que j'ai compris que j'avais eu très peur... une fois que le pire, selon Branna, était passé.

— Il m'a donné un sale coup, dit Meara en libérant la paille à l'aide d'une fourche. Il a marqué un point.

— Peut-être, mais nous t'avons ramenée à la vie, et maintenant tu étales de la paille dans la stalle de Spud. Tu marques plus de points que lui.

À quelque chose, malheur est bon, se dit Meara. Iona savait tirer le positif de toute situation. Et il était probablement temps qu'elle en prenne de la graine.

— Je compte bien rester en tête. Je vais travailler le combat à l'épée. J'ai besoin de m'entraîner.

Besoin d'entraînement, se dit-elle alors qu'elles changeaient de stalle, mais pas seulement dans ce domaine.

De son côté, Connor fit aussi du ménage. Il s'attela aux dernières tâches de la journée, importantes à ses yeux. Les oiseaux devaient être nourris, et comme pour les chevaux, leur territoire devait être débarrassé de leurs déjections. Selon son planning personnel, c'était l'heure de nettoyer et de désinfecter le bassin des rapaces.

Travailler lui faisait du bien. Cette besogne purement physique l'avait aidé pendant la brève convalescence de Meara. Ces jours derniers, il avait redoublé d'efforts pour se montrer calme, pour son bien à elle, pour afficher une certaine gaieté et l'aider à garder le moral dans les instants de faiblesse ou de fatigue, états qui lui étaient si peu familiers.

Avec certaines femmes, il suffisait d'offrir des fleurs ou des chocolats. Avec Meara – non pas que les bouquets et les friandises soient malvenus –, raconter des anecdotes sur la vie du village, sa journée de travail, parler des gens qui étaient venus à la fauconnerie ou au centre équestre, était plus efficace.

Il l'avait accompagnée de son mieux, en se montrant détendu. Les pieds sur la table basse, une bière à la main, il l'avait régalée de ses histoires – certaines embellies, d'autres inventées de toutes pièces.

Mais ce qu'il souhaitait par-dessus tout, c'était pourchasser Cabhan, défier le salopard de se montrer. Soulever des bourrasques si cinglantes qu'elles lui briseraient les os et lui glaceraient le sang.

Sa soif de vengeance était telle qu'il en avait les lèvres constamment desséchées.

Pourtant, il savait qu'il devait patienter, se dit-il en grattant le bassin sous le regard des oiseaux posés sur leur perchoir. Mais savoir et ressentir étaient deux choses différentes. Il espérait seulement qu'en se tuant à la tâche il étancherait sa soif.

Elle apparut, traversant la vaste cour recouverte de graviers. Il laissa tout en plan pour aller à sa rencontre.

— Que fais-tu là, toute seule ? demanda-t-il.

— Je pourrais te poser la même question, mais comme je connais déjà ta réponse, ce n'est pas la peine. Iona et Boyle m'ont déposée en chemin, ils sont allés dîner à Cong, alors je n'ai pas été seule une seconde, et je ne le suis pas non plus maintenant.

Elle survola les environs du regard.

— Tu es à la bourre, Connor ? Où sont les autres ?

— Après la dernière balade de découverte des rapaces, je les ai renvoyés chez eux. Brian avait des recherches à faire pour son cours qu'il suit en ligne et Kyra avait rendez-vous avec son fiancé. Quant aux autres, j'ai pensé que partir une heure plus tôt leur ferait du bien.

— Et tu avais envie d'un moment en tête à tête avec tes camarades ? ajouta-t-elle en montrant les oiseaux du menton.

— Ça aussi. Je dois terminer ici, puisque je me suis lancé dans le grand ménage.

— Je vais te suivre, si ça ne te dérange pas. Comme ça, tu pourras me reconduire au cottage.

Ils retournèrent ensemble vers les volières. Les oiseaux s'agitèrent à l'arrivée de la visiteuse et l'observèrent longuement.

— Je n'ai pas souvent eu l'occasion de venir ces derniers mois, commenta-t-elle. Les petits ne me connaissent pas, ou trop peu.

— Ça viendra. (Il entreprit de terminer le nettoyage.) Comment s'est passée ta journée ?

— Une journée comme je les aime. J'ai guidé quelques balades à cheval. (Devant son regard inquiet, elle inclina la tête et montra les pierres qu'elle portait sous son écharpe.) Iona a insisté pour que je monte Alastar – *et* elle a tressé de nouveaux talismans dans sa crinière. Je n'ai rien vu d'autres que les bois et le sentier. Fini les imprudences, Connor. Pour mon bien, oui, mais aussi parce que je ne veux pas vous faire subir d'autres épreuves comme celle-ci.

Elle se tut un instant.

— J'ai besoin de travailler auprès des chevaux autant que tu as besoin de travailler auprès des rapaces.

— C'est vrai. J'espère qu'il a bien perçu ta personnalité. J'espère qu'il a senti que tu es forte et pleine de ressources, malgré ses attaques.

Il remplit le bassin, écouta l'eau couler.

— Tu crois que je ne sais pas que tu es en colère, dit-elle d'une voix calme. Détrompe-toi. Moi aussi je suis furieuse. J'ai toujours souhaité le détruire pour de bon, parce que c'est nécessaire, pour toi, pour Branna et pour Fin. Mais désormais je ne souhaite plus seulement l'anéantir. Je veux qu'il souffre et qu'il connaisse le désespoir, je veux *savoir* qu'il a connu la souffrance. Je ne le dis pas à Branna, car elle désapprouverait. Pour elle, ce n'est qu'une question de bien et de mal, de clarté contre les ténèbres – de droit de naissance et de lignée. Et je sais qu'elle a raison, mais je veux qu'il endure des supplices.

Accroupi, il leva la tête vers elle.

— Je te le donnerai, ça et plus encore. Je t'offrirai son agonie.

— Nous ne pouvons pas faire ça. (S'agenouillant à côté de lui, elle posa la main sur son bras.) Parce que Branna a raison, et parce que ça changerait l'homme que tu es. Ne courir qu'après la vengeance ? Avoir pour seul but de le faire souffrir pour lui faire payer ce qu'il m'a fait ? Tu ne serais plus le même après ça, Connor. Par contre, je crois que ça ne me changerait pas, à cause de ce vide dans mon cœur.

— Ce n'est pas du tout un vide.

— Je suis faite ainsi, alors nous allons devoir vivre avec. Mais tu es la lumière, et la raison de tout ça. Achève-le, il le faut. Mais ça doit être réalisé correctement. Et s'il souffre, c'est parce qu'il doit en être ainsi, pas parce qu'on l'a voulu.

— On dirait que tu as réfléchi à la question.

Il mesura les doses d'additifs, puis comme toujours, remua la surface de l'eau avec les mains, ajoutant la lumière qu'elle avait évoquée, pour que ses oiseaux soient en bonne santé et heureux.

— Ah, ça oui, beaucoup trop. Et à trop y réfléchir, j'en suis venue à comprendre que tu avais besoin de savoir que je partage ton sentiment, mais la question n'est pas ce que j'attends de toi, ou de moi-même. Je veux ce que nous sommes, nous six. Je tiens à ce que nous soyons dans le vrai. Et quand nous l'aurons achevé, que ce sera fait, je tiens à ce que nous sachions que nous avons bien agi. Qu'aucune ombre ne pèse sur nous, aucun nuage sur toi. Cette vengeance me suffit.

— Je t'aime, Meara. Je t'aime pour avoir compris cela, clairement, et être venue m'en parler. J'étais partagé, ça ne m'arrive jamais.

— Il ne faut pas. Sache que je t'ouvre mon cœur. Je veux que tout se passe bien.

367

— Alors tout se passera bien.

Satisfaite, soulagée, elle hocha la tête.

— Et il est temps de reparler de tout ça. Ces derniers jours, vous avez tous cherché à éluder le sujet.

— Tu n'étais pas prête.

— Je suis plus que prête, à présent. (Elle se releva, fit gonfler ses biceps pour l'amuser.) Nous en reparlerons quand nous serons tous les six.

— Ce soir ?

— Ce soir, demain soir au besoin. Nous verrons ce qu'en disent les autres.

— Je vais terminer le boulot ici.

Il la regarda, sourit.

Avec certaines femmes, c'étaient les fleurs, se dit-il, ou les chocolats.

Avec Meara ?

— Tends tes bras.

— Quoi ? Pour quoi faire ?

— Parce que je te le demande. Tends les bras.

Les yeux au ciel, elle obéit. Il leva les mains vers les oiseaux, les plus jeunes, leur envoyant ses pensées.

Portés par les vibrations de ses mains, les plus jeunes rapaces se soulevèrent dans un doux battement d'ailes, et planèrent en cercles au-dessus de Meara. Elle éclata de rire.

— Ne bouge pas, et ne t'inquiète pas pour ta veste ou ta peau, j'ai aussi pensé à ça.

— Quoi… oh !

Ils se posèrent gracieusement sur ses bras tendus.

— Nous les avons bien éduqués, même si cela ne fait pas partie de leur apprentissage. Mais ça ne les dérange pas. Maintenant ils te connaissent et ne t'oublieront pas, Meara.

— Ils sont beaux. Vraiment magnifiques. Quand on les regarde dans les yeux, on a l'impression qu'ils en savent plus long que nous. Bien plus.

Quand elle rit, la terrible soif qui le taraudait depuis des jours disparut enfin.

19

Ils prirent le thé, agrémenté de whisky pour ceux qui le souhaitaient, dans le salon du cottage. Branna apporta une assiette de biscuits en pain d'épices, dernière de ses tâches domestiques de la journée.

— Par où commencer ? s'interrogea-t-elle. Nous sommes toujours d'accord pour agir à Samhain ?

— Ça nous laisse deux semaines, fit remarquer Boyle. D'après ce que je vois, ce ne sera pas de trop. Mais...

— Mais. (Fin se versa deux doigts de whisky.) Il nous a joué un sale tour. Nous n'étions pas prêts, ça me paraît clair.

— C'était ma faute.

— Ce n'est pas une question de responsabilité, Meara, l'interrompit Fin. Il épie et traque comme il veut. Il pourrait s'en prendre à n'importe lequel d'entre nous, dans un moment de vulnérabilité. Il a commencé par Iona, et maintenant toi. Logiquement, si nous ne mettons pas un terme à son petit jeu, ce sera bientôt le tour de Branna.

— Qu'il vienne ! dit Branna en buvant calmement son thé.

— Tu es bien sûre de toi, rétorqua Fin. L'arrogance n'est ni un pouvoir ni une arme.

— Pourtant, tu n'hésites jamais à en faire usage.

370

— Stop. (Connor étira ses jambes devant lui en secouant la tête.) Tous les deux, arrêtez. Gardez vos piques pour une autre fois. Il pourrait aussi bien continuer à viser Meara, sauf qu'elle ne commettra plus d'imprudences.

— Promis, juré, craché.

— Et rien n'interdit de penser qu'il puisse tenter le coup avec Boyle, ou Fin ou moi à la moindre occasion.

Prenant le risque d'être accusé d'arrogance, Connor haussa les épaules.

— Et bien que je pense que Fin a raison, s'il se lasse de traquer Meara, il reportera son attention sur Branna, sachant que ça ne change rien à ce que nous devons faire, ni à la date de l'attaque ni aux moyens utilisés pour l'envoyer en enfer une bonne fois pour toutes.

— Il a raison. Nous protéger, c'est de la défense, et c'est essentiel, ajouta Iona. C'est la partie offensive que nous devons perfectionner.

— Elle regarde les matchs avec moi, fit Boyle en lui décochant un grand sourire. Nous étions près du but lors du dernier assaut. Il est reparti en sang en poussant des hurlements. Mais ça n'a pas suffi. Que faut-il de plus ?

— La potion est plus forte qu'avant, ce qui la rend plus dangereuse. Mais c'est un risque à courir.

Fin consulta Branna du regard ; elle hocha la tête en réponse.

— Nous pensions le prendre par surprise le soir du solstice, rappela Connor, et il nous a eus. Malgré cela, comme l'a dit Boyle, nous étions près du but. Si nous nous opposons à lui à proximité de la chaumière de Sorcha, il aura l'avantage de pouvoir jouer avec le temps, sans que nous sachions à quelle époque il nous transporterait. Ou alors, comme il l'a déjà fait, il nous séparera afin de nous isoler, dans l'espoir que nous emploierons toutes nos forces pour nous rassembler.

— Si ce n'est pas là, demanda Meara, alors où ?

— C'est un lieu de pouvoir, autant pour nous que pour lui. Je crois qu'il faut s'arrêter sur cet endroit. Mais tu as raison, Connor, ajouta Branna. Nous devons éviter d'être séparés. La trinité doit rester unie. Fin, Boyle et Meara forment un second trio, ceux qui partagent des liens indéfectibles. Ça, nous pouvons le faire. Et c'est ce que nous *allons* faire.

— Pouvons-nous l'empêcher de jouer avec le temps ? s'interrogea Iona.

— Possible, si nous savions comment il s'y prend. Mais pour contrer un sort de ce genre, nous aurions besoin d'avoir plus d'éléments. Nous avançons à l'aveuglette, résuma Branna, contrariée.

— Commençons par changer l'époque. (Connor se pencha en avant pour prendre un biscuit.) Il n'y a pas que toi qui puisses étudier, réfléchir et planifier. (Il esquissa un geste vers Branna, puis croqua dans son biscuit.) Mais tu es la seule qui fasse d'aussi bons biscuits en pain d'épices. Nous passons du côté de l'offensive et inversons les époques.

— Et comment, cher spécialiste, allons-nous trouver le moyen de l'attirer dans notre temps – ce qui nécessite un travail énorme ?

— Nous savons déjà comment faire, rappela-t-il à sa sœur. Iona l'a fait alors qu'elle en était aux balbutiements de la magie.

— J'ai fait ça ? (Après avoir cligné des yeux, Iona leva un poing victorieux.) Vive moi !

— Je l'ai fait moi aussi, ajouta-t-il, seul et avec Meara, et c'est comme ça que j'ai rencontré nos cousins d'antan.

— Voyager par le rêve ? (Branna posa sa tasse de thé.) Connor, c'est très dangereux.

— Nous devons nous montrer téméraires, et aussi faire preuve de finesse.

— Putain, c'est excellent ! dit Fin, suscitant un grand sourire de Connor et le regard noir de Branna.

— Il suggère de nous envelopper tous les six dans un filet à rêves d'un seul coup.

— Je le sais. C'est ce qui en fait un plan bigrement excellent. Pour s'en prendre à nous, il doit se placer au même niveau que nous, non ? Donc ce sera dans le temps et le lieu de notre choix.

— Il ne pourrait pas retourner la situation contre nous, fit remarquer Connor, puisqu'il lui manquerait certains éléments de notre sortilège, comme nous ne connaissons pas tout du sien. Il serait alors obligé de nous rejoindre et il perdrait le pouvoir de déplacer notre territoire.

— Attends une minute... (Boyle leva la main, puis se gratta la tête.) Tu veux dire que nous attaquerions Cabhan en dormant ?

— Le sommeil induit par un sortilège, c'est différent du sommeil naturel. Rien à voir avec le fait de roupiller. Tu as déjà pratiqué un peu, lui rappela Connor. Tu t'es glissé dans le rêve d'Iona – et n'as-tu pas écrasé le nez de ce salopard par la même occasion ?

— Un sacré coup de poing, je me suis même réveillé avec son sang sur les phalanges ! Mais une bataille illusoire ? J'accepte tout ce que vous faites sans broncher, puisque je vous fréquente depuis un moment, mais là, tu pousses le bouchon un peu trop loin.

— Aucune chance qu'il s'attende à ça, réfléchit Meara. C'est vraiment réalisable ?

— Tous les six en même temps, sans personne au volant, si l'on peut dire... (Pesant le pour et le contre, de quel côté pencherait la balance, Branna plongea les mains dans ses cheveux.) Jamais rien fait de pareil, c'est sûr. Mais ce serait facile d'essayer avec les Trois, de l'affronter par ce biais, pendant que vous trois resteriez ici. Fin aux commandes, bien sûr, pour nous ramener en cas de problème d'équilibre ou de direction.

— Nous six ensemble, déclara Meara, ou rien du tout.

— Meara, ne le prends pas mal. Je ne veux vexer personne. Mais un rêve nous mettant nous six en scène, dont deux dénués de pouvoirs...

— On perd de son arrogance ? demanda Fin sur un ton légèrement mordant.

— Va te faire voir ! rétorqua Branna.

— Toi-même, ma chère, qui oses suggérer que moi, Boyle ou Meara puissions rester là comme de bons chiots obéissants pendant que vous partiriez au combat.

— Ce n'est pas ce que je voulais dire.

— C'est l'impression que ça donne. (Meara s'adressa à Connor.) Qu'en penses-tu ?

— Nous six, dit-il sans hésiter, ou personne.

— Tous ensemble ou rien du tout, confirma Boyle.

— Oui. (Acquiesçant, Iona lui prit la main.) Si quelqu'un peut trouver le moyen d'y parvenir, c'est toi, Branna.

— Ah, flûte, laissez-moi réfléchir !

Elle posa sa tasse avec fracas, la remplit de whisky, encore plus généreusement que Fin n'avait rempli la sienne.

Elle le but comme du petit-lait.

— J'admire ta descente quand tu bois du whisky, dit Fin au moment où elle se leva d'un bond pour marcher de long en large.

— Silence. Plus un mot. Six d'un coup, répéta-t-elle en arpentant le salon, sur la tête de Morrigan, c'est de la folie. Dont deux qui n'ont pour seules armes que leur volonté, leurs poings et leurs épées. Et un autre qui porte la marque de Cabhan. Je ne veux rien entendre, lança-t-elle à Fin qui n'avait pas ouvert la bouche, c'est un fait.

— Ils possèdent plus que leur volonté et leurs poings et leurs épées, et sa marque imméritée n'est pas son seul atout, dit calmement Connor. Ils ont du cœur.

— Tu crois que je l'ignore ? Tu crois que je n'en connais pas la valeur, surtout ? (Elle se tut, ferma les yeux un moment. Soupira.) Tout est sens dessus dessous dans ma tête à cause de toi, Connor. J'ai besoin de faire le tri. C'est différent des rêves magiques qu'il nous arrive de vivre individuellement, en emmenant la personne qui dort à côté de nous, qui partage notre intimité. Et cette pratique présente des risques qui lui sont propres, comme Boyle et Iona en ont déjà fait l'expérience.

— Non, pas du tout, ce serait un acte délibéré, conscient, planifié. Ficelé par nos soins. (Connor leva les mains, écarta les doigts, la paume vers le ciel.) En ajoutant autant de sources de protection que possible au sortilège. Oui, c'est périlleux, mais qu'on s'y prenne d'une façon ou d'une autre, les risques sont là. Et le jour de Samhain, quand le Voile est plus fin, c'est le moment idéal.

Il se leva, marcha vers elle, lui prit les mains.

— Tu les placerais à l'abri si tu le pouvais, et moi aussi. Par amour et par amitié, et parce que c'est un fardeau et un devoir qui nous incombe. À toi, à moi, à Iona. Pas à eux.

Il déposa un léger baiser sur ses mains.

— Mais nous aurions tort pour plusieurs raisons. Nous sommes un cercle, trois plus trois. Depuis le début, ça nous concerne tous les six, Branna. J'y crois.

— Je le sais. Pour moi aussi, c'est évident.

— Tu crains de les décevoir. Mais ça n'arrivera pas. Tu ne les décevras pas, et ce poids ne doit pas peser que sur tes épaules.

— Nous ne l'avons jamais fait.

— Je n'avais jamais soulevé de plumes par la pensée avant d'arriver ici, lui rappela Iona. Et maintenant…

Elle leva les mains, les paumes vers le ciel. Le canapé sur lequel elle était assise à côté de Boyle se souleva doucement, sans bruit, tourna lentement sur lui-même, puis se posa de nouveau sur le sol.

— Bien joué, dit Fin, amusé.

— C'est toi qui m'as appris ça, avec Connor. Vous m'avez éveillée à mes pouvoirs. Nous trouverons la solution et nous l'emporterons.

— Très bien. Je ne peux pas lutter contre vous cinq. Et cette fichue idée est drôlement bonne. Audacieuse, terrifiante et brillante. Il y a bien une potion que je pourrais bidouiller efficacement. Le charme, nous allons l'écrire. Bon, je vais avoir besoin de tout votre temps libre au cours des quinze prochains jours.

— Tu peux compter sur nous pour t'aider à bidouiller, souligna Connor.

— Je vais avoir besoin de vous tous. Mais ce serait plus facile si nous avions une sorte de contrôle extérieur au rêve.

— Il faut qu'il soit impérativement ici, avec nous ? demanda Meara.

— Physiquement, tu veux dire ? (Connor la considéra du regard en réfléchissant.) Non, je ne vois pas de raison à cela.

— Dans ce cas, vous avez votre père, à tous les deux. Plus la grand-mère d'Iona. C'est un partage équilibré des liens du sang par rapport à l'objectif, non ? Et d'amour aussi.

— De plus en plus brillant ! (Éclatant de rire, Connor se tourna vers Meara, la souleva de sa chaise pour la faire tournoyer.) Ça me va, même très bien. Branna ?

— Oui, ça pourrait marcher. Non, ça va marcher. Et si j'avais eu le temps d'éclaircir mes pensées, je l'aurais vu. La Nan d'Iona, notre Da et...

Elle regarda Fin.

— Ta cousine Selena. Elle serait d'accord ? Trois, c'est un meilleur chiffre que deux, ça lui donne tout le pouvoir et le sang de chacun de nous. À trois, ce sera équilibré, je dirais, au cas où nous ayons besoin de repères.

— Elle en serait ravie. Elle est en Espagne, mais je vais la contacter rapidement.

— Alors cette partie est réglée. Je vais travailler dessus.

— Je l'ai étudiée, dit Connor. La potion, pour ouvrir la vision, partagée par tous à l'intérieur du cercle rituel. C'est mieux que ça se passe dehors, au grand air. Nous emmènerons aussi nos guides, le cheval, le chien et l'épervier.

Branna ouvrit la bouche mais se ravisa.

— Tu l'as étudiée.

— Oui. Fin, ton cheval, ton oiseau... Tu ne pourrais pas trouver un chien dans les deux semaines qui viennent ? Trois plus trois.

— J'en ai un. Bugs.

— Le petit Bugs ? s'étonna Iona en pensant au chien errant qui vivait dans les grandes écuries.

— Ni plus petit que toi ni moins vaillant que toi. Trois plus trois, répéta Fin en soulignant son affirmation d'un signe de tête. Le cheval pour Boyle, l'épervier pour Meara, le chien, tel qu'il est, pour moi. C'est bien pensé, Connor.

— C'est toi qui dois les relier aux autres, puisqu'ils sont à toi.

— Je le ferai.

— Pour résumer, à l'intérieur du cercle, notre cercle et nos guides, dit Connor. Notre cercle, les six, mains jointes pendant que le sortilège sera prononcé puis jeté. Les esprits liés aussi, ce que je ferai. Les esprits, les cœurs, les mains liés, nous partons ensemble, plongeons dans le rêve, le soir d'All Hallow, le jour de Samhain, l'année où les enfants de Sorcha, Brannaugh, Eamon et Teagan sont retournés dans le comté de Mayo.

— Leur présence apporte du pouvoir. (Branna se rassit, prit un biscuit.) La nuit où le Voile s'affine. Nous allons peut-être attirer leur pouvoir et celui de Sorcha à nous. Non, jamais il ne s'attendra à ça. Il reste assez de temps pour perfectionner la potion et l'envoûtement. Et ensuite, l'attirer là-bas. Ça, c'est pour Meara.

— Pour moi ?

Exaspérée, Branna regarda son frère.

— Tu ne lui en as pas parlé.

— Avec tout ça, pas eu le temps. Puisqu'il cherche à se servir de toi, lui expliqua Connor, c'est toi qui vas te servir de lui. Tu le feras venir en chantant.

— En chantant ?

— De la musique, de la lumière, de la joie… des émotions. Ça l'alléchera aussi sûrement que le miel attire les abeilles. Quand il viendra, nous procéderons aussi vite que possible, sans lui laisser le temps de s'évanouir.

— Aussi vite que le soir du solstice, commença Branna.

— Non. (Ce fut au tour de Fin de se lever.) Nous avons échoué ce soir-là, non ?

— Mais nous avons une nouvelle stratégie, une arme plus forte.

— Et s'il trouve encore le moyen de séparer la trinité, ne serait-ce qu'un moment ? Si le charme, le rituel, la fin doivent venir de toi, alors il doit être tenu à distance pendant que tu l'évinces. Nous l'attaquons. Boyle, Meara et moi. Nous l'avons déjà fait saigner et souffrir. Ce coup-là, nous ferons encore pire. Nous ferons pire pendant que tu feras mieux.

— Tu veux sa destruction, Fin, ou juste répandre son sang ?

— Les deux. Tout comme toi, Branna. Tu ne peux pas le faire couler par intérêt ou pour le plaisir.

— Pas plus que toi.

— Ce n'est pas ce que je veux. Personne ne veut ça. Mais nous répandrons son sang et pire encore pour défendre les Trois. Au nom de la clarté. Et si ça apporte également de la joie ? Un magicien est avant tout un être humain.

— Je suis d'accord avec Fin, acquiesça Boyle. Iona est mienne. Et vous êtes tous ma famille. Je la défendrai, je vous défendrai. Je ne resterai pas en retrait.

— Ils m'enlèvent les mots de la bouche, dit Meara en haussant les épaules. Marché conclu. (Elle posa les mains sur ses genoux.) Donc, si j'ai bien compris, dans quinze jours, tous ensemble – y compris les chevaux, les chiens, les oiseaux – nous remonterons plusieurs siècles à travers un rêve. Je chanterai, et comme le joueur de flûte de Hamelin avec les rats, ça appâtera Cabhan. Trois d'entre nous combattent, trois d'entre nous jettent un sortilège destiné à l'anéantir. Une fois le boulot terminé, nous tirons notre révérence et revenons ici, où nous pourrons à nouveau saluer puisque nous aurons vaincu le mal. Ensuite, je pense que nous mériterons d'aller prendre une bière au pub.

— Ça me semble bien résumé, conclut Connor.

— Parfait. Une tournée de whisky serait la bienvenue, puisque nous ne sommes qu'une bande de fous furieux. (Elle exhala, prit un biscuit et croqua dedans.) Mais au moins, il y en a une parmi nous qui sait faire un excellent pain d'épices.

Le sourire aux lèvres, Connor servit du whisky à l'assemblée, leva son verre, trinqua avec Meara.

— Que nous en ressortions victorieux ou foutus, il n'y a pas meilleur cercle que le nôtre. Le reste, on s'en fiche. *Sláinte**.

Ils burent d'un même geste.

Ils avaient du pain sur la planche, c'était peu dire. Branna quittait rarement son atelier. Quand elle n'avait pas le nez dans un livre de sortilèges – celui de Sorcha, de son arrière-grand-mère, le sien –, elle procédait à des essais complémentaires sur ses potions ou écrivait des envoûtements dans sa boutique.

Quand leurs occupations le leur permettaient, Connor, Iona ou Fin l'assistaient. Meara se retrouva chargée des commissions, de leur transport et de la cuisine, partageant parfois ces tâches domestiques avec Boyle.

À la moindre occasion, elle en défiait un à l'épée, pour s'exercer.

Mais tous surveillaient les bois, les champs et les routes, à l'affût d'un signe.

— C'est trop calme en ce moment.

Meara para aisément l'attaque de Connor, un jour où elle était parvenue à l'éloigner de ses activités professionnelles et de l'exercice de la magie.

— Il épie, il attend.

— Rien de plus ? Il patiente. Ces jours derniers, j'ai à peine aperçu son ombre. Il garde ses distances. Il attend qu'on fasse un mouvement puisqu'il sait que nous allons passer à l'action.

Elle donna un coup brusque, feinta puis monta au créneau, le désarmant presque.

— Tu n'es pas du tout concentré, se plaignit-elle. Si ces lames n'étaient pas enchantées, je t'aurais déjà tranché l'oreille.

— Alors je n'entendrais ta voix qu'à moitié, ça serait dommage.

— Nous devrions le prendre d'assaut, Connor.

— Nous avons un plan d'attaque, Meara. Patience.

— Ce n'est pas une question de patience mais de stratégie.

— De stratégie ? (Il fit tournoyer sa main libre, soulevant un petit cyclone d'air. Alors qu'elle le regardait de côté, il frappa et porta son épée à sa gorge.) Qu'en dis-tu ?

— Si tu veux tricher…

— Parce que Cabhan est beau joueur, bien sûr.

— Je vois. (Elle recula.) Je voulais dire par là que nous devrions feinter. (Elle lui porta un coup, se déplaça, frappa de nouveau.) Lui faire croire à une agression, le laisser marquer un point ou deux. Comme il pensera notre tour passé, il ne s'attendra pas à la suite.

— Tiens… intéressant. Aurais-tu quelque chose de précis en tête ?

— C'est toi le magicien, non ? Alors c'est à toi et à tes semblables de déterminer le rituel.

Baissant son épée, elle tenta de préciser le vague projet qu'elle avait en tête.

— Et si nous agissions par ici, près du cottage, pour pouvoir nous retrancher à l'intérieur, puisque battre en retraite fait partie du plan ? Qu'il croie nous avoir poussés dans nos retranchements.

— Dur à avaler mais je vois où tu veux en venir. Suis-moi.

Lui prenant la main, il l'entraîna dans l'atelier où Branna transvasait un liquide bleu clair dans une longue fiole. Iona broyait des herbes dans un mortier à l'aide d'un pilon.

— Meara a une idée.

Sourcils froncés, Branna était concentrée sur le liquide qui s'écoulait gracieusement dans la bouteille.

— Je travaille encore sur l'idée précédente.

— C'est parfait, Branna.

Iona s'arrêta pendant que Branna enfonçait un bouchon de cristal dans le goulot.

— Et combien de rêves ensorcelés as-tu jetés pour six et leurs guides ?

— Ce sera mon tout premier. (Mais Iona sourit.) Et c'est génial. Si vous aviez vu les étoiles ! dit-elle à Connor et Meara. À la fin, de minuscules étoiles bleues se sont élevées vers le plafond. Elles se sont mises à tourner en rond au-dessus du chaudron.

— Je crois que c'est bon. (Branna se massa le bas du dos.) J'ai ajouté de l'améthyste comme tu me l'as suggéré, Connor, et je pense que ça va. La potion doit encore reposer à l'abri de la lumière pendant trois jours minimum.

Elle la prit et alla la ranger dans un placard.

— Je vais te préparer du thé, proposa Iona, mais Branna refusa d'un geste.

— C'est gentil, mais pas pour moi. J'ai assez bu de thé pour six mois. J'ai plutôt envie d'un verre de vin.

— Alors allons en prendre un pendant que Meara nous explique son idée. Encore mieux, tu n'as pas envie de cuisiner quelque chose ? proposa Connor en tentant sa chance, l'air charmeur. Tes fourneaux ne te manquent pas, ma chère sœur ? C'est le genre d'idée qui se marie à merveille avec un bol de soupe, une soupière pour nous six, assis autour de la table.

Meara lui donna un coup de coude.

— Mon idée me plaît, et j'aimerais que tout le monde l'entende. Mais je peux préparer la soupe pendant que tu te détends devant un verre de vin.

— Je vais la préparer parce que malgré le fait que mon frère ne pense qu'à manger, j'avoue que cuisiner me manque. Il reste des légumes au potager. Va en chercher, ordonna-t-elle à Connor.

— Lesquels feraient plaisir à madame ?

— Ce que tu veux. J'improviserai avec ce qu'il y aura. Et puisque tu sembles avoir d'excellentes idées, Meara, viens m'en faire part pendant que je sirote un verre. Je ne vois pas de raison d'attendre les autres. Laisse ça, Iona. Nous nous en occuperons plus tard. Offrons-nous une pause popote.

Tout en les suivant, Meara éprouva le besoin de peaufiner son projet. Et quand, après l'arrivée des derniers du cercle, ils furent au grand complet, elle avait bel et bien affiné certains points.

— Donc, dit-elle en conclusion, en agissant maintenant alors qu'il n'y a aucun enjeu particulier, nous lui ferions croire que nous l'avons défié, que nous avons gâché notre chance, ou au moins raté ce coup-là. Ce qui nous contraint à nous réfugier au cottage, à l'abri. On l'embrouille, vous voyez ? Encore mieux, s'il nous mettait une vraie raclée, jamais il n'irait imaginer que l'on puisse revenir à l'attaque quelques jours plus tard.

— En faisant les choses à moitié, on lui laisse le moyen de causer de vrais dégâts, fit remarquer Boyle. Pourquoi ne pas sortir le grand jeu ?

— Nous avons besoin de tout le temps qu'il nous reste pour le plan de départ. J'ai travaillé sur l'envoûtement en fonction de la nuit que nous avons arrêtée, expliqua Branna. Je refuse de tenter le coup un autre soir. Il faut que ce soit pour Samhain.

— Son idée est qu'en perdant nous aurons plus de chances de l'emporter au final. (Connor donna un coup de poing amical dans l'épaule de Boyle.) Et je sais que perdre, même volontairement, affaiblit.

— Il faudrait que ce soit clinquant. Il ne se laisserait pas duper par un acte discret, à la va-vite. (Mais Fin sourit.) Et nous avons les moyens de l'éblouir. Feu et tempête, tremblement de terre et inondation. Nous lui jetons les éléments au visage. Ce ne serait pas suffisant, en soi, mais ce serait tapageur et puissant, et ça aurait l'air méchamment violent.

— Convoquer les éléments. (Branna sourit à son tour.) Oh, oui, ça pourrait devenir féroce. Ça pourrait même l'ébranler. Mais il faut penser à un écran de protection, pour nos voisins. Le champ, la butte derrière le jardin.

— J'aurais vu ça plus près, objecta Meara. Si nous devons venir nous réfugier ici, ça fait un long chemin.

— Nous n'allons pas nous retrancher, pas en courant, dit Connor. Nous volerons.

— Voler ? (Meara expira longuement.) Je crois que je vais reprendre un peu de vin.

— Ça semble plus logique. (Iona remplit le verre de chacun.) Nous sommes vaincus, nous volons nous mettre à l'abri. Quand essayons-nous ?

— Nous sommes en lune descendante, constata Connor en jetant un coup d'œil par la fenêtre. Ça peut jouer en notre faveur. J'aurais été tenté d'essayer ce soir, mais je suis d'avis d'attendre encore un peu, pour que ce soit plus rapproché de la vraie attaque. Dans deux jours ? En cas de brûlures superficielles, nous aurons le temps de guérir.

— Dans deux jours.

Branna alla remuer la soupe.

Même pour le mystifier, un plan était nécessaire.

Les Trois ajoutèrent de nouvelles protections autour de la maison. Si Cabhan les croyait affaiblis, il y avait des chances pour qu'il entre leur asséner le coup de grâce. Aucune faille n'était permise.

Meara vécut ces moments comme une sorte de pièce de théâtre. Bien qu'une partie du jeu soit écrite, et qu'elle avait répété son rôle une bonne douzaine de fois, certaines scènes ne seraient rédigées et communiquées qu'à la dernière minute.

— Je me sens nerveuse, confia-t-elle à Connor. Encore plus que le soir du solstice.

— Tout ira bien. Pour nous tous. N'oublie pas que le but est essentiellement défensif. L'offensive n'est qu'un joyeux bonus.

— C'est bientôt l'heure. (Comme pour les réchauffer, elle se frotta les mains.) Si ça se trouve, il ne viendra pas.

— À mon avis, il va venir. Il te pensera faible et imaginera que nous sommes dispersés. Il verra là une chance de passer à l'action et ne manquera pas de la saisir. Le sens de la famille lui échappe, les liens amicaux aussi. Mais il comprendra avec quoi nous l'appâtons.

Il lui prit la main, marcha avec elle jusqu'à l'atelier où les autres étaient déjà réunis.

Même pour cela, se dit Meara, le rituel devait être respecté.

Alors ils allumèrent les bougies prévues pour, regardèrent la fumée bleu clair s'échapper du chaudron.

Branna déposa le calice rituel au sein du cercle et prononça les mots désormais familiers.

— Ainsi nous buvons, un calice pour six, de main en main, de bouche en bouche, pour sceller notre unité par le vin. Six cœurs, six esprits en cette nuit pendant laquelle nous nous préparons à mener ce combat. Une gorgée pour un, une gorgée pour tous, et que chacun de nous réponde à l'appel.

Ils se passèrent trois fois le calice, de main en main, de bouche en bouche.

— Un cercle nous formons, deux alliances unies, trois plus trois. Ce soir nous en appelons à la force et au pouvoir afin de traverser l'heure noire. Les quatre éléments nous convoquons dans le but de provoquer la chute de Cabhan. Feu, terre, eau et air nous remuerons telle une mer déchaînée. Ceci est notre dessein, qu'il en soit ainsi.

Les Trois fermèrent le cercle.

— Nous sommes prêts. Le cercle est tracé, le sortilège débute. Si nous avons le temps de tracer un cercle sur la butte, tant mieux. (Branna regarda Meara.) Vous saurez quand commencer.

Elle l'espérait.

Ils cheminèrent jusqu'à la butte, portant bougies, chaudron, armes et baguettes magiques – soigneusement cachés, invisibles pour tous sauf pour Cabhan. Connor informa la jeune femme qu'ils avaient laissé une ouverture à son intention.

Une fois au sommet de la côte, il voulut lui prendre la main mais elle s'écarta vivement.

Le spectacle pouvait commencer.

20

— Je t'ai dit de ne plus m'approcher.

— Enfin, Meara, ce n'était qu'une pinte au pub.

— Les gens parlent, Connor, alors je sais comment tu passes ton temps au pub. (Elle lui décocha un regard de dégoût absolu.) Même quand je tenais à peine debout, après ce qu'on m'a fait. À cause de toi.

— Oh, Meara, j'ai juste un peu dragué. Bavardé, pour m'amuser un peu.

— Amuse-toi et *bavarde* autant que tu veux, mais après, ne viens pas me faire des cajoleries. (Elle accéléra volontairement le pas.) Je te connais bien. Mieux que personne.

— Que veux-tu ? (Il voûta le dos alors qu'ils grimpaient une pente douce.) J'avais besoin de me changer les idées, après être resté cloîtré pendant des jours au cottage, ou écrasé de boulot à la fauconnerie. À part dormir, tu ne faisais pas grand-chose.

— Et à cause de quoi ? (Elle s'arrêta pour mieux l'affronter.) C'est bien toi et ta magie qui m'ont mise à plat, non ?

Solidement planté sur ses jambes, il la toisa d'un regard noir.

— C'est moi et ma putain de magie qui t'ont sauvé la vie, oui !

— Et pendant que je m'accrochais à la vie, tu *bavardais* avec Alice Keenan au pub.

— Assez, ça suffit ! leur cria Branna. Nous n'avons pas de temps à perdre avec ça. Auriez-vous oublié que d'après ma carte stellaire, c'est ce soir que nous avons le plus de chances de conclure ? Nous n'y arriverons pas avec vous deux qui vous prenez sans cesse le bec.

— Je suis là, non ? (Meara redressa le menton.) Une fois de plus, je mets ma vie en jeu parce que j'ai dit que je viendrais. Je tiens parole. Contrairement à certains.

— Offrir un verre à une fille, ça fait d'un homme un menteur ?

— Dispose les bougies, Connor. (Branna les lui fourra entre les mains.) Concentre-toi sur notre dessein. Par tous les diables, tu n'aurais pas pu attendre qu'on ait terminé pour flirter avec Alice Keenan ?

Indignée, Meara laissa tomber son paquet à ses pieds.

— Alors c'est normal qu'il coure le jupon dans mon dos après s'être servi de moi ?

— Ce n'est pas ce que je voulais dire, rétorqua Branna en faisant peu de cas de ses protestations. Arrête de dire n'importe quoi.

— C'est ma faute ? Tu le défendrais, même s'il était dans le pieu de cette menteuse !

— Ça suffit, maintenant ! s'écria Iona en se bouchant les oreilles.

— Mieux vaut éviter de t'en mêler, conseilla Boyle.

— Comment ? Ils sont de ma famille, et je ne supporte plus leurs querelles. Donne-moi ça. (Elle arracha les bougies des mains de Connor, les plaça en cercle sur la pente.)

Comment voulez-vous qu'on travaille ensemble, qu'on tienne nos promesses, si on se dispute perpétuellement ?

— Facile à dire pour toi. (Meara fit claquer sa main sur la garde de son épée.) Boyle te suit partout comme un petit toutou.

— Ne me compare pas à un chien, Meara, fais attention à ce que tu dis.

— N'avais-je pas dit que ce n'était pas le bon soir ?

Fin tira son athamé de son fourreau, l'examina à la lumière de la lune ascendante.

— Il suffit que je dise blanc pour que tu dises noir, se défendit Branna. Juste pour me contrarier.

— Ce n'est pas toi qui as insisté, pour le solstice ? Et nous revoilà, des mois plus tard, à suivre tes ordres.

— Moi, je me demande encore ce que tu as gardé pour toi, ce soir-là. Si vous aviez obéi à mes ordres, tu ne serais pas là, tu ne serais pas avec nous.

— Branna, tu dépasses les bornes.

Connor posa la main sur son épaule.

— *Il vient,* dit-il, à elle puis aux autres. *Il approche à grands pas.*

— Que j'en fasse trop ou non ne compte plus à présent. Nous sommes là.

Branna balaya l'air de la main, allumant les bougies. Elle installa le bol au nord.

Derrière elle, Connor frôla les doigts de Meara.

Elle prit une inspiration et rassembla son courage.

Le brouillard tomba d'un coup tel un épais rideau, apportant un froid mordant. Un rugissement le déchira, frémissant au-dessus des hautes herbes.

Au moment où elle dégaina son épée, Connor la poussa sur le côté.

Elle sentit quelque chose l'effleurer, lui écorcher le bras, provoquant une sensation de brûlure. La peur et la confusion l'assaillirent, la submergeant aussi brusquement qu'une inondation.

La voix de Connor résonna dans sa tête. *Je suis avec toi. Je t'aime.*

Elle fit volte-face, se mouvant dos à dos avec Boyle, se préparant à attaquer ou à se défendre.

Le sol trembla sous ses pieds lorsque Fin conjura la terre.

— Dana, déesse et mère, par ton pouvoir, que la terre tremble et frémisse.

Bien qu'elle fût protégée par le rituel, Meara faillit tomber à la renverse lorsque le sol se souleva.

— J'en appelle à Acionna et à Manannan Mac Lir, cria Branna. Que votre colère divine s'abatte sur la tête de Cabhan !

La pluie se mit à tomber à torrents, comme si une divinité avait détourné le cours d'une rivière déchaînée.

À travers le brouillard, le déluge, elle vit des traînées noires scintiller en plongeant vers elle comme des flèches. À sa stupéfaction, le brouillard grésilla. Il s'enroula autour de sa jambe comme un serpent. D'instinct, elle le trancha de sa lame. Des éclaboussures de sang noir giclèrent à travers la brume.

Des boules de feu furent catapultées, réduisant les flèches noires en cendres à l'injonction d'Iona.

— Au nom de Brigitt, que le pouvoir du feu roussisse l'obscurité par sa lumière et ses flammes !

Elle sentit Boyle vaciller, tournoyer dans un mouvement défensif, et le vit auprès d'une vrille épineuse de brouillard, frappant en direction de Fin.

Elle plongea en dessous, donnant des coups de lame, puis dut s'agripper au sol lorsqu'il se souleva sous elle.

— Sidhe, aie cure de ton serviteur, ton fils, et par ton souffle scelle sa damnation.

Elle observa Connor, flamme parmi les flammes, levant les bras vers le ciel. Pendant qu'elle s'efforçait de se relever, elle vit le ciel en effervescence s'ouvrir au-dessus d'elle. Et tourbillonner.

La foudre éclata, transperçant l'obscurité pour percuter le sol tremblant. Même la pluie faisait des étincelles. Elle vit Iona chuter, Boyle se précipiter pour la prendre dans ses bras. Des flammes jaillissaient de ses mains pour carboniser le loup, l'homme, les bandes de brouillard qui s'enroulaient et serpentaient autour d'eux.

Tant bien que mal, elle rebroussa chemin, rejoignit le cercle où les bougies brillaient encore comme des balises. Retrouva Connor, qui saisit la main de Branna puis celle d'Iona afin que la trinité s'embrase telles des bougies humaines.

La chose hurla à la mort – le loup.

La chose rit – l'homme.

Les bougies, cire et mèche, crachotèrent, faiblissant peu à peu.

— Rappelons tout ! cria Branna. Nous l'avons perdu. Nous avons perdu la nuit. Nous l'avons vidée de son énergie. Fuyons, tant que nous le pouvons.

Connor saisit Meara par la taille – de ses mains fortes, l'air enragé, brillant de sueur, de sang.

— Je reprendrai mes distances dès que je t'aurai sauvé la vie une seconde fois.

Virevoltant autour d'eux, des pluies d'étoiles, des étincelles de feu. La lumière fut si vive qu'elle dut fermer les yeux de toutes ses forces et tourner la tête.

Tombant trop vite, si vite que son pas accéléré priva ses poumons d'air.

Sans s'en rendre compte, elle s'affala de tout son long sur Connor, sur le carrelage de la cuisine, le cœur de son homme tambourinant sous elle à la vitesse d'un cheval au galop.

Un atroce rugissement les engloba, faisant vibrer les fenêtres. Des poings cognaient furieusement aux portes, aux murs, si fort que le cottage en fut secoué. Pendant un bref instant, Meara pria pour qu'il ne s'effondre pas sur eux.

Puis ce fut le silence.

Les autres étaient étendus, tels les survivants d'un terrible naufrage. Kathel surgit auprès de Branna, lui léchant le visage en geignant.

— Je vais bien, ça va. Nous allons tous bien.

— Voilà qui devrait le convaincre que c'est la guerre. Moi, ça m'a bigrement bien convaincu. (Connor caressa les cheveux de Meara en remuant sous elle.) Tu es blessée ?

— Je ne sais pas. Je ne crois pas. Tu saignes.

Il porta la main à sa tempe entaillée.

— Pas esquivé assez vite.

— Attends, montre-moi. (Branna se rapprocha.) Iona…

— Je sais ce qu'il te faut.

Pendant qu'elle se ruait vers l'atelier, Meara remonta sa jambe de pantalon et découvrit un hématome au-dessus de sa cheville.

— Fais voir.

Tandis que Branna s'occupait de lui, Connor tendit le bras pour poser la main sur le bleu.

— Le brouillard… Il s'est changé en serpents. Et en épines. Des épines en ont surgi.

— Pas des épines, des dents, dit Fin qui, luisant de sueur, était assis par terre, adossé contre un placard.

392

— Tu es blessé. Un peu de ça pour la tête de Connor, lança Branna à Iona avant de se lever pour se diriger vers Fin. Veille à bien nettoyer la plaie. Où as-tu été mordu ? lui demanda-t-elle.

— Je suis juste lessivé.

Elle posa la main sur son torse.

— Pas seulement. Fais voir.

— Je m'occuperai de moi dès que j'aurai repris mon souffle.

— Et puis quoi encore ?

D'un simple mouvement de la main, elle le mit torse nu.

— Si tu as envie de me voir tout nu, j'aimerais autant qu'on fasse ça en privé.

— Tais-toi. (Regardant par-dessus son épaule, elle ordonna d'une voix pressante :) Iona, le baume !

— Je peux me soigner tout seul, protesta Fin.

— Je t'endors si tu ne restes pas tranquille. Ne bouge pas. Tu sais que j'en suis capable. Connor, j'ai besoin de toi.

— C'est grave ?

Il obtint la réponse en rampant à travers la cuisine.

De part et d'autre du thorax, Fin portait des plaies perforantes noires et à vif comme si des mâchoires monstrueuses s'étaient refermées autour de lui.

— Elles sont assez superficielles, déclara Branna d'une voix maîtrisée. Remercions le ciel. Et le poison… (Elle examina la blessure avec attention.) Qu'as-tu fait pour éviter qu'il se répande ?

— Je suis du même sang que lui. (Haletant, Fin répondit lentement, avec une précision extrême.) Ce qui vient de son sang perd en force en se mêlant au mien.

— Tu souffres, dit Connor.

— C'est normal. (Mais il expira entre ses dents serrées pendant que Branna nettoyait la plaie en profondeur.) La vache, tes soins sont moins supportables que la plaie.

— Je dois extraire le poison, même s'il est moins fort.

— Regarde-moi, Fin, ordonna Connor.

— Je peux me débrouiller tout seul avec ma douleur, merci.

Connor prit la mâchoire de Fin dans sa main, le força à tourner la tête.

Il prend sa douleur, comprit Meara. Sans souffrance, Fin guérirait plus vite. Alors, elle sut que Branna ne pouvait pas la prendre.

Comme Boyle sortait la bouteille de whisky, elle alla chercher des verres. Se rasseyant par terre, elle se chargea de la distribution lorsque Branna se rassit, hochant la tête.

— Ça fera l'affaire.

— On a dépassé la prise de bec prévue. (Imitant Fin, Connor s'adossa contre les placards, le visage en sueur à cause de l'effort, de la douleur.) Mais nous lui avons bien botté le train, et nous sommes sains et saufs.

— Il va croire qu'il nous a intimidés, dit Branna. Que nous nous chamaillons, pansons nos plaies, nous demandons s'il est sage de retenter le coup.

— Et quand nous l'attaquerons dans deux jours, nous le réduirons en cendres avant qu'il n'ait eu le temps de comprendre qu'il a été dupé. Bien joué, bravo à tous ! (Il leva son verre.) Un plan génial, ma chère Meara, et qui a probablement renversé la vapeur. Pas étonnant que je t'aime.

Il but, comme les autres, sauf Meara qui considérait le contenu de son verre.

— Pas envie de whisky ? demanda-t-il.

— J'attends les palpitations. Je suis peut-être encore sous le choc. Tu veux bien répéter ? Pour voir ce que ça me fait.

Il posa son verre, se rapprocha d'elle à genoux.

— Je t'aime, Meara, et je t'aimerai toujours.

Elle vida son verre cul sec et s'agenouilla face à lui.

— Non, aucun effet. Mais qui peut être assez idiot et faible pour trembler de peur face à l'amour ? Voyons le tien… (Elle plaqua la main sur son torse.) Vérifions si ton cœur frémit. Je t'aime, Connor, et je t'aimerai toujours.

— Je crois qu'il a sursauté. (Il enferma ses mains dans les siennes.) Mais il n'y a ni peur ni doute dans mon cœur. Tu le sens ? Il danse, de joie.

Elle rit.

— Connor O'Dwyer, l'homme au cœur qui danse. Je te veux.

Elle jeta les bras autour de son cou, pressa sa bouche sur ses lèvres.

— Vous voulez qu'on vous laisse ? lança Boyle. Envie d'un tête-à-tête sur le carrelage de la cuisine ?

— Laisse-moi réfléchir, murmura Connor avant d'embrasser son amour.

Il se redressa, la souleva de terre et la fit tournoyer pour la faire rire.

— Tout compte fait, c'est nous qui allons vous laisser.

Il la porta hors de la pièce, dans un nouvel éclat de rire.

— C'est ce que tu as toujours voulu, dit Fin à Branna.

— Je savais que c'était possible, je le sentais et oui, je le désirais. (Elle poussa un soupir.) Je vais préparer du thé.

Plus tard, alors qu'ils étaient enlacés dans le lit, que la maisonnée dormait et que le clair de lune filtrait à travers la fenêtre, Connor interrogea Meara.

— C'est la bataille qui t'a fait cet effet ? Jouer avec la vie et la mort a apaisé ton cœur ?

— Tu as pris sa douleur.

— Quoi ? Qui ?

— Dans la cuisine. Fin n'était pas d'accord, mais tu ne voulais pas le voir souffrir, alors tu as pris sa douleur. Là, je me suis dit : Il est comme ça. C'est lui. Un homme capable de souffrir pour soulager un ami – ou n'importe qui d'autre. Un être puissant et bon. Amusant, musicien et loyal. Et il m'aime.

Elle posa la main sur sa joue.

— Aussi loin que mes souvenirs remontent, je t'ai toujours aimé mais je ne l'acceptais pas, je refusais de prendre ce cadeau dont tu m'as parlé, ou de le donner. Par peur.

» Pendant que je t'observais ce soir, encore sous le coup de cette atroce bataille, sous le vif éclairage de la cuisine, je me suis demandé comment je pouvais continuer à craindre d'avoir ce que j'aime. Pourquoi je cherche à me convaincre que je suis comme mon père, pourquoi je laisse ses actes dicter ma vie. J'ai une dette envers Cabhan.

— Cabhan ?

— Il espérait me blesser, m'humilier, me bouleverser en me plaçant face à l'image de mon père. Il a réussi, mais dans le bon sens. Confrontée à tout ce que je gardais en moi, j'ai pu commencer à voir la vérité. Il ne m'a pas quittée, ni moi, ni ma mère, ni aucun de nous. Il a tourné le dos à sa honte, ses erreurs et ses échecs parce qu'il ne supportait plus de les voir chaque fois qu'il se regardait dans le miroir.

— Tu as toujours la force de supporter ce que tu vois dans le miroir.

— J'essaie, mais avant ce jour, je ne regardais pas comme il fallait. Je ne cherchais pas à changer de point de vue. C'est ma mère qui est restée, qui a porté le poids de la honte après son départ, et qui a vécu – à sa façon, équivoque – avec des erreurs et des échecs qui n'étaient pas les siens. Elle est restée là, pour moi et ma famille, même quand nous sommes devenus adultes. Elle est heureuse maintenant, libérée de tout ça même si elle n'en est pas consciente. Moi aussi, j'en suis débarrassée. Alors j'ai une dette envers Cabhan. Mais ça ne m'empêchera pas de faire tout mon possible pour l'expédier en enfer.

— Dans ce cas, j'ai indirectement une dette envers lui. Et nous l'enverrons en enfer ensemble.

Au cours des deux jours qui suivirent, en dehors du nid douillet du cottage, il avait du mal à réfréner sa joie. Quand il travaillait, il devait éviter de croiser le regard de Meara jusqu'à ce qu'ils se retrouvent dans leur refuge.

Il sentit Cabhan rôder une fois ou deux, mais à distance, avec prudence. Et le salopard portait des séquelles sérieuses, à la suite des coups qu'il avait reçus.

Il était venu affaibli, convaincu que leur cercle était abîmé alors qu'il était plus solide et plus vibrant d'énergie que jamais.

Et pourtant...

— Tu as des doutes, dit-il à Branna.

Comme il ne restait plus que quelques heures, il était rentré pour l'aider de son mieux.

— C'est un plan solide.

— Mais ?

Elle s'empara de la potion du rêve, la déposa délicatement dans une boîte argentée héritée de sa famille, à côté du brassage rouge sang destiné à achever Cabhan.

— Un pressentiment, mais je ne sais pas s'il est justifié. Je ne sais pas si c'est parce que j'étais sûre de moi le soir du solstice que maintenant je doute que ce soit le bon moment. Ou si je passe vraiment à côté de quelque chose, que je ne vois pas ce que je devrais voir, ce que je devrais faire.

— Tout ne repose pas sur tes épaules, Branna.

— Je le sais. Malgré ce qu'en pense Fin, je le sais très bien.

Elle rassembla les instruments qu'elle avait nettoyés et envoûtés et les enveloppa dans une bande de velours blanc.

Elle ouvrit un tiroir, en sortit une petite boîte en argent.

— J'ai quelque chose pour toi, et peu importe ce qui arrivera ce soir.

Poussé par la curiosité, il l'ouvrit, vit la bague, le rubis étincelant sur l'anneau en or ciselé.

— C'est pour toi, elle vient de notre arrière-grand-mère.

— Elle est à toi maintenant, si tu veux l'offrir à Meara. C'est ma sœur, et nos liens ne feront que se resserrer quand tu la lui donneras. Un autre cercle, la bague lui revient. Mais seulement si tu le désires.

Il contourna le plan de travail pour la prendre dans ses bras.

— Quand tout sera terminé. Je te remercie.

— J'ai envie que ça s'arrête, plus que jamais. Je veux te voir faire ta vie avec Meara.

— Nous l'achèverons. C'est notre destin.

— C'est ton cœur qui parle.

— Oui, et si tes pensées ne prenaient pas le dessus, tu entendrais aussi ton cœur. (Il s'écarta d'elle.) Si tu n'as pas confiance en ton cœur, aie foi en ton sang. C'est aussi le mien.

— J'ai confiance.

De son côté, il réunit son matériel et se prépara à la nuit qui s'annonçait.

Ils se retrouvèrent à la grande écurie, et à la demande de Fin, Connor sella Aine, la pouliche blanche achetée par Fin pour l'unir à Alastar.

— Je croyais que Fin prenait Baru, son étalon.

Connor regarda Meara par-dessus son épaule. Elle portait des bottes et un pantalon résistants, une épaisse ceinture équipée d'un fourreau dans lequel elle avait glissé son épée. Il savait qu'Iona avait tressé des talismans dans ses cheveux.

Et elle portait son collier sur sa chemise de flanelle.

— C'est le cas. Nous prenons Aine, et Iona et Boyle montent Alastar. Avec un troisième cheval, la route sera plus facile.

— Nous nous rendons à la chaumière de Sorcha à cheval, si je comprends bien.

— En un sens. Tu es prête pour ce soir ?

— Autant que possible.

Il lui prit la main par-dessus la selle.

— Nous en ressortirons vainqueurs.

— J'y crois.

Ensemble, ils menèrent le cheval à l'extérieur et rejoignirent le groupe éclairé par le faible croissant de lune.

— Quand nous serons sur place, il faudra agir vite, sans commettre d'impair. Mon père, la grand-mère d'Iona, la cousine de Fin sont prêts à intervenir pour nous ramener au cas où les choses tournent mal.

— C'est toi qui me ramèneras, dit-elle.

Il s'installa en selle, et elle se hissa derrière lui. Il jeta un coup d'œil à Boyle et à Iona, sur Alastar qui était agité.

Impatient d'y aller, d'agir.

Il vit Fin appeler son petit cabot, monter l'étalon noir puis tendre la main à Branna.

— C'est dur pour elle, murmura Connor. D'y aller comme ça, avec lui.

— Pour lui aussi.

399

Mais Branna monta en selle, puis fit un signe à Kathel. Le chien partit en courant. Dans le ciel, Roibeard poussa un cri, et Merlin, l'oiseau de Fin, lui répondit.

— Accroche-toi à moi, conseilla Connor.

Les trois chevaux s'élancèrent brusquement au galop.

Puis ils s'envolèrent.

— Oh là là ! s'exclama Meara en pouffant de rire. C'est merveilleux ! On aurait dû faire ça plus tôt !

Le vent lui fouettait le visage, frais et humide, tandis que des nuages jouaient à cache-cache avec la lune. Il apportait des parfums d'épices et de terre, de tous les végétaux en fin de maturité se préparant au repos hivernal.

Ils volèrent, sillonnèrent le ciel, puis plongèrent dans les grands bois, traversant la vigne vierge pour atteindre la chaumière de Sorcha.

— On se dépêche, lui dit Connor.

Il la laissa pour conjurer le cercle avec Branna et Iona, préparer une centaine de bougies, les bols, le chaudron.

Branna ouvrit la boîte argentée, en sortit la potion destinée à leur ouvrir la porte du monde des rêves.

— Par les esprits qui parcourent cette nuit, nous sommes venus nous joindre à eux par notre clarté. En ce lieu et en cette heure, nous convoquons les forces claires. Nous sommes les Trois, et sommes trois de plus. Ensemble nous passons la porte pour entrer dans le monde onirique et y rencontrer notre destin. Ainsi nous buvons une fois trois et une fois trois.

Elle versa la potion dans un calice en argent, le brandit vers le ciel. La portant à sa bouche, elle but une gorgée.

— Corps, sang, esprit et cœur, vers les rêves nous partons.

Elle passa la coupe à Fin. Il but, répéta l'enchantement puis la tendit à Iona, à tout le cercle.

Elle avait un goût d'étoiles, se dit Connor quand vint son tour.

Il donna la main à sa sœur et à Meara et, uni à son cercle, prononça les mots.

— Par la justice, par la volonté, par la lumière nous appelons la nuit. Que le rêve nous plonge dans le passé, que cette promenade vide Cabhan de ses pouvoirs maléfiques. Retournons au temps des Trois de Sorcha. Qu'il en soit ainsi.

Il n'eut pas l'impression de flotter comme lors de ses précédentes expériences, mais plutôt de nager dans la brume et les couleurs, des voix murmurant derrière et devant lui, des images à la périphérie de sa vision.

Quand le brouillard se dissipa, il était toujours dans la même position, avec son cercle, tenant Meara d'une main et Branna de l'autre.

— Avons-nous remonté le temps ?

— Regarde, dit Connor à Meara.

La vigne vierge recouvrait la chaumière mais elle n'était plus en ruine. Les jacinthes étaient en fleur autour de la pierre tombale.

Les chevaux étaient perchés avec les rapaces sur les branches les surplombant. Kathel était d'un calme princier aux côtés de Branna, tandis que Bugs tremblait entre les pieds de Fin.

— Nous sommes tous là, comme prévu. Appelle-le, Meara.

— Maintenant ?

— Oui, confirma Branna, la fiole pleine de liquide rouge à la main. Fais-le venir.

Dans la fiole, le liquide vibrait et tournait. De la lumière liquide, un feu magique.

— Au centre du cercle. (Connor la prit par les épaules, l'embrassa.) Ne t'arrête pas de chanter, quoi qu'il arrive.

Elle dut commencer par se calmer, rassembler son courage avant d'ouvrir son cœur.

Elle avait choisi une ballade, qu'elle entonna en gaélique même s'il doutait qu'elle connaisse le sens des paroles. Touchantes à fendre l'âme, aussi belles que sa voix qui retentit dans la clairière, emplit la nuit, traversa le temps du rêve.

Il lui demanderait de la chanter pour lui, plus tard, quand ils auraient vaincu le mal, quand ils seraient seuls. Elle l'entamerait pour lui.

— Il l'entend, chuchota Fin.

— C'est une nuit qui convoque le noir et le blanc, le noir et la lumière. Il va venir.

— Quoi qu'il arrive, répéta Connor, chante. Il approche.

— Oui...

Fin quitta le cercle, laissant Meara sous la protection de Boyle.

Il brandit son épée et en incendia la lame.

Il arriva à travers le brouillard, une ombre qui se mua en loup. Tel un rôdeur, il approcha de la ligne des quatre magiciens, puis virevolta et bondit sur le cercle.

Boyle se plaça en bouclier devant Meara, mais le loup rebondit sur la boule de feu lancée par Iona et fut propulsé en arrière.

Il arpenta la clairière, regardant fixement les chevaux jusqu'à ce qu'Alastar donne des coups de sabot et qu'il se redresse dans la peau d'un homme.

— Vous croyez m'atteindre cette fois ? Vous pensez pouvoir me détruire avec une chanson et votre misérable magie blanche ?

D'un geste, il éteignit la flamme brûlant sur l'épée de Fin.

Fin se contenta de la brandir, et le feu se ralluma.

— Viens si tu l'oses, lança-t-il pour le provoquer en se postant devant les Trois.

402

— Mon fils, sang de mon sang, tu n'es pas mon ennemi.

— Je suis ta mort.

Fin bondit en agitant son épée, mais ne trancha que le brouillard.

Les rats envahirent le terrain par centaines, leurs yeux rouges exprimant toute leur sauvagerie. Ceux qui affluèrent vers le cercle hurlèrent en s'enflammant. Mais Meara vit l'une des bougies suinter.

C'est le moment qu'elle choisit pour dégainer son épée en chantant.

Aine se cabra, les yeux révulsés par l'effroi. Fin empoigna son licou et traça un cercle de feu autour d'elle de la pointe de sa lame. Pendant que les deux étalons écrasaient les rats à coups de sabot, les rapaces les attaquaient en piqué.

Des chauves-souris emplirent le ciel.

Connor vit une autre bougie s'éteindre.

— Il attaque le cercle pour l'atteindre, elle. C'est maintenant ou jamais, Branna.

— Il faut attendre qu'il se rapproche.

Rejetant la tête en arrière, Connor convoqua le vent. Un souffle violent déchira les fines ailes des oiseaux de malheur, puis l'air s'emplit de fumée et de hurlements.

La voix de Meara se mit à trembler au moment où un corps vrillé s'abattait au bord du cercle, soufflant une troisième bougie.

— Reste concentrée, petite, murmura Boyle.

— Je suis concentrée.

Inspirant à pleins poumons, elle chanta plus fort pour couvrir les cris.

— Je vais te trancher la gorge et t'arracher le cœur par la bouche.

Cabhan, les yeux presque aussi rouges que sa pierre, projeta des éclairs noirs vers le cercle.

Boyle saisit l'occasion pour l'attaquer au couteau et fit d'abord couler du sang. Le souffle d'air qui suivit le fit violemment tomber à la renverse. Le sang qui perlait au bout de son couteau goutta sur le sol et noircit en crépitant.

— Maintenant ! brailla Connor avant de se mettre à chanter.

Le pouvoir s'éleva sous la forme d'une chaleur lumineuse. Il entendit encore des voix, d'autres en plus de celles de Meara et d'Iona. Lointaines, des murmures traversant le Voile fin. Le chant de Meara les recouvrait, emplissant son cœur.

Fin ralluma les bougies en balayant l'air de sa lame, et leurs flammes droites brûlèrent fièrement.

Les rats rebroussèrent chemin, affluant vers les Trois. Cabhan tomba à quatre pattes. Le loup chargea Kathel.

Connor sentit la peur de Branna, se tourna en même temps qu'elle et Iona pour écraser le loup de son pouvoir. Mais le sol se souleva sous lui – l'œuvre de Fin. Les dents de Kathel mordirent l'épaule du loup, et Roibeard plongea.

Il cria, se débattit pour s'enfuir vers les arbres qui bordaient la clairière.

— Bloque-lui le passage ! ordonna Connor. Ramène-le par ici.

Mais son cœur s'arrêta de battre lorsque Boyle et Meara quittèrent le cercle pour aider Fin.

Il s'élança vers la droite, tourna et, désespéré, passa à la charge. L'épée de Meara s'enflamma. Sa pointe roussit sa fourrure, puis le loup se retourna.

Du coin de l'œil, Connor perçut du mouvement. Jetant un coup d'œil vers la chaumière, il vit trois silhouettes postées devant sa porte. Une vision floue, leurs voix traversant le Voile à grand-peine.

Puis il n'eut plus conscience que de la présence de sa sœur, d'Iona, des Trois et de l'afflux brûlant de pouvoir.

Elle plaça la fiole en suspension devant eux et, mains jointes, esprits joints, pouvoirs joints, ils la lancèrent violemment vers le loup.

La lumière jaillit comme si des milliers de soleils explosaient. Elle l'attaqua, le traversa.

— Par le pouvoir de la trinité, tu es vaincu. Notre lumière a déchiré tes ténèbres. Avec notre lumière nous tissons cette toile, avec notre sang nous signons ta chute. Il ne te reste ni vie, ni esprit, ni pouvoir magique. Telle est notre volonté, qu'il en soit ainsi.

La lumière éclata, de plus en plus vive. Elle s'épanouit dans ses yeux, frémit dans ses veines. Et à travers elle, il revit les trois silhouettes. L'une d'elles lui tendit la main avec insistance.

Puis elles s'évanouirent, et la lumière se dissipa. La nuit retomba, seulement percée par le halo de la lune et le cercle des bougies. Se séparant des Trois, Connor se précipita vers Meara.

— Tu es blessée ? Où ça ?

— Non, rien du tout.

— Tu n'aurais pas dû cesser de chanter, tu n'aurais pas dû sortir du cercle.

— J'avais la gorge sèche. (Elle sourit, le visage noir de suie, et jeta les bras autour de lui.) Nous l'avons vaincu ? C'est terminé ?

— Donne-moi un moment.

Les cendres et le sang jonchaient le sol, de minuscules flaques noires brûlant encore par endroits.

— Par tous les dieux, ce qu'il reste de lui doit se trouver là. Attends un instant.

— Il n'y a rien. Je le sens. (Fin essuya le sang sur son visage.) Je sens sa présence, son odeur. Je vais le trouver. L'achever.

— Tu ne dois pas quitter la clairière, dit Branna en l'attrapant par le bras. Si tu t'éloignes, tu risques de ne plus pouvoir revenir.

Déterminé, Fin dégagea son bras.

— Ça change quoi si, au bout du compte, je l'achève ? Si je mets un terme à tout ça ?

— Tu n'es pas à ta place ici.

— Ce n'est pas à toi d'en décider.

— Ni à toi, dit-elle en le poussant à l'intérieur du cercle. Connor.

— Putain de merde !

Accablé de regrets, il immobilisa Fin et reçut son poing dans la figure. Boyle se joignit à lui.

— Vite.

Branna posa la main sur l'épaule de Connor, prit la main de Meara, adressa un signe à Iona pendant que les hommes se battaient en roulant dans la terre.

Elle ferma les yeux, rompit le charme.

Ils traversèrent la nuit et la clarté rétablie, les couleurs et les brumes pour revenir dans la clairière, à côté de la chaumière en ruine, sous les hululements d'une chouette.

— Tu n'avais pas le droit de me retenir.

— Nous voulions tous t'empêcher de partir, répondit Connor en se massant la mâchoire tout en jetant un coup d'œil à Fin. Nous avons besoin de toi.

— Comment en être sûrs ? demanda Meara. Comment savoir si nous l'avons eu ?

Sans rien dire, Fin enleva son manteau, son pull. Sur son épaule, la marque était à vif et battait comme un cœur.

— C'est quoi ? demanda Branna. Tu ressens ses souffrances ?

— Ceux de ton sang s'en sont occupés. Il est blessé, mais impossible de dire si c'est fatal. J'aurais pu l'achever.

406

— Si tu avais quitté la clairière, tu te serais perdu, dit Connor. Tu es l'un des nôtres, Fin. Tu appartiens à ce lieu, à ce temps. Nous ne l'avons pas tué. Je le sentais moi aussi avant que Branna ne rompe l'envoûtement. Mais pas ici, pas maintenant. Et dans cette époque, nous avons quelques plaies et bosses, mais rien de plus – sans oublier ton coup de poing. Il est exténué, déchiré, brisé, à moitié aveugle aussi. C'est tout ce que je sais. C'est probable qu'il ne passe pas la nuit.

— Je peux atténuer la douleur.

Fin se contenta de fixer Branna.

— Ça ne changera rien.

— Fin. (Iona s'approcha de lui, se hissant sur la pointe des pieds pour prendre son visage en coupe.) *Mo deartháir*. Nous avons besoin de toi à nos côtés.

Renonçant à lutter, Fin plaqua son front contre celui d'Iona, soupira.

— Très bien.

— Nous devrions rentrer. (Meara tendit Bugs à Fin. Le chien frétilla dans ses bras, lui lécha le visage.) Même si nous ne l'avons pas anéanti, nous avons fait du bon boulot ce soir. J'ai tellement chanté que j'ai la gorge complètement sèche.

— Ce n'est pas fini. (Branna se rapprocha de la tombe de Sorcha, caressa du bout des doigts les mots gravés dans la pierre.) Pas encore fini, mais le jour viendra. J'en fais le serment.

Ils montèrent en selle, sales et épuisés. Connor accorda un dernier regard à la clairière avant de traverser la vigne vierge.

— Je les ai vus… je dois le dire aux autres.

— Tu as vu qui ?

— Les Trois. Les trois enfants de Sorcha – ou leurs ombres. Eamon portait une épée, Brannaugh un arc et Teagan une baguette magique. Ils n'étaient pas vraiment là,

407

mais ils ont pénétré dans le rêve. Ils ont essayé de nous rejoindre.

— Ils auraient pu nous aider... s'ils avaient été physiquement présents.

— Tout à fait. (Il guida Aine vers la maison.) J'y ai cru, pendant un moment, j'ai cru que nous avions gagné.

— Moi aussi. Tu avais envie d'accompagner Fin. D'aller l'achever avec lui, sans penser aux conséquences.

— Exact, mais je n'ai pas pu.

— Parce que ce n'est pas comme ça que ça doit se passer.

— Pas seulement. Je ne pouvais pas te quitter. (Il arrêta Aine pour se tourner vers elle, lui caresser le visage.) Je ne pouvais pas et je ne désirais pas te quitter, Meara, même pour ça. J'ai quelque chose pour toi.

Il plongea la main dans sa poche, en sortit l'écrin argenté. Quand il l'ouvrit, le rubis refléta le clair de lune.

— Mais, Connor...

— C'est une belle bague. Je vais l'adapter à ton doigt... aussi justement que tu es faite pour moi et que je suis fait pour toi. Elle est dans la famille depuis plusieurs générations. Branna me l'a donnée pour que je te l'offre.

— Tu me fais ta demande en mariage à dos de cheval, alors que nous empestons le soufre ?

— Ça me semble romantique et inoubliable. Regarde. (Il la lui passa au doigt, la tapota.) Voilà, elle est pile à ta taille, je le savais. Tu ne peux plus refuser de m'épouser maintenant.

Elle regarda l'alliance, puis Connor.

— Dans ce cas, je vais dire oui.

Son baiser fut aussi tendre que maladroit.

— Accroche-toi, conseilla-t-il.

Et ils poursuivirent le trajet en volant.

Cherchant son gîte, la créature rampait au ras du sol, plus ombre que loup, plus loup qu'homme. Son sang noir calcinait la terre à son passage.

Il était réduit à la souffrance, à la haine et à une terrible soif. Une soif que seule la vengeance étancherait.

Glossaire

Gaélique

a ghrá, mon amour
céili, bal de danses traditionnelles celtiques, célébration
cennfine, chef de clan
deirfiúr bheag, petite sœur
dubheasa, beauté brune. Terme pouvant aussi désigner la guérisseuse, celle qui veille sur le groupe
mo chroi, mon cœur
mo deartháir, mon frère
mo deirfiúr, ma sœur
seisún, rassemblement de musiciens célébrant leur passion pour le folklore
sláinte, santé (pour trinquer)

À suivre dans...
Les héritiers de Sorcha - livre 3

Branna O'Dwyer vit des traditions et légendes irlandaises du comté de Mayo. Dans sa boutique, La Ténébreuse, elle vend des bougies, des lotions et des savons artisanaux, fabriqués suivant des recettes ancestrales, avec la petite touche spéciale qu'elle seule sait y ajouter. Sa force et sa générosité illuminent le cercle composé par sa famille, ses amis et les animaux – chevaux, oiseaux, chiens – avec lesquels ils vivent en étroite intelligence. Son existence déborde d'affection, mais le vrai grand amour lui manque encore. Elle l'a connu un temps avec Finbar Burke, pour découvrir que les lois du sang et les malédictions du passé leur interdisaient un avenir commun. Tous deux en souffrent et chacun tente de combler le vide de cet amour perdu : Finbar voyage sans cesse, tandis que Branna travaille avec acharnement. Toutefois ce renoncement leur apporte plus de tourment que de réconfort. Même le déchaînement des puissances maléfiques qui les menacent tous ne parvient pas à apaiser la passion brûlante qui les pousse l'un vers l'autre.